民國歷史與文化研究

初　編

第32冊

倒戈與統一：
閩系海軍研究（1926～1935）

程 玉 祥 著

1927年閻錫山易幟研究

張　寧　著

花木蘭文化出版社

國家圖書館出版品預行編目資料

倒戈與統一：閩系海軍研究（1926～1935） 程玉祥 著／
1927年閻錫山易幟研究 張寧 著 — 初版 — 新北市：花木蘭
文化出版社，2015〔民104〕
目 2+62面／目 2+124面；19×26公分
（民國歷史與文化研究 初編；第32冊）
ISBN 978-986-404-168-8／978-986-404-169-5（精裝）
1. 海軍 2. 軍事史 3. 中國／1. 閻錫山 2. 北洋軍閥 3. 民國史
628.08　　103027679／103027680

民國歷史與文化研究
初 編 第三二冊　ISBN：978-986-404-168-8／978-986-404-169-5

倒戈與統一：閩系海軍研究（1926～1935）
1927年閻錫山易幟研究

作　者 程玉祥／張 寧
總 編 輯 杜潔祥
副總編輯 楊嘉樂
編　輯 許郁翎
出　版 花木蘭文化出版社
社　長 高小娟
聯絡地址 235 新北市中和區中安街七二號十三樓
電話：02-2923-1455／傳眞：02-2923-1452
網　址 http://www.huamulan.tw 信箱 hml 810518@gmail.com
印　刷 普羅文化出版廣告事業
初　版 2015年3月
定　價 初編32冊（精裝）新台幣56,000元　

倒戈與統一：

閩系海軍研究（1926～1935）

程玉祥　著

作者簡介

程玉祥，南京大學中華民國史研究中心博士研究生，主要從事中華民國海軍史、中國國民黨史研究。

提　要

本文圍繞南京國民政府成立前後閩系海軍發展的三大主題：歸附國民革命、爭設海軍部、統一海軍的嘗試，對閩系海軍在政權易手和歸屬轉變之後，與蔣介石主導的軍委會之間，圍繞對海軍軍政權的實際控制問題所展開的較量作一探究。

在國民革命軍北伐的衝擊下，從屬於北京政府的閩系海軍伺機倒戈。閩系海軍為保持自身獨立性，與蔣介石談判歸附條件。本文從考證歸附條件出發，詳細論證了北伐期間閩系海軍歸附國民革命的整個過程。

海軍設部之爭實質上是閩系與蔣介石對海軍軍政權的爭奪，其結果一方面是閩系得以實現「擴署為部」，並從海軍部及其附屬機構的人員構成上看，海軍部為閩系海軍的天下；但在另一方面，蔣介石採取取消海軍司令部，實行軍委會、海軍部分掌海軍軍令權、軍政權等新的舉措，從體制上根本改變了閩系獨掌海軍大權的局面。

本文從海軍艦隊和海軍教育兩個角度深入分析海軍部、軍委會的統一方案及其實施情況。閩系雖然在統一海軍上極為主動，但進展緩慢；另一方面，蔣介石不願看到由地方色彩濃厚的閩系來完成海軍統一，從而另設電雷學校，以期培養未來海軍中堅人才，牽制閩系。在統一海軍軍事教育上，閩系亦未能取得實質進展。閩系在統一海軍的實踐中，既遭到海軍其他派系的抵制，又受到軍委會海軍統一方案的牽制。最終南京國民政府海軍在軍委會的努力下完成了統一。

教育部人文社會科學重點研究基地重大項目

「國民革命與北伐研究」（13JJD770015）

階段性成果

目　次

緒　論

第一節　研究緣起與研究現狀

軍事歷史研究與軍事檔案資料之關係，誠如蘇小東教授所言：「軍事史研究必須依賴於對軍事檔案資料的發掘」〔註1〕。民國海軍史研究正是隨著民國海軍檔案的公開而逐漸走向深入。

民國海軍的大量核心檔案隨國民黨敗退臺灣而同時遷走，這給大陸民國海軍史研究帶來了極大困境。1960年代，隨著各地《文史資料選輯》的出版，大量民國海軍親歷者的回憶文章問世，爲研究者提供了較爲可行的史料，民國海軍史研究開始起步，但仍處於薄弱階段。

1986年楊志本主編的《中華民國海軍史料》出版，使民國海軍史研究薄弱的狀況開始有所改觀。該書除收錄回憶性文章外，還收錄中國第二歷史檔案館收藏的大量有關海軍的原始檔案。1989年，高曉星、時平編著的《民國海軍的興衰》出版問世，是爲大陸第一部專門記述中華民國海軍的史書，較爲完整的展現了民國海軍的發展概況，「填補了國內海軍史上的一項空白」。〔註2〕此後陳書麟、陳貞壽編著的《中華民國海軍史》、中國人民解放軍海軍司令部編輯的《近代中國海軍》等書相繼問世，使民國海軍史研究初具規模。然而此後，鮮有新的史料發掘，民國海軍研究未能出現新的代表作。

〔註1〕《淺談海軍史研究與軍事檔案的利用》，蘇小東、李鍾超著，載《軍事歷史研究》，2010年增刊，第195～197頁。

〔註2〕《民國海軍的興衰》（江蘇文史資料第32輯），高曉星、時平編，中國文史出版社，1989年10月出版，前言第2頁。

閩系海軍研究未能引起大陸學界的足夠重視。大陸對閩系海軍的研究，除上述民國海軍通史著作中有所體現外，亦有個別學術論文。宏觀研究而言，如韓眞先生所著《民國海軍的派系及其形成》，探討了民國海軍派系的淵源、形成的過程及抗戰前民國海軍的狀況，其中論述了北伐期間閩系海軍易幟、南京國民政府海軍部設立等史實。〔註3〕劉傳標先生著《閩系海軍的興衰及功過》，概述了從閩系海軍的起源到消亡的整個過程，並評價了閩系海軍的歷史地位與作用。〔註4〕微觀研究則取閩系一段歷史時期或一個歷史事件，嘗試深入研究，如韓眞先生著《二、三〇年代閩系海軍對福建沿海地區的武力割據》，劍成、郭天先生合著《抗戰時期閩系海軍發動的振興運動與海軍整建、海軍建設》。整體而言，大陸學界對閩系海軍的研究存在著碩果有限、不夠深入等不足。

臺灣地區學界依據「國防部史政編譯局」、「臺北國史館」的「國軍檔案」、國民政府檔案等大量極爲關鍵的民國海軍原始檔案史料及彙編，對閩系海軍的研究較爲深入。其中「中央研究院」近代史研究所張力先生的研究成果較爲突出，張力先生偏重於研究南京國民政府時期的民國海軍，從海軍內部派系、中央與地方關係、中日關係、歐美外援等多角度深入探討民國海軍的統一、發展問題。〔註5〕

本文以1926～1935年爲時間段，圍繞此階段閩系海軍發展的三大主題：歸附國民革命、爭設海軍部、統一海軍的嘗試，對閩系海軍在政權易手和歸屬轉變之後，與國民政府軍事最高當局——蔣介石主導的軍委會之間，圍繞對海軍軍政權的實際控制問題所展開的較量作一探究。

在現有史料基礎上，本文在以下方面取得了一些進展：一是從考證歸附條件出發，詳細論證了北伐期間閩系海軍歸附國民革命的整個過程；二是以海軍軍政權的控制爲視角，重新解讀南京國民政府成立之後的海軍設部之爭；三是指出南京國民政府內部存在著海軍部和軍委會兩股要求統一海軍的勢力，並詳細論證了兩股勢力的兩種統一方案及其具體實施過程。

〔註3〕《民國海軍的派系及其形成》，韓眞著，載《軍事歷史研究》，1992年第1期，第63頁～68頁。

〔註4〕《閩系海軍的興衰及功過》，劉傳標著，載《福建論壇（人文社會科學版）》，1994年第4期。

〔註5〕張力的《從「四海」到「一家」：國民政府統一海軍的再嘗試，1937～1948》探討了抗戰後軍委會統一與重建民國海軍的努力與實現；《航向中央：閩系海軍的發展與蛻變》探討了整個閩系海軍的形成、發展過程，側重研究抗戰後閩系海軍的蛻變過程。

第二節　研究資料

本課題屬於民國軍事史研究，由於筆者求學於南京，得以查抄中國第二歷史檔案館大量原始資料，爲本文撰寫奠定了堅實的史料基礎。南京大學圖書館、南京圖書館、南京大學歷史學系圖書館館藏的相關圖書以及南大館藏民國圖書與期刊（電子版）、上海圖書館晚清和民國期刊全文數據庫相關電子版文獻極大地豐富了本文的史料來源。

就檔案資料而言，由於眾所周知的歷史原因，大陸和臺灣分別藏有部分民國檔案，筆者主要查抄了中國第二歷史檔案館館藏海軍史料，如海軍統一計劃、國防計劃海軍部分等。已出版的檔案資料有中國第二歷史檔案館編《中華民國史檔案資料彙編》，殷夢霞、李強編《國家圖書館藏民國軍事檔案文獻初編》。目前館藏於臺灣「國防部史政編譯局」、「臺北國史館」的「國軍檔案」、國民政府檔案含有豐富且極爲關鍵的海軍史料，筆者因條件所限，使用轉引方式，所引文章均爲臺北中央研究院近代史研究所張力教授所著。臺灣已出版的檔案資料有中國國民黨中央委員會黨史史料編纂委員會編《革命文獻》，秦孝儀主編《中華民國重要史料初編》以及中國國民黨中央委員會黨史委員會編《先總統蔣公思想言論總集》。

報刊資料亦頗爲豐富。閩系海軍雖實力弱小，但卻參與了眾多歷史大事且內部事變不斷，因而倍受新聞媒體關注，如《申報》、《中央日報》、《大公報》、《新聞報》、《眞光》。另外閩系海軍控制的海軍部所編刊物《海軍雜誌》（又名《海軍期刊》爲本課題研究提供了更爲可信的史料。

高曉星主編《陳紹寬文集》爲本研究提供了閩系代表人物陳紹寬統一海軍的方案、言論，對本課題研究意義極爲重大。其他資料彙編主要有：張俠等編《清末海軍史料》、楊志本等編《中華民國海軍史料》、蘇小東編著《中華民國海軍史事日誌》、劉傳標編《中國近代海軍職官表》、文聞編《舊中國海軍秘檔》、中國人民解放軍歷史資料叢書編審委員會編《海軍回憶史料》、中國人民解放軍海軍司令部研究委員會編《中國近代海軍史參考資料》、張寶倉、陳書麟著《海軍史料研究》（第 1 輯）。

20 世紀 60 年代以來，陸續出版的《文史資料選輯》、《福建文史資料》、《福州文史資料》、《遼寧文史資料》、《廣東文史資料》包含大量閩系海軍、東北海軍、廣東海軍歷史親歷者的回憶文章，彌補了檔案資料的不足。但因回憶史料具有主觀性，且因回憶者限於派系偏見，本文在使用時多爲反覆印證，力求客觀。

第三節　文章結構

本文整體上分爲三章。閩系海軍歸附國民革命、爭設海軍部、統一海軍的嘗試是本文論述的三大主題。設立海軍部是閩系統一海軍的前提，因而本文將兩者合併爲一章，作爲本文的第三章；同時單列一章梳理閩系海軍的起源與形成，作爲本文的第一章。

第一章主要梳理了閩系海軍的起源與形成。閩系海軍的源頭可追溯至洋務運動時期的福州船政學堂。由於地緣、鄉緣、師生等因素，福建人構成了近代海軍官兵的主要地域群體。這一趨勢在清末海軍重建和北京政府成立初期不斷得到強化。閩系海軍的形成與 1917 年程璧光南下護法所導致的民國海軍分裂有關，因而本章重點考察了閩系海軍形成的過程以及其他主要派系東北海軍、廣東海軍的發展演變，從而爲後文的研究提供便利。

第二章考察了閩系海軍歸附國民革命的條件與步驟。閩系海軍爲保持自身獨立性，與蔣介石談判歸附條件時極爲謹慎，同時又根據形勢變化，暗中配合國民革命軍。歸附後閩系海軍雖然成爲新政權下的「中央海軍」，但由於閩系歸附類似於軍事結盟性質，因而從根本上限制了自身發展。

第三章探討了閩系統一海軍的嘗試。南京國民政府內部主要存在兩股統一海軍的勢力：閩系控制的海軍部、蔣介石控制的軍委會。歸附國民革命之後，閩系力主設立海軍部，力圖實現閩系海軍主導下的發展與統一。本章從海軍艦隊和海軍教育兩個角度深入分析海軍部、軍委會的統一方案及其實施情況。閩系雖然在統一海軍上極爲主動，但進展緩慢；另一方面，蔣介石不願看到由地方色彩濃厚的閩系來完成海軍統一，從而另設電雷學校，以期培養未來海軍中堅人才，牽制閩系。在統一海軍軍事教育上，則是由閩系內部矛盾導致海軍大學的停辦。抗戰爆發後，閩系實力受到重創，失去統一海軍的資本。

第一章　閩系海軍的形成

第一節　閩系海軍的源頭

一、福州船政學堂

中國近代海軍正式創辦於 1885 年，而其源頭則爲 1866 年閩浙總督左宗棠奏請在福州馬尾創辦的「福州船政局」。爲培養專業的海軍人才，左宗棠擬訂了《求是堂藝局章程》，提出了對開辦學校的基本設想：「挑選本地資性聰穎，粗通文字子弟入局肄業。」〔註 1〕同年左宗棠調任陝甘總督，船政大臣由沈葆楨繼任，沈葆楨非常重視培養船政及海軍人才，遂於 1867 年在馬尾正式創辦了近代中國第一所海軍軍事學校——福州船政學堂。〔註 2〕福州船政學堂分爲前、後兩個學堂：前學堂用法文教授，專門學習艦船製造；後學堂用英文講課，設駕駛、管輪兩班。「清末，該學堂共畢業 510 人，近代中國海軍的大部艦艇管帶，許多海軍學堂的教習及造船廠的技術人員，都出自船政學堂。」〔註 3〕

福州船政學堂培養的海軍專業人才，恰逢當時清政府組建水師而缺少專業技術人員的時機，故而受到重用，如 1875 年，清政府創辦北洋水師時，所

〔註 1〕張俠等編，《清末海軍史料》，海軍出版社，1982 年 5 月第 2 版，第 377 頁～378 頁。

〔註 2〕福州船政局初名「求是堂藝局」，1867 年 2 月創辦於福州，同年夏遷至馬尾，更名爲「福州船政學堂」。1913 年船政前學堂改爲海軍製造學校；後學堂改爲海軍學校。

〔註 3〕高曉星、時平：《民國海軍的興衰》，江蘇文史資料第 32 輯，第 12 頁。

用軍事人才幾乎全部來自船政學堂。他們多擔任水師各艦管帶、幫帶等重要職務。此後，清政府陸續設置了九所海軍學校，所聘教習亦多由福州船政學堂畢業生擔任，故有評論者指出：「從 1866 年到 1922 年止，五十餘年間，所有海校——馬尾、天津、南京、昆明湖、威海、煙臺及前期黃埔海校，幾乎全由閩人主持。」〔註 4〕因而福州船政學堂是爲閩系海軍的最初源頭。

二、清末海軍重建

清朝海軍接連在中法戰爭、甲午中日戰爭中遭遇挫折，特別是威海衛一戰，北洋水師全軍覆沒。1895 年，光緒皇帝雖然在盛怒之下撤銷海軍衙門，並遣散海軍官兵，但在列強瓜分中國的危機刺激和國內維新改革的推動下，清政府更加認識到海軍的重要。1899 年 4 月，清政府重新起用原北洋水師將領，任命葉祖珪爲北洋水師統領，薩鎮冰爲幫統，負責整頓北洋海軍。由此從維新運動至辛亥革命，清末海軍出現了一段被學界稱之爲「海軍重建時期」，這是繼洋務運動籌建海軍之後，近代中國海軍史上出現的第二次發展時期。

清末海軍重建對民國海軍的發展與閩系海軍的形成均產生了至關重要的影響。其中尤以閩籍人士爲主的福州船政學堂畢業生重新受到重用、南北洋海軍統一和第二波購艦熱潮對後世的影響最深。

（一）福州船政學堂畢業生重新受到重用。1898 年，清政府向德國訂購的三艘巡洋艦「海容」、「海籌」、「海琛」陸續來華，次年，向英國訂購的兩艘巡洋艦「海天」、「海圻」亦交貨到達。清政府在增加新艦後，急需有經驗的軍官爲管駕、統領，而最佳人選就是甲午戰後被革職的以閩籍人士爲主的海軍將領。1899 年 4 月 17 日，清政府重新起用原北洋水師將領，任命葉祖珪爲北洋水師統領，薩鎮冰爲幫統。1902～1903 年，經直隸總督兼北洋大臣袁世凱奏保，原北洋海軍軍官林穎啓、李鼎新、李和、藍建樞、何品璋、程璧光、林文彬等先後被開復原官。以閩籍人士爲主的福州船政學堂畢業生重新受到重用，逐漸掌握海軍各艦實權。此種情況一直持續到民國時期，北京政府時期歷任海軍總長、海軍總司令非福建人，必然是福州船政學堂畢業生。

〔註 4〕陳景薌：《舊中國海軍的教育與訓練》，《福建文史資料》第八輯：海軍史料專輯，中國人民政治協商會議福建省委員會文史資料研究委員會編，福建人民出版社，1984 年 10 月第 1 版，第 91 頁。文中所言七所海校分別爲：福州船政學堂（後改稱海軍學校）、天津水師學堂、江南水師學堂、昆明湖水師學堂、北洋威海水師學堂、煙臺水師學堂和廣東黃埔水師學堂。

（二）南北洋海軍統一。清末海軍是先有艦隊，後有海軍衙門。從 1860 年代至 1880 年代，清廷組建了福建水師、南洋水師、廣東水師、北洋水師，四支水師之間互不相屬。中法戰爭清廷戰敗後，才於 1885 年 10 月成立海軍衙門。從成立至 1895 年 3 月清廷裁撤，海軍衙門存在的十年裏並未在實際上劃歸統一上述四支水師。

1905 年 1 月 18 日，兩江總督周馥奏請清廷統一南北洋海軍。其奏摺稱：

現統北洋海軍廣東水師提督葉祖珪，本船政學堂出身，心精力果，資勞最深，擬將南洋各兵艦歸併該提督統領。凡選派駕駛、管輪各官，修復練船，操練學生、水勇，皆歸其一手調度，南北洋兵艦官弁，均准互相調用。現在兵艦，雖不足一軍之數，而統率巡防，須略防一軍兩鎮之制。即南洋水師學堂，上海船塢，兵艦餉械支應一切事宜，有與海軍相關者，並准該提督考覈，會商各局總辦道員，切實整頓。〔註 5〕

清政府批准周馥的奏請後，葉祖珪即在上海高昌廟江南製造總局設立海軍臨時辦事機構，負責統領南北洋海軍。5 月 16 日，清政府諭以薩鎮冰接替因病退休的葉祖珪，任廣東水師提督，總理南北洋海軍。

1909 年 7 月 15 日，清政府任命載洵、薩鎮冰為籌辦海軍大臣，成立了直屬朝廷的籌辦海軍事務處，統一指揮南北洋海軍。籌辦海軍事務處成立後，於 1909 年 8 月，經清廷諭准，將南北洋艦艇收歸統一。然後按所有艦艇適於海戰或江防，先後組建巡洋艦隊和長江艦隊。

巡洋艦隊所轄艦艇為：「海圻」、「海籌」、「海琛」、「海容」、「通濟」、「飛鷹」、「保民」、「湖鵬」、「湖隼」、「湖鶚」、「湖鷹」、「辰」、「宿」、「列」、「張」等 15 艘，配備官兵 2097 人，以程璧光任統領。

長江艦隊所轄艦艇為：「江元」、「江亨」、「江利」、「江貞」、「楚同」、「楚泰」、「楚觀」、「楚有」、「楚豫」、「楚謙」、「建威」、「建安」、「鏡清」、「南琛」、「策電」、「甘泉」、「登瀛洲」等 17 艘，配備官兵 1542 人，以沈壽堃任統領。

〔註 5〕《兩江總督周馥奏南北洋海軍聯合派員統率摺》，載張俠、楊志本主編《清末海軍史料（上）》，第 90～91 頁。因北洋海軍編制員額在 1895 年裁撤，因此開復原官將領只能在南洋和廣東水師中實授官缺。1904 年 7 月，清政府雖授葉祖珪為廣東水師提督，但經袁世凱奏准仍留北洋差遣。此即周馥奏摺中所謂「現統北洋海軍廣東水師提督葉祖珪」。

1909 年 10 月 16 日，巡洋長江艦隊統制部成立，1910 年 12 月 3 日改爲籌辦海軍事務處。12 月 4 日，籌辦海軍事務處改爲海軍部，管理全國海軍行政事務，授載洵爲海軍大臣，薩鎮冰爲統制（負責指揮巡洋艦隊和長江艦隊）。至此，清廷終於統一了海軍的軍政權與軍令權。

（三）國外購艦。中日甲午戰後，清朝海軍從號稱「世界第七、亞洲第一」歸於零，而此後陸續從國外訂購的軍艦構成了北京政府時期海軍的主力，甚至是抗戰前期中國海軍的主力。辛亥革命打斷了清末海軍重建的進程，此一時期從國外訂購的軍艦由不同政權接受，按其歸國時間可以分爲清末歸國、民初歸國兩類。清末訂購、清末歸國各艦。爲後文論述方便起見，筆者參照已有研究成果簡單梳理了這一時期的艦艇概況。

艦隊	艦　名	艦　型	訂購國家（造船廠）	排水量（噸）
巡洋艦隊	「海圻」	巡洋艦	英國阿姆斯特朗廠	4300
	「海容」、「海籌」、「海琛」	巡洋艦	德國伏耳鏗廠	2950
	「湖鵬」、「湖隼」、「湖鶚」、「湖鷹」	魚雷艇	日本川崎廠	
	「辰」、「宿」、「列」、「張」	魚雷艇	德國	
	「通濟」		福州船政局	1030
	「飛鷹」		德國伏耳鏗廠	
	「保民」	巡洋艦		1477
長江艦隊	「江元」、「江亨」、「江利」、「江貞」			
	「楚同」、「楚泰」、「楚觀」、「楚有」、「楚豫」、「楚謙」			
	「建威」、「建安」	驅逐艦	福州船政局	850
	「鏡清」			
	「南琛」			
	「策電」			
	「甘泉」			
	「登瀛洲」			

資料來源：劉傳標編纂：《中國近代海軍職官表》，福建人民出版社，2004 年，第 37 頁～47 頁。表中部分資料缺。

清末訂購、民初歸國各艦。1909 年 10 月，載洵、薩鎮冰赴歐洲考察海軍，向意大利訂購炮艦 1 艘，向奧地利訂購驅逐艦 1 艘，向德國訂購驅逐艦 3 艘、江防炮艦 2 艘，向英國訂購巡洋艦 2 艘。1910 年 8 月，載洵、薩鎮冰赴美國、日本考察海軍，向美國訂購巡洋艦 1 艘，向日本訂購炮艦 2 艘。以上所訂軍艦，除美、奧、意三國因艦款糾紛而取消外，其餘 9 艘在民國初年來華：德造驅逐艦命名爲「同安」、「建康」、「豫章」，炮艦命名爲「江鯤」、「江犀」；英造巡洋艦命名爲「肇和」、「應瑞」；日造炮艦命名爲「永豐」、「永翔」。

第二節　北京政府時期閩系海軍的形成

一、北京政府海軍的建立

民國初期的海軍力量主要由辛亥革命期間倒戈的清末海軍構成。1911 年 10 月 10 日武昌起義爆發。清政府派往鎮壓起義的海軍統制薩鎮冰，在革命形勢的重壓下，於 11 月 11 日，棄艦離職。臨行前以艦上燈號宣告各艦：「我去矣，以後軍事，爾等各艦艇好自爲之。」〔註 6〕隨後海軍各艦相繼易幟倒向革命軍。

1912 年 1 月 1 日，中國民國臨時政府成立，下設海軍部。3 日，臨時大總統孫中山任命黃鍾瑛爲海軍部總長，湯薌銘爲次長。黃鍾瑛同時兼任海軍總司令。南京臨時政府僅變更了海軍官職稱呼，如廢「海軍大臣」、「海軍統制」、「管帶」設「海軍總長」、「海軍總司令」、「艦長」。但在實際上沿襲了清末海軍建制，海軍部仍爲海軍行政機構；海軍總司令部爲海軍指揮機構，具體負責指揮海軍艦艇。海軍部與各艦隊之間設總司令部，而不是海軍部直接指揮海軍艦隊的權力分配體制，一直延續到 1927 年閩系海軍歸附國民革命軍，新的體制直到 1929 年南京國民政府海軍部成立時才得以確立。

1912 年 4 月，袁世凱建立北京政府後，設立了新的海軍部和海軍總司令部，海軍部仍負責海軍行政事宜，總司令部具體負責指揮艦隊訓練、作戰事宜，分別在北京和上海高昌廟辦公。同時袁世凱調整了海軍人事任命，以劉冠雄爲海軍部總長，黃鍾瑛爲海軍總司令〔註 7〕。

〔註 6〕朱天森：《記辛亥海軍起義與閩籍海軍人物》，載張俠、楊志本主編《清末海軍史料》，海軍出版社，1982 年，第 737 頁。

〔註 7〕同年 12 月，黃鍾瑛去世，海軍總司令一職由李鼎新接任。

隨後，巡洋艦隊、長江艦隊分別更名爲第一艦隊、第二艦隊。1913 年 7 月，海軍部以清末向英國訂造的「肇和」、「應瑞」兩巡洋艦，與第一艦隊的「通濟」艦，合編爲練習艦隊。練習艦隊所屬艦艇作爲海軍學生的教育訓練使用。

1913 年 7 月，北京政府海軍所轄艦艇如下：

艦　隊	艦　名
第一艦隊	「海圻」、「海容」、「海籌」、「海琛」、「飛鷹」、「豫章」、「建康」、「同安」、「永豐」、「永翔」、「舞風」、「聯鯨」、「福安」
第二艦隊	「建威」、「建安」、「江元」、「江亨」、「江貞」、「楚泰」、「楚同」、「楚有」、「楚謙」、「楚觀」、「江犀」、「江鯤」、「拱辰」、「永安」、「建中」、「湖鵬」、「湖鶚」、「湖鷹」、「湖隼」、「辰」、「宿」、「列」、「張」
練習艦隊	「肇和」、「應瑞」、「通濟」

資料來源：劉傳標編纂：《中國近代海軍職官表》，福建人民出版社，2004 年，第 94 頁～113 頁。

二、海軍分裂：程璧光南下護法

民國初年海軍統一局面僅僅維持數年。1917 年，海軍因程璧光南下參加護法軍而分裂。程璧光原屬清末南洋水師，與黎元洪曾同在「廣甲」艦服役，兩人私交甚篤。1916 年 6 月，黎元洪任大總統後即任命程璧光爲海軍總長。在隨後的府院之爭中，程璧光自然擁護黎元洪。

1917 年 7 月，段祺瑞組織「討逆軍」挫敗張勳復辟。此時，孫中山提出「擁護《臨時約法》，恢復國會」，並極力拉攏海軍實力派，贈送 30 萬元經費與程璧光，力促其南下護法。劉冠雄在段祺瑞的支持下復任海軍總長。劉冠雄爲培植心腹，屬意提升第二艦隊司令饒懷文爲海軍總司令，「事泄於林葆懌，於是促林決心南下護法。」〔註 8〕

1917 年 7 月 22 日，程璧光在上海發表《海軍護法宣言》，表示「我海軍將士，既以鐵血構造共和，既以鐵血擁護之」〔註 9〕，隨後率第一艦隊「海圻」、

〔註 8〕林葆懌時任第一艦隊司令。見李世甲：《我在舊海軍親歷記》，《福建文史資料》（選輯），第一輯，中國人民政治協商會議福建省委員會文史資料編輯室編，福建人民出版社，1962 年，第 36 頁。

〔註 9〕《海軍總長程璧光及林葆懌擁護約法否認非法政府宣言》，載《革命文獻》，第 7 輯，中國國民黨中央委員會黨史史料編纂委員會編，中央文物供應社，1954 年，第 82 頁。

「飛鷹」、「永豐」、「豫章」、「舞風」、「同安」、「福安」七艦南下廣東護法。8 月 5 日抵達廣州後，連同駐泊在廣州的「海琛」、「楚豫」、「永翔」三艦，組成護法艦隊。次年，駐泊廈門的練習艦「肇和」來粵參加護法。護法艦隊所轄艦艇達到 11 艘，其中更有海軍主力艦「海圻」、「海琛」號。南下護法艦隊的總噸位約占當時海軍力量的四成。

1917 年 9 月，護國軍政府成立海軍部，以程璧光爲海軍總長，林葆懌爲海軍總司令。這樣民國出現南北兩個海軍部，民國海軍正式分裂，分裂局面一直延續到四十年代。分裂各艦爲尋找靠山，依靠實力派軍閥；實力派軍閥爲擴充實力，組建新的海軍艦隊，設立海軍院校，培植海軍官兵，於是在 20 世紀 20 年代，力量孱弱並已分崩離析的民國海軍形成閩系（中央系、福建系）、東北系（青島系）和廣東系（粵系、黃埔系）三派。

三、閩系海軍的正式形成

劉冠雄任海軍總長期間，海軍主要官員、艦隊司令、艦長等大多是閩籍人士。劉冠雄大力扶持，甚至破格提拔閩人，最爲典型的是 1915 年 12 月，肇和艦起義時的「肇和」艦艦長黃鳴球。黃與劉同爲福州船政後學堂駕駛班同學，兩人曾於 1885 年同被派往英國格林威治皇家海軍學校留學，關係非同一般。甲午海戰後，黃鳴球長期賦閒在家，不聞海軍事務。1913 年，已是海軍總長的劉冠雄駐馬江時，黃鳴球以同窗舊誼求見，被破格任用，擔任「肇和」艦少將艦長。〔註 10〕閩系海軍在形成過程中，以福州爲中心的地緣、以福州船政學堂爲中心的學系佔了核心地位。

袁世凱死後，北京政府陷入軍閥混戰。海軍的軍餉只有依靠北洋軍閥輪番把持的中央政府撥給，「陸軍爭地盤，就地尚可籌餉，而海軍則皇皇無主，枵腹相爭，一若宜爲陸軍之附屬品」〔註 11〕，因此，無論哪一派軍閥在中央政府當權，海軍都依附於該派軍閥。

閩系海軍依附於北京政府，始終以正統自居，認爲北京政府爲世界各國承認的唯一合法政府，餉糈悉由中央政府撥給，而與廣東海軍、東北海軍餉

〔註 10〕黃鯍泌：《黃鳴球的海軍生涯》，《福建文史資料》，第八輯：海軍史料專輯，中國人民政治協商會議福建省委員會文史資料研究委員會編，福建人民出版社，1984 年，第 209 頁。

〔註 11〕蔡鴻幹：《林建章事略》，《福建文史資料》，第八輯：海軍史料專輯，中國人民政治協商會議福建省委員會文史資料研究委員會編，福建人民出版社，1984 年，第 167 頁。

糈均出自地方割據政府，體系有所不同，其歸附北京政府，重於實利主義，所以在北洋軍閥的派系鬥爭中，唯權勢是瞻。劉冠雄先附袁世凱，再附皖系；袁倒、皖系敗，而劉亦隨之下野。薩鎮冰適應多方面關係，在舊海軍中有崇高聲望，直系、皖系當權時，曾任海軍總長，不久去職。其後在北洋軍閥各系角逐中原時期，杜錫珪、楊樹莊、林建章相承繼起，所有海軍部司長以上官員及各艦隊司令、艦長，大多數落於閩人之手，閩系海軍至此已由奠定而壯大。〔註 12〕

四、廣東海軍、東北海軍的發展演變

廣東海軍、東北海軍是民國時期閩系之外重要海軍派系，兩派在形成與發展中都與閩系有著千絲萬縷的聯繫。同時，廣東海軍、東北海軍也是南京國民政府成立後閩系統一海軍的主要對象。

廣東海軍是民國海軍派系中實力最爲弱小的一支，其形成可追溯至 1917 年程璧光、林葆懌率艦南下護法。廣州軍政府內部派系林立，南下護法的海軍隨即捲入了紛飛複雜的政治鬥爭，先是程璧光被刺身亡，1922 年 4 月又發生山東籍的溫樹德武力奪艦事變，驅逐了護法艦隊中的閩人。後被吳佩孚收買，溫樹德於 1923 年率「海圻」等艦北上，駛抵青島，護法艦隊轉眼成爲直系軍閥的渤海艦隊。廣東軍政府自溫樹德率艦北去後，海軍主力盡失，僅剩「飛鷹」、「永豐」、「舞風」、「甘泉」等艦，形成了廣東海軍。

東北海軍的形成有兩個源頭，一部分是 1919 年建立的「吉黑江防艦隊」，另一部分是 1925 年組建的海防艦隊。1919 年，海軍部接受王崇文「在哈爾濱建立吉黑江防艦隊」的建議，由海軍總司令部從第二艦隊抽調「江亨」、「利捷」、「利綏」、「利川」四艦北上，組建吉黑江防艦隊。1920 年 5 月，吉黑江防司令公署成立，以王崇文爲司令。吉黑江防艦隊直隸海軍部，不歸海軍總司令部管轄。其成立之初，就得不到北京政府和海軍部的有力領導和經費支持。「至於江防艦隊經費，原由海軍部供應支領，但北京政府支付不出，三年中積欠軍餉，達十多月，因而促成了改屬東三省政府的動機。」〔註 13〕1922

〔註 12〕李世甲：《我在舊海軍親歷記》，《福建文史資料》（選輯），第一輯，中國人民政治協商會議福建省委員會文史資料編輯室編，福建人民出版社，1962 年，第 40 頁。

〔註 13〕范傑：《我在東北海軍的回憶》，載文聞編《舊中國海軍秘檔》，中國文史出版社，2006 年，第 29 頁。

年 6 月，吉黑江防司令公署暨江防艦隊在張作霖的拉攏下投向東三省，接受收編。

1922 年 8 月，在東三省保安總司令部內特設航警處，作爲籌辦東北海軍的領導機關，調沈鴻烈任少將處長。沈鴻烈任航警處長後，積極招羅北京海軍部中的淩霄、方念祖、謝剛哲等 20 餘位留日同學來東北參加創建海軍，並把吉黑江防艦隊置於航警處領導之下，作爲創建東北海軍的實力基礎。

東北海軍的另一部分是 1925 年正式組建成軍的海防艦隊。1923 年春，奉系在葫蘆島創辦航警學校，培養東北的海軍軍官和水兵。同時以「鎭海」、「威海」、「定海」、「飛鵬」四艦組成東北海防艦隊〔註 14〕。1926 年冬，東北海防艦隊利用渤海艦隊的「海圻」號赴旅順進日本船塢修理之機，採取收買方式，將「海圻」號接收整編。

1927 年東北海軍兼併渤海艦隊後，實力達到全盛。1923 年溫樹德率艦北上，駛抵青島，成爲直系的渤海艦隊。第二次直奉戰爭，直系戰敗，依附於直系的渤海艦隊司令溫樹德轉而投靠奉系山東督辦張宗昌。1925 年 10 月，張宗昌借海軍士兵鬧餉事件，乘機將溫樹德免職，委畢庶澄兼渤海艦隊司令，從而控制了渤海艦隊。

閩系海軍倒戈後，張作霖於 1927 年 3 月 20 日，在青島設立聯合艦隊司令部，下轄東北海防艦隊與渤海艦隊，東北海軍實力大增，此後東北海軍遂有「青島系」之稱。

〔註 14〕1923 年 7 月向煙臺政記輪船公司購入 2000 噸以上商船兩艘，分別命名爲「鎭海」、「威海」號。1924 年 9 月，奉軍接收了大沽造船所及停泊在造船所內的 1100 噸破冰船 1 艘，改裝成艦，命名爲「定海」號。1925 年 10 月，向日本購買 200 噸舊魚雷艇 1 艘，命名爲「飛鵬」號。見劉傳標編《中國近代海軍職官表》，福建人民出版社，2004 年，第 119 頁。

第二章　北伐期間閩系海軍倒戈

第一節　北伐對閩系海軍的衝擊與閩系倒戈意見的形成

一、北伐對閩系海軍的衝擊

1926年7月1日，廣州國民政府發佈《北伐宣言》，9日，國民革命軍出師北伐。國民革命軍北伐的整體戰略爲：第一階段底定長江流域，第二階段渡黃河而直取幽燕，以完成統一全國之工作。〔註1〕當時長江流域爲兩大軍閥所盤據：擁兵武漢一帶者爲吳佩孚，雄視東南者爲孫傳芳，各有數十萬之兵力。

北伐之初，閩系海軍各艦隊的駐紮情況是：第一艦隊司令陳季良駐泊於馬尾，同時代行閩廈警備司令職務，指揮駐閩艦艇及海軍陸戰隊及長門、廈門兩要塞，下轄「海容」、「海籌」、「永績」、「永建」、「連鯨」、「豫章」、「建康」、「普安」、「華安」、「定安」、「海凫」、「海鷗」、「海鴻」、「海鵠」等艦；第二艦隊司令陳紹寬駐泊於南京，指揮長江各艦艇，下轄「建威」、「建安」、「江元」、「江亨」、「江貞」、「楚泰」、「楚同」、「楚有」、「楚謙」、「楚觀」、「江犀」、「江鯤」、「拱辰」、「永安」、「建中」、「湖鵬」、「湖鶚」、「湖鷹」、「湖隼」、「辰」、「宿」、「列」、「張」、「甘泉」、「利通」、「福清」、「福鼎」等艦；練習艦隊司令李景曦駐上海，下轄「應瑞」、「通濟」、「靖安」等艦。海軍總司令設在上海高昌廟，由楊樹莊坐鎮指揮。

〔註1〕《國民革命軍出師北伐史料前言》，載《革命文獻》，第14輯，中國國民黨中央委員會黨史史料編纂委員會編，正中書局，1956年，第1頁。

北伐開始後，閩系海軍受命於吳佩孚、孫傳芳，率艦助戰，負責江上封鎖或掩護陸軍登陸。閩系海軍在戰場上與國民革命軍的接觸中，敗多勝少。《民國海軍的興衰》詳細記載了 1926 年 7～11 月閩系與國民革命軍的戰鬥失利情況：

> 1926 年 7 月 17 日，吳佩孚調集海軍艦艇到湖南汨羅江實施封鎖，配合北洋軍阻止北伐軍渡江。然而北伐軍勢如破竹，於 8 月 20 日順利越過汨羅江，22 日攻佔岳陽。閩系海軍見陸軍部隊奪路而逃，也不願獨自作戰，紛紛退往白螺磯、新堤一帶，後又撤至武漢江面。
>
> 隨著北伐軍力量增強，北洋軍閥再次向長江下游退卻。9 月 22 日，孫傳芳到九江後，令楊樹莊帶艦前來助戰。25 日，海軍「決川」、「濬蜀」兩艦掩護孫傳芳軍之一部在黃石港登陸，攻佔大冶，與北伐軍展開激戰。11 月 5 日，孫傳芳兵敗後乘艦從武穴退至湖口，7 日又逃至南京。〔註 2〕

但在國民革命軍方面，由於所轄的海軍力量弱小，廣東海軍並未參加北伐。這樣，當北伐軍進入長江流域作戰時，海軍在戰場上的作用得以展現。缺乏海軍的國民革命軍亦感受到閩系海軍的軍事壓力，如 9 月 3 日，國民革命軍進攻武昌洪山時，海軍艦艇在大堤口江面向洪山炮擊，使國民革命軍一度受阻，造成不少傷亡。爲減輕海軍方面軍事壓力，廣州國民政府向閩系伸出橄欖枝，積極爭取閩系海軍倒戈。此種態度變化可從 1926 年 10 月 27 日，蔣介石發給廣州張靜江、譚延闓，武昌鄧演達的電文中得悉：

> 廣州張譚二主席鈞鑒：長江海軍緊要，務請設法派員切實聯絡，爲我所用；月餉請先擔任，如何？
>
> 武昌鄧主任勳鑒：海軍緊要，前史家麟來漢，即與此有關，望再設法聯絡：如爲我軍所用，則當允其月餉可也。〔註 3〕

此時閩系面臨選擇。在國民革命軍的快速推進下，如繼續抵抗則可能有全軍覆沒之虞；另一方面蔣介石已派員聯絡閩系，積極爭取閩系歸附。

〔註 2〕高曉星、時平：《民國海軍的興衰》，江蘇文史資料第 32 輯，第 102 頁。

〔註 3〕《蔣總司令爲聯絡長江海軍電》，載《革命文獻》，第 13 輯，中國國民黨中央委員會黨史史料編纂委員會編，正中書局，1956 年，第 394 頁，總 2170 頁。

二、閩系倒戈意見的形成

在國民革命軍的猛烈攻勢及吳、孫軍隊的潰敗下，閩系海軍高層開始為出路重做打算，並迅速達成歸附國民革命的意見。1926 年 11 月，海軍總長杜錫珪到上海同海軍總司令楊樹莊密商。楊樹莊認為北京政權覆滅將不可避免，今後閩系海軍唯有歸附廣州新政權，才有存在的可能。〔註 4〕杜錫珪以依附直系著稱，但此時亦不得不有所考慮。於是兩人決定分頭應付：北京政府方面有杜錫珪從中周旋；南方革命軍由楊樹莊派員取得聯繫。

楊樹莊在上海觀察了全盤形勢之後，決定海軍歸附國民革命軍必須分兩個步驟：「一是估計何應欽率領的東部北伐軍進展會比西路軍快速，應使第一艦隊司令陳季良首先在閩發難，吸引在閩的北軍，減少何應欽軍前進路上的障礙，使其得以直搗福州；二是鑒於東路北伐軍攻下浙江之前，蘇、皖、浙三省還是孫傳芳的勢力範圍，海口及沿江要塞仍全為北洋軍閥所掌握，海軍活動不能不受到限制，應使第二艦隊司令陳紹寬在南京一面與孫傳芳周旋，一面密派長江艦隊之主力軍艦溯江上駛到九江，向蔣介石報告全部情況，以後全軍始更換旗幟。〔註 5〕

然而此時的長江下游仍處於孫傳芳的控制之下，楊樹莊並未將倒戈一事的討論範圍擴展至艦隊司令、各艦艦長等閩系中層將領，這樣位處北伐前線、駐泊南京的第二艦隊司令陳紹寬的態度極為重要。北伐之初，陳紹寬反對歸附國民革命軍的態度較為堅決，曾言：「有斷頭將軍，無投降將軍」。隨著北伐軍的節節勝利，特別是第一艦隊在閩協助東路軍攻下福建後，陳紹寬態度發生變化。他從整體局勢考慮，意識到北京政府即將覆滅，未來政權必操於國民革命軍之手，海軍出路唯有歸附國民政府，遂下令決心歸附。

此時，孫傳芳仍控制著蘇浙皖三省，他一面密切注視閩系海軍的動向，一面極力拉攏陳紹寬。而陳紹寬對孫則是虛與周旋，如孫傳芳軍向江西出擊時，陳給孫多方面的的幫助，甚至派艦供孫設統帥部之用，使孫不疑。孫曾

〔註 4〕林知淵：《我參預舊海軍活動二事》，載《福建文史資料》，第八輯：海軍史料專輯，中國人民政治協商會議福建省委員會文史資料研究委員會編，福建人民出版社，1984 年，第 50 頁。

〔註 5〕林知淵：《我參預舊海軍活動二事》，載《福建文史資料》，第八輯：海軍史料專輯，中國人民政治協商會議福建省委員會文史資料研究委員會編，福建人民出版社，1984 年，第 50 頁。

在某次宴會上對眾公開讚揚陳的才能說：「今天我結識這位品德高尚、勇敢善戰的陳將軍，就比我擴充十個師的兵力作用還大。」〔註 6〕

在歸附對象上，閩系從開始即鎖定掌握國民革命軍事大權的北伐軍總司令蔣介石。

第二節　閩系與蔣介石談判倒戈條件

杜錫珪與楊樹莊在達成「北京政府方面有杜錫珪從中周旋；南方革命軍由楊樹莊派員取得聯繫」後，楊樹莊即派出林知淵、陳可潛、方聲濤等人與國民革命軍接頭。國民黨方面，派出鈕永建、林森。蔣介石的代表王允恭、李濟深的代表黃家濂等，赴上海會晤楊樹莊。雙方談判主要圍繞四個問題：（一）海軍軍餉、（二）閩人治閩、（三）統一海軍、（四）黨代表制度。

從性質上看，四個問題的實質有明顯不同，其中前三項條件由閩系提出，作爲閩系歸附國民革命的利益保證，「黨代表制」則是由蔣介石提出，並作爲控制閩系的一項重要制度。

一、海軍軍餉、統一海軍與閩人治閩

海軍因無固定地盤，其軍餉歷來依靠中央財政。民國北京政府後期的軍閥混戰，使海軍軍餉斷絕，進而引發海軍派系分立，最終導致海軍分裂。擁有固定而有保障的軍餉及實現海軍統一，是閩系海軍的夙願。此時廈門爲閩系控制，作爲其軍餉來源之一，福建亦爲閩系海軍的故鄉，「閩人治閩」的提出，是希望國民革命成功後，由閩系海軍控制福建。因而在雙方代表接觸過程中，楊樹莊提出了閩系歸附的三項條件：「海軍軍餉」、「統一海軍」與「閩人治閩」。

12 月 10 日，蔣介石在同時發給張靜江、譚延闓、李宗仁、何應欽等人的電文，對閩系海軍的三項條件作出了回應：

> 海軍如有決心，應令其從速宣佈加入，由國民政府委楊樹莊爲政府委員。福建省政府於肅清全閩三個月內成立；惟財政須有財部統一，各省財廳長皆由政府與中央黨部薦任，非僅福建一省然也。

〔註 6〕李世甲：《我在舊海軍親歷記》，載《福建文史資料》（選輯），第一輯，中國人民政治協商會議福建省委員會文史資料編輯室編，福建人民出版社，1962 年，第 62 頁。

海軍餉項，必按月由軍事部或總部發給，不能如從前以廈門爲海軍餉源也。至統一海軍計劃，可由楊幼京籌備，呈請政府核准。對於肅清長江下游問題，江陰要塞以東軍艦，集中上海、鎮江；要塞以西軍艦，從速上駛，集中九江、武漢後再定。〔註 7〕

蔣介石對於「海軍軍餉」、「統一海軍」問題回答的較爲籠統，僅以「海軍餉項，必按月由軍事部或總部發給」，未明確給出具體款額，並對閩系海軍目前的軍餉主要來源作出限制，「不能如從前以廈門爲海軍餉源也」；「至統一海軍計劃，可由楊幼京籌備，呈請政府核准」。對於「閩人治閩」，蔣明確給出了福建省政府成立的時間表（該電發出八日後，何應欽率領的東路軍即佔領福州），並許諾委任楊樹莊爲國民政府委員。

單從表面上看電文對閩系開出的條件一概應允，但實則不然，蔣介石對至關重要的財權作了極大限制：福建省財政歸中央財部，並以「各省財政長皆由政府與中央黨部薦任」爲由，在實際上控制了未來福建省政府的財政大權。

同時，蔣爲控制閩系海軍，明確規定閩系海軍「不能如從前以廈門爲海軍餉源也」。閩系海軍自 1924 年佔據廈門後，廈門稅收一直是其主要餉源之一。按照蔣介石的策略，首先控制廈門稅收權，繼而控制福建省政府財權，閩系海軍則只能依附於己。

爲試探閩系海軍歸附的眞誠度，蔣介石對其未來調度作了仔細安排：「對於肅清長江下游問題，江陰要塞以東軍艦，集中上海、鎮江」，這樣安排也爲策應東路軍由浙江攻入上海；「（江陰）要塞以西軍艦，從速上駛，集中九江、武漢後再定」。蔣介石調部分軍艦集中九江、武漢是爲了擴大蔣系勢力影響，以及阻止孫、吳軍南渡並協助北伐軍北渡。

電文發出四天後，海軍總司令所派代表來南昌接洽，向蔣介石表示：（閩系海軍）願服從命令；但上海無陸軍響應，不能正式發表。〔註 8〕閩系海軍此時仍在觀望。

〔註 7〕《蔣總司令陳中央並告何應欽等應付海軍方針電》，載《革命文獻》，第 14 輯，中國國民黨中央委員會黨史史料編纂委員會編，正中書局，1956 年，第 536 頁，總 2312 頁。

〔註 8〕《蔣總司令告何應欽海軍願服從命令電》，載《革命文獻》，第 14 輯，中國國民黨中央委員會黨史史料編纂委員會編，正中書局，1956 年，第 440 頁，總 2216 頁。

此時在國民革命軍內部因遷都之爭而矛盾激化。在國民政府辦公地點由廣州遷到武漢後，蔣介石則有意留在南昌，武漢、南昌都處在長江流域，閩系海軍的江防艦隊易於發揮重要威力，蔣介石出於軍事威懾的需要，堅決要求閩系海軍派艦溯江上駛，到達九江、武漢。

12月30日，蔣介石通過何應欽向王允恭與上海鈕惕生轉達了此項談判條件：

> 請與海軍說明，如其眞能與我方合作，其艦隊能入長江，必到九江、武漢，於我軍方有利，否則只到安慶、蕪湖，則必爲敵用，且於我軍有害也，不如不入長江。至發餉事，必須海軍明白宣言，方能照辦，否則不能擔負，請明告。吾輩革命，決不敢負己欺人也。〔註9〕

此電文對支付海軍軍餉一事亦給出明確答覆：即海軍軍餉必須等到閩系海軍公開發表易幟宣言之時，方能支付。此後雙方的談判轉到每月海軍軍餉的具體數額上。據楊樹莊的特使林知淵回憶，1927年元旦後某天，林知淵在九江接到楊樹莊從上海發來的電報，命其先與蔣介石商決海軍餉項問題。楊樹莊認爲：海軍全軍各艦艇員兵和陸戰隊的餉項，以及軍械所、醫院、學校等附屬機關的餉項，每月應支五十萬元，按月定期發給，不得缺少或積欠。〔註10〕

蔣介石對餉項一事當即表示慨然應允，並稱「革命軍不是北洋軍閥政府，不會有積欠事情」。至此，雙方關於「海軍軍餉」達成一致：革命軍在閩系海軍正式宣佈易幟後，按月定期應支五十萬元海軍軍餉。

二、黨代表制度

以黨代表制爲中心的黨軍體制，是孫中山在建立黃埔軍校時師法蘇俄的結果，其目的在於「使軍隊黨化，成爲黨的武力」〔註11〕。1925年7月，廣州國民政府將所轄軍隊改編爲國民革命軍，全面實行黨代表制。閩系海軍歸附國民革命軍必然繞不開黨代表制度。

〔註9〕《蔣總司令示何應欽等應付海軍機宜電》，《先總統蔣公思想言論總集》（卷三十六：別錄），中國國民黨中央委員會黨史委員會，中央文物供應社，1984年，第357頁。

〔註10〕林知淵：《我參預舊海軍活動二事》，載《福建文史資料》，第八輯：海軍史料專輯，中國人民政治協商會議福建省委員會文史資料研究委員會編，福建人民出版社，1984年，第51頁。

〔註11〕傅光中：《論國民革命軍的黨代表制度》，陳謙平主編：《中華民國史新論（政治・中外關係・人物卷）》，三聯書店，2003年版，第19～33頁。

1926 年 12 月 18 日，東路軍在何應欽的率領下已經佔領福州，福建全省基本處於東路軍控制之下。福建收復以後，更加堅定了海軍歸附國民革命的決心。此時蔣介石已基本滿足閩系開出的三項條件，之後雙方開始商討最爲敏感的黨代表制度。

據林知淵回憶，楊樹莊在歸附革命軍前，最大的顧慮即爲黨代表制問題，「聽說國民革命軍中有所謂黨代表制度，黨權高於一切，而黨代表又多由共產黨人充當」，「海軍人員既不是國民黨，更不是共產黨，但將來歸附了國民革命軍，就必須設置黨代表。選拔海軍人員來充當黨代表，自然是不可能的事；但由海軍以外的人來充當，海軍的傳統制度和一切規律就難以維持了。」〔註 12〕

閩系其他高級領導同樣對黨代表制持遲疑態度。第一艦隊在閩發難後，陳季良對國民革命軍的黨代表制度表示疑慮：「不過所考慮的是國民革命軍裏面有很多共產黨人，特別在黨代表人物方面有不少共產黨員，這一點值得考慮，將來我們海軍加入國民革命軍，最好不接受設立黨代表制度，即使一定要設的話，其人選也應該由我軍方面提出。」〔註 13〕第二艦隊司令陳紹寬、楚同艦長李世甲均持有同樣觀點。〔註 14〕

1927 年元旦後，林知淵在九江接到楊樹莊從上海發來的電報，命林先與蔣介石商決黨代表問題。楊樹莊認爲：最好不在海軍中設置黨代表，如必須設置，其人選望能由海軍自己提出。〔註 15〕

而蔣介石則表示「北伐諸軍都已建立各級黨代表加強政治工作，海軍何能獨異？」。但對閩系海軍而言，這是一個極難接受的條件。閩系海軍是一個

〔註 12〕林知淵：《我參預舊海軍活動二事》，載《福建文史資料》，第八輯：海軍史料專輯，中國人民政治協商會議福建省委員會文史資料研究委員會編，福建人民出版社，1984 年，第 49 頁。

〔註 13〕李世甲：《我在舊海軍親歷記》，載《福建文史資料》（選輯），第一輯，中國人民政治協商會議福建省委員會文史資料編輯室編，福建人民出版社，1962 年，第 62～63 頁。

〔註 14〕據李世甲回憶：當陳季良表達對黨代表制的看法時，李世甲表示「當時我也同意他的看法」；隨後李世甲到達南京進見陳紹寬時，「陳也談到黨代表問題，同樣也存在著顧慮。」見李世甲：《我在舊海軍親歷記》，載《福建文史資料》（選輯），第一輯，中國人民政治協商會議福建省委員會文史資料編輯室編，福建人民出版社，1962 年，第 63 頁。

〔註 15〕林知淵：《我參預舊海軍活動二事》，載《福建文史資料》，第八輯：海軍史料專輯，中國人民政治協商會議福建省委員會文史資料研究委員會編，福建人民出版社，1984 年，第 51 頁。

以地緣、學系、鄉親組成的排他性極強的保守軍事勢力，對外界勢力的介入極爲敏感與恐懼，同時也深怕蔣介石通過黨代表制度控制閩系海軍。

從當時形勢來看，蔣的首要目標是盡早爭取海軍易幟，而對於在海軍中設「黨代表」一事，蔣採取了務實妥協的態度。但蔣之務實妥協的態度並非至始至終如此，而是隨著閩系採取具體行動之後才逐漸改變。首先蔣以「北伐諸軍都已建立各級黨代表加強政治工作，海軍何能獨異？」明確拒絕楊樹莊的「最好不在海軍中設置黨代表」的建議；其次，對「如必須設置，其人選望能由海軍自己提出」的建議，蔣介石並未答覆，實際上這是給閩系留有餘地，即閩系若能按蔣之命令速派艦艇，並盡快易幟歸附，海軍「黨代表」人選是可以由海軍自己提出的！

1927 年 3 月，楊樹莊按照蔣介石命令派遣 「楚謙」、「楚同」、「楚有」三艦開赴九江，同時發電報向蔣介石舉薦兩名海軍「黨代表」人選，一是王孝縝，一是林知淵。〔註 16〕從兩人背景看，王孝縝與林知淵均爲福建閩縣人。但王孝縝爲日本陸軍士官學堂畢業，一直在陸軍系統任職，與海軍無甚聯繫。林知淵則與閩系海軍有很深的淵源，並作爲楊樹莊的代表在閩系與蔣介石之間穿針引線。因此，在楊樹莊看來，最合適的人選非林知淵莫屬。由於此時「楚謙」、「楚同」、「楚有」三艦還未抵達九江，因而蔣在覆電中並未指定人選，而以「等見面時再做決定」〔註 17〕答覆楊樹莊。

「楚謙」、「楚同」、「楚有」三艦抵達九江後，閩系海軍於 3 月 14 日易幟，宣佈加入國民革命軍。閩系海軍已在實際行動上歸附，蔣介石開始認眞考慮人選問題。對比閩系提出的同爲福建人的王孝縝與林知淵，蔣知楊樹莊更傾向於有海軍背景的林知淵，並且林知淵作爲「使者」，對閩系海軍及時歸附革命軍貢獻很大。蔣經過深思熟慮後於 3 月 25 日在停泊南京江面的「楚同」艦上頒佈任命狀：「派林知淵爲海軍總司令部政治部主任兼海軍黨代表」。〔註 18〕

〔註 16〕林知淵：《我參預舊海軍活動二事》，《福建文史資料》，第八輯：海軍史料專輯，中國人民政治協商會議福建省委員會文史資料研究委員會編，福建人民出版社，1984 年，第 51 頁。

〔註 17〕林知淵：《我參預舊海軍活動二事》，《福建文史資料》，第八輯：海軍史料專輯，中國人民政治協商會議福建省委員會文史資料研究委員會編，福建人民出版社，1984 年，第 52 頁。

〔註 18〕林知淵：《我參預舊海軍活動二事》，《福建文史資料》，第八輯：海軍史料專輯，中國人民政治協商會議福建省委員會文史資料研究委員會編，福建人民出版社，1984 年，第 52 頁。

至此，在閩系海軍派艦抵達九江，並公開宣佈易幟後，蔣介石對閩系做出了以下承諾：海軍軍餉在閩系海軍正式宣佈易幟後，按月定期支付五十萬元；國民政府委楊樹莊為政府委員，福建省政府於肅清全閩三個月內成立，由楊樹莊擔任福建省主席；統一海軍計劃，由楊樹莊籌備，呈請政府核准；在海軍中設黨代表制度，黨代表由閩系提出的林知淵擔任。

但是，蔣介石實現了從經濟上控制閩系海軍的目的。採取的策略為「斷其餉源，限其財權」：首先對作為閩系海軍主要餉源之一的廈門稅收，明確規定閩系海軍「不能如從前以廈門為海軍餉源也」，這樣，閩系軍餉只能從中央領取。其次，蔣介石雖然允諾「閩人治閩」，但為防止閩系海軍以福建省財政支持海軍，對今後福建省的財權作了極大限制，福建省財政歸中央財部，並以「各省財政長皆由政府與中央黨部薦任」為由，在實際上控制了未來福建省政府的財政大權，從而斷絕了閩系海軍經濟獨立的可能性。

第三節　閩系海軍倒戈

一、第一艦隊在閩協助東路軍

國民革命軍實行分隔孫吳，各個擊破的北伐戰略，同時採取鉗形攻擊與牽制方式，即分兩路：一路為主力軍由廣東北部進取湖南，正面攻擊吳佩孚主力；一路由廣東東北部進入福建以牽制孫傳芳。1926 年 10 月 10 日，北伐軍攻佔武昌，武漢三鎮克復。

武漢已定，國民革命軍劍鋒轉指東南，於是由粵入閩之東路軍，發揮其效能。1926 年 10 月，何應欽率領東路軍由廣東東北部入閩作戰。福建是閩系海軍人物的故鄉，1924 年，閩系海軍奪得廈門後，福建沿海更成為其軍餉的主要來源。為此，閩系海軍把主力之一的第一艦隊駐防馬尾。這樣，國民革命軍之何應欽的東路軍與閩系海軍主力之第一艦隊首先在福建接觸。

北伐東路軍在取得永定、松口勝利後，於 1926 年 11 月 21 日進駐泉州。此時第一艦隊司令陳季良由於得到總司令楊樹莊「相機行事」〔註 19〕的指示，便表示與東路軍合作，擔任在福州附近截擊各敵歸路的任務。同時楊樹莊派

〔註 19〕李世甲：《我在舊海軍親歷記》，載《福建文史資料》（選輯），第一輯，中國人民政治協商會議福建省委員會文史資料編輯室編，福建人民出版社，1962 年，第 60 頁。

林知淵經閩廈前往接洽。〔註 20〕在海軍第一艦隊的通力配合下，東路軍很快消滅了軍閥張毅軍主力，迫使其餘部於 12 月 10 日接受改編。18 日，何應欽率東路軍進佔福州，福建遂為東路軍控制。

二、楊樹莊率領閩系海軍歸附

福建收復後，北伐戰場開始轉入長江下游省份。同時，蔣介石也加快催促閩系海軍易幟。2 月 18 日，蔣介石電催海軍總司令楊樹莊：

> 局勢進展，西路會師許昌，東路已過富陽，中路江左與江右軍，均已攻擊前進，會取金陵，所至披靡，欲竟北伐全功，此時已至最要關鍵，海軍同仁，夙稱愛國，斯正展布偉略，戡平內亂之時。深盼海軍全體即張義幟，宣佈討賊，以固邦基，知必為吾兄暨諸將士所欣然也，如何進行，並望速覆。〔註 21〕

2 月 22 日，海軍總司令楊樹莊派「楚同」艦長李世甲溯江西上南昌，與蔣介石接頭。李世甲路過南京向陳紹寬報告福建第一艦隊暗中歸附詳情及此次西上任務時，陳紹寬當即表示：大勢所趨，非幹不可。〔註 22〕但鑒於第一艦隊首先在閩發難的先例，陳從維護閩系海軍內部統一、親自掌控第二艦隊歸附等考慮發出，特別向李世甲強調：「不過要幹就大家一起幹，個別地區或個別人分開來幹，恐怕會給海軍帶來不利影響。」〔註 23〕

陳紹寬向李世甲強調「大家一起幹」是很有深意的。閩系海軍作為一個整體，內部矛盾重重，1917 年程璧光南下護法、1923 年林建章滬隊獨立等嚴重的分裂對立事件，削弱了閩系海軍的整體實力。而歷次分裂事件，均為各派軍閥通過軍餉收買、許以海軍更高官職等手段分化瓦解閩系海軍內部，從而實現為己所用。陳紹寬此時擔心第一艦隊在閩首先發難可能是革命軍分化

〔註 20〕 載《革命文獻》第 14 輯，中國國民黨中央委員會黨史史料編纂委員會編，正中書局，1956 年，第 428 頁，總 2204 頁。

〔註 21〕 《先總統蔣公思想言論總集》，國國民黨中央委員會黨史委員會，《卷三十六：別錄》，第 365 頁。

〔註 22〕 李世甲：《我在舊海軍親歷記》，載《福建文史資料》（選輯），第一輯，中國人民政治協商會議福建省委員會文史資料編輯室編，福建人民出版社，1962 年，第 63 頁。陳紹寬此話意為，閩系海軍已到了歸附國民革命軍的關鍵時刻，歸附是閩系海軍的唯一出路。

〔註 23〕 李世甲：《我在舊海軍親歷記》，載《福建文史資料》（選輯），第一輯，中國人民政治協商會議福建省委員會文史資料編輯室編，福建人民出版社，1962 年，第 63 頁。

瓦解閩系海軍的慣用伎倆，會給閩系海軍造成分裂，對「個別地區」先幹表示擔憂。就目前史料看，陳季良率第一艦隊在閩發難是奉海軍總司令楊樹莊「相機行事」的指示，並且楊樹莊令陳季良在閩「相機行事」是針對國民革命軍東西兩路會攻東南的戰略所作出的對策。海軍第一艦隊在閩發難是閩系海軍歸附國民革命軍的先期步驟。陳紹寬擔心此舉會被利用並給海軍整體帶來不利影響的考慮雖有一定道理，但此事尚能在楊樹莊的掌控之下。

陳紹寬所言「個別人分開來幹」這是對楊樹莊派李世甲西上南昌與蔣談判的不滿，同時也是向李世甲提出警告。此時李世甲爲「楚同」艦長，而「楚同」艦在編制上隸屬於第二艦隊，作爲第二艦隊司令的陳紹寬是李世甲的頂頭上司。楊樹莊在未知會陳紹寬的情況下，直接派李世甲去南昌執行與蔣介石接頭任務，自然會引起陳的不滿與猜忌。因此當李世甲辭別陳紹寬上駛至大通時，李即於當天夜半接到陳紹寬來電，命「楚同」艦駛返南京待命。〔註 24〕

恰在此時，上海發生了第二次工人武裝起義，閩系海軍牽涉其中。2 月 22 日傍晚，駐上海海軍中的中共地下黨員郭壽生，爲響應上海工人起義，發動「建康」、「建威」，炮擊高昌廟附近的兵工廠、火車站等設施。起義雖未成功，但對閩系海軍高層造成極大震動，楊樹莊下令懲辦參加起義的官兵，並採取防範措施。李世甲認爲：此時國民革命軍東路軍已迫近上海，駐泊在高昌廟的的「建康」、「建威」二艦，爲了以行動響應國民革命軍，炮轟龍華，從而爲海軍盡早投向國民革命軍創造條件。

東路軍即將攻佔上海、與蔣談判接近尾聲、北京政府對閩系海軍警戒加強以及閩系海軍下層士兵思變等一系列事件都明顯地表明，閩系海軍到了轉舵歸附的時候了。爲統一閩系海軍內部將領意見，楊樹莊在處理參與「建康」、「建威」二艦炮轟龍華人員之後，即電召閩系海軍主要將領來滬開會，於 23 日晚商議閩系海軍歸附問題。會議地點選擇在停泊在上海鴨窩沙的「海籌」艦上，海軍總司令楊樹莊親自主持會議。除第一艦隊司令陳季良鎮守閩廈外，閩系海軍主要將領都參加了此次會議，主要有：海軍總司令部參謀長吳光宗；編屬第一艦隊的「海籌」艦長陳訓泳、「海容」艦長王壽廷、「永績」艦長高憲申、「永建」艦長陳永欽；第二艦隊司令陳紹寬及編屬第二艦隊的「楚謙」

〔註 24〕李世甲：《我在舊海軍親歷記》，載《福建文史資料》（選輯），第一輯，中國人民政治協商會議福建省委員會文史資料編輯室編，福建人民出版社，1962 年，第 63 頁。

艦長楊慶貞、「楚有」艦長林元銓、「楚同」艦長李世甲、「楚泰」艦長林秉衡；編屬聯繫艦隊的應瑞艦長薩福疇。

由於此時歸附條件已經成熟，會議達成了一致意見：立即行動起來，參加革命，歸附國民革命軍。具體行動方案擬定爲：

> 先派出部分艦隊，駛往九江與南昌蔣介石取得聯繫，該艦隊到達九江之日，即全軍通電參加國民革命之時；其餘艦隊則暫泊吳淞口至江陰水域，嚴防渤海艦隊南下騷擾；後勤補給問題則派「永績」艦長高憲申率艦前去寧波辦理。〔註25〕

此行動方案除「嚴防渤海艦隊南下」是根據現實環境做出的決定，其餘兩條均體現了閩系海軍與蔣介石的談判條件：派出艦隊駛往九江、南昌是蔣介石的堅決要求，同時由於蔣堅持海軍在發表易幟宣言後才能支付軍餉，故閩系海軍只能自行籌辦海軍後勤補給。

根據楊樹莊的命令，2 月 27 日，陳紹寬以「海容」艦爲旗艦，率領「海籌」、「應瑞」等艦擔任吳淞口至江陰水域的防務。考慮到此時沿江兩岸的要塞與炮臺仍受敵軍控制，楊樹莊審時度勢，於 3 月 10 日派遣吃水較淺的「楚謙」、「楚同」、「楚有」三艦，以「楚謙」艦長楊慶貞爲總指揮，總司令部參謀鄭世璋爲聯絡參謀，率領此三艦開赴九江。三艦於 3 月 13 日到達九江。此時雙方談判代表林知淵、林赤民等人前來迎接。次日，北伐軍總司令蔣介石親臨犒勞。

當三艦駛抵九江時，即電告楊樹莊。3 月 14 日，楊樹莊遂按計劃通電全國，正式宣佈就任國民革命軍海軍總司令職，電文如下：

> 各艦長，奉國民政府特任楊樹莊爲國民革命軍海軍總司令。此狀等因，樹莊經於十四日就職，除電呈並通電宣佈外，合亟通告全軍：自後凡我袍澤，應與國民革命軍一致進行，以期救國，俾盡軍人天職。特電布聞，即希查照。〔註26〕

此通電宣告了閩系海軍歸附國民革命軍。

〔註25〕李世甲：《我在舊海軍親歷記》，載《福建文史資料》（選輯），第一輯，中國人民政治協商會議福建省委員會文史資料編輯室編，福建人民出版社，1962年，第 64 頁。

〔註26〕《眞光》1927 年第 26（3）期，《時事（自二月一日至三月十五日）：東南局面：上海海軍加入國民黨，楊樹莊通電就職》。

三、閩系海軍歸附對海軍發展的影響

閩系海軍歸附國民革命，歸附蔣介石，無疑增強了北伐軍的軍事實力，加快了北伐的進程。那麼歸附革命軍對閩系海軍的發展有何影響？筆者以爲至少有以下幾個方面。

閩系的「中央海軍」地位得以在新政權下保留。閩系海軍在北伐中歸附既不是出於對北洋軍閥政治的痛恨，更不是對國民革命的嚮往，而是在革命風暴下保存自身實力並以此爲籌碼進而謀求更大利益的政治交易。閩系歸附對象選擇革命軍中的軍事實力派蔣介石，與其歷次選擇如出一轍。正如所李世甲評價，閩系「重於實利主義」在各派鬥爭中「一唯權勢是瞻」。〔註27〕因而，蔣介石建立南京國民政府後，以閩系爲海軍主力，海軍軍政機構——海軍部仍由閩系控制。閩系海軍從北京政府的「中央海軍」轉變爲南京國民政府的「中央海軍」。

發展瓶頸：非蔣嫡系的中央海軍。縱觀閩系歸附的整個過程，更像是兩個軍事集團之間的結盟，只是閩系是爲生存而被迫結盟。歸附後，閩系雖被稱之爲「中央海軍」，但絕非蔣的嫡系部隊。從海軍中設「黨代表」一事看可以看出，閩系極其擔心外來勢力介入。閩系在歸附過程中，蔣只是通過政治交易實現了爲己所用，並未能眞正控制這支軍隊，因而，蔣在建立政權後，並不會放手支持閩系海軍發展壯大。三十年代，閩系統一海軍失敗的根源，此時已經顯現。

海軍軍餉來源失去保障。閩系依附北京政府時期，雖名爲中央海軍，但軍餉來源並不能保障，1924 年閩系奪取廈門的動因正是解決軍餉來源問題。廈門稅收成爲閩系海軍的主要軍餉來源之一。但在與蔣達成的協議中，閩系失去了這一來源，而蔣介石許諾的由中央支付的每月 50 萬元成爲閩系海軍軍餉的唯一來源。在當時戰爭時期，這樣的許諾並不能保證海軍軍餉。事實上，海軍軍餉經常拖欠。

陳紹寬逐漸得到重用。以南京爲首都建立國民政府的蔣介石與駐泊在南京的閩系海軍第二艦隊司令陳紹寬，由於機緣巧合，受到蔣的賞識。據閩系海軍人物曾國晟回憶，兩人的第一次見面是在閩系歸附後，「楚同」艦駛經通

〔註27〕李世甲：《我在舊海軍親歷記》，載《福建文史資料》（選輯），第一輯，中國人民政治協商會議福建省委員會文史資料編輯室編，福建人民出版社，1962 年 11 月第 1 版，第 40 頁。

州時，陳紹寬登艦謁蔣，「蔣見陳儀表端正，態度恭良，頗有屬意」。〔註 28〕此後，陳紹寬助蔣攻打孫傳芳、西征討伐唐生智，逐漸得到蔣的重用。

〔註 28〕曾國晟：《海軍大學風潮見聞》，載《舊中國海軍秘檔》，文聞編，中國文史出版社，第 220 頁～221 頁。

第三章　南京國民政府成立後閩系統一海軍的嘗試

第一節　海軍設部之爭

一、國民政府海軍部的設立

北伐期間，國民革命軍所設機構並無「海軍部」，這是因爲廣州國民政府所掌握的海軍力量僅限於溫樹德叛逃北上後所留下海軍僅「飛鷹」、「永豐」、「舞風」、「甘泉」等艦。由於該部分海軍實力弱小，未能隨軍北伐，而是留在了廣東，原海軍局改爲軍事委員會下轄的海軍處。

閩系海軍歸附後，蔣介石按照閩系歸附前的編制，設國民革命軍海軍總司令部，以楊樹莊爲國民革命軍海軍總司令。但與北京政府時期的海軍組織結構相比，差異在於「北洋海軍既有海軍部作爲軍政機關，又有海軍總司令作爲指揮機關，爲軍政、軍令並存局面；而南京國民政府初期未設海軍軍政機關，海軍軍政由海軍總司令部負責辦理。」〔註1〕由於是否設立海軍部事關整個海軍的地位和閩系實力的壯大，因而，楊樹莊、陳紹寬、陳季良等閩系人物力主設立由閩系控制的海軍部。

閩系在倒戈時並未將「設立由閩系主導的海軍部」作爲歸附條件之一，加之蔣介石還遠遠未能完全控制閩系海軍，且手中缺少制衡閩系的力量，故

〔註1〕高曉星：《南京政府「統一」全國海軍及其軍事行動》，《軍事歷史研究》1993年第1期，第71頁。

而對蔣介石來說確無設立海軍部之必要。1927 年 4 月，南京國民政府通過《國民政府軍事委員會組織大綱》，規定在軍委會下設海軍處，但閩系追求的是權力更大的海軍部，對設立海軍處並不理睬。直到 1928 年 11 月軍委會撤銷，海軍處也未能成立。

北伐完成後，蔣介石於 1928 年 6 月提出組織編遣委員會，實行裁兵。在 8 月召開的國民黨二屆五中全會上，通過了《軍事整理方案》，其中明確規定「取消海軍總司令部，另於行政院所屬之軍政部下設海軍署」〔註 2〕，以陳紹寬為海軍署長。「海軍署以民國十七年十二月一日（1928 年 12 月 1 日）成立。原定組織為總務處與軍衡、軍務、艦械、教育、海政五司……實際組織，總務處成立文書、管理兩科，軍務司成立軍事一科，海政司成立警備一科。」〔註 3〕

雖然海軍署成立並在事實上得以運行，但楊樹莊、陳紹寬對僅為軍政部下屬機構的海軍署並不滿意，仍希望「擴署為部」。海軍署剛成立，署長陳紹寬即連續發表《談海軍有設部的必要》、《世界上有不要海軍的國家麼？》，指出「所以要是想著建設海軍，而先沒有個健全獨立的機關，對內先感著統馭的不便，對外又失去國際的尊嚴，自然也沒有發揮的能力了！所以各國的海軍和陸軍，都分別設部，處於並立相對的地位」，「所以海軍的體制和組織，卻不能不參照別個的海國啊！」〔註 4〕同時強調海軍對國家的作用，認為「國家要是沒有海軍，簡直不能立國。」〔註 5〕與此同時，楊樹莊向編遣委員會提交了《請設海軍專部案》，指出必須設立海軍部的理由。〔註 6〕

1929 年 1 月 22 日，編遣會第五次會議上海軍所提交的各項建設提案均未獲得通過，海軍設部無望，海軍署署長陳紹寬與第一艦隊司令陳季良同時辭職，陳紹寬在《致軍政部馮（玉祥）部長電》中無奈的表示「海軍在今之日，

〔註 2〕劉維開：《編遣會議的實施與影響》，商務印書館（臺北），1989 年，第 70～71 頁，轉引自張力著，《航向中央：閩系海軍的發展與蛻變》，載（臺灣）《中國民國史專題論文集第五屆討論會》（國史館印行），2000 年，第 1565 頁。

〔註 3〕《在海軍部成立一週年紀念會上的訓詞》（1930 年 6 月 1 日），載高曉星編：《陳紹寬文集》，海潮出版社，1994 年，第 38 頁。

〔註 4〕陳紹寬：《談海軍有設部的必要》，原載《海軍期刊》第一卷七期，見高曉星編，《陳紹寬文集》，海潮出版社，1994 年，第 3 頁。

〔註 5〕陳紹寬：《世界上有不要海軍的國家麼？》，原載《海軍期刊》第一卷七期，見高曉星編，《陳紹寬文集》，海潮出版社，1994 年，第 6 頁。

〔註 6〕關於楊樹莊所列必須設立海軍部的具體理由，高曉星在《南京政府「統一」全國海軍及其軍事行動》一文中有詳細的論述，詳見《軍事歷史研究》1993 年第 1 期，第 72 頁。

皆已認爲無足輕重，而坐視其自生自滅，軍不其爲軍。縱設署而置之長，亦不過埋首几案，畫諾簽名，等於京曹散秩之虛糜廩粟」。〔註 7〕在蔣介石一再挽留並對發展海軍作了某些許諾之後，二陳才打消辭意，回任視事。但海軍設部問題並沒有解決。

轉機出現在 1929 年 3 月開始的蔣桂戰爭。該年 3 月，國民政府下令討伐桂系，蔣桂戰爭爆發。3 月 29 日，第二艦隊司令陳紹寬親率楚有、咸寧兩艦護送蔣介石開赴前線，陳紹寬亦到前線指揮。閩系海軍在協助蔣軍戰勝桂系中貢獻卓著，「蔣總司令鑒於此次海軍將士努力殺敵，特賞洋五萬元慰勞我軍前敵各艦將士」〔註 8〕，「蔣介石感到，海軍在擁護南京政權上是積極堅決的，這支力量大可利用……答應成立海軍部」〔註 9〕，國民政府乃於 4 月 12 日命令設立海軍部。軍政部之下的海軍署則告撤銷。1929 年 6 月 1 日，南京國民政府海軍部在南京正式成立。〔註 10〕

爲何閩系極力要求設立海軍部？海軍署屬於軍政部，軍政部擁有海軍軍政權，軍委會掌握海軍軍令權。蔣介石如此安排，使海軍署既無軍政權，亦無軍令權，實際上削奪了閩系海軍的所有大權。「擴署爲部」後，海軍部直隸行政院，閩系海軍擁有海軍軍政權。因而，海軍設部之爭實質上是閩系與蔣介石對海軍軍政權的爭奪。

二、海軍部及其附屬機構的人員構成

海軍部是閩系以參加伐桂戰爭爲代價換來的，閩系自然佔據了海軍部的主要領導職位，這也是蔣介石對閩系的妥協與嘉獎。海軍部成立後，蔣介石任命楊樹莊爲海軍部長、陳紹寬爲政務次長、陳季良爲常務次長。〔註 11〕

〔註 7〕《辭第二艦隊司令兼海軍署署長（1929 年 1 月 22 日）致軍政部馮（玉祥）部長電》，原載 1929 年 1 月 25 日《申報》，載高曉星編，《陳紹寬文集》，海潮出版社，1994 年，第 9 頁。

〔註 8〕《一年來海軍工作之實記及訓政時期之規劃》（1930 年 11 月），原載《海軍期刊》第二卷五期，見高曉星編，《陳紹寬文集》，海潮出版社，1994 年，第 49 頁。

〔註 9〕陳書麟：《陳紹寬與近代中國海軍》，海洋出版社，1989 年，第 35 頁。

〔註 10〕海軍部編《海軍大事記》（1912～1941），載楊志本等編，《中華民國海軍史料》，海軍出版社，1987 年，第 1079 頁。

〔註 11〕1930 年 2 月 4 日公佈的《海軍部組織法》，規定「海軍部政務次長、常務次長輔佐部長處理部務」，見中國第二歷史檔案館編：《中華民國史檔案資料彙編》第五輯第一編軍事（一），江蘇古籍出版社，第 72 頁。

1930年2月4日公佈的《海軍部組織法》第四條規定海軍部設下列各司處：總務廳、軍衡司、軍務司、船政司、軍學司、軍械司、海政司、軍需司。〔註12〕實設機構，除「參事、秘書、副官各辦公室外，總務廳成立文書、管理、統計、交際四科，軍衡司成立銓敘、典制、恤賞、軍法四科，軍務司成立軍事、醫務、軍港、運輸四科，船政司成立機務、材料、修造、士兵四科，軍械司成立兵器、設備、保管、檢驗四科，海政司成立設計、測繪、警備、海事四科，經理處成立總務、會記、審核三科。」〔註13〕1934年10月，海軍部原經理處改爲軍需司，原來三科擴充爲四科，即會記、儲備、營繕、審核四科。

海軍部所轄機構有海軍各艦隊司令部、各地要港司令部、海軍陸戰隊、海軍學校、各地造船所、閩夏要港、海道測量局、海岸巡防處、引水傳習所、海軍編譯處、航空處、軍械處、練營、水魚雷營、陸戰隊補充營、監獄、各地海軍醫院、養病所、觀象臺、報警臺、電臺、煤棧等等。〔註14〕

以上爲國民政府海軍部的所有內設機構及其附屬機構，那麼它的人員構成是怎麼樣的呢？據劉傳標先生所著《中國近代海軍職官表》中《南京國民政府海軍部》職官表及《南京國民政府艦艇部隊職官表》所列名單〔註15〕，閩系人員佔了絕大多數。「1932年統計之中央海軍人員共9086人，其中福建籍共6414人，占70.59%」。〔註16〕閩系在控制海軍部後，自然就成爲南京國民政府的「中央海軍」。

〔註12〕中國第二歷史檔案館編：《中華民國史檔案資料彙編》第五輯第一編軍事（一），江蘇古籍出版社，第68頁。

〔註13〕《一年來海軍工作之實記及訓政時期之規劃》（1930年11月），原載《海軍期刊》第二卷五期，見高曉星編，《陳紹寬文集》，海潮出版社，1994年，第44頁。

〔註14〕《海軍講話》1942年6月2日，載高曉星編，《陳紹寬文集》，海潮出版社，1994年，第295頁；並見《海軍系統表》，中國第二歷史檔案館編：《中華民國史檔案資料彙編》，第五輯第一編軍事（一），江蘇古籍出版社，第74～75頁。

〔註15〕《中國近代海軍職官表》，劉傳標編纂，福建人民出版社，2004年，第171～第199頁。

〔註16〕Chao-ying Shih &Chi-hsien Chang eds., *The Chinese Year Book*，1936～37，pp.971～972.。轉引自張力著，《航向中央：閩系海軍的發展與蛻變》，載（臺灣）《中國民國史專題論文集第五居討論會》（國史館印行），2000年10月，第1568頁。

三、國民政府其他機關對海軍部權力的制衡

北京政府時期，海軍軍政、軍令分屬於海軍部、海軍總司令部。1927 年，閩系是以海軍總司令部及其下轄的各艦隊歸附國民革命軍的，蔣介石僅更換爲「國民革命軍海軍總司令部」，並未設立新的海軍軍政機構，海軍總司令部實際同時負責軍政、軍令事務。1928 年 12 月成立的海軍署並未對此作出改變，由於海軍署屬於軍政機構，海軍署的設立實際上是爲撤銷海軍總司令部做準備。1929 年 2 月 22 日，國民政府國務會議決定：海軍總司令部於 3 月 15 日前撤銷，同時成立海軍編遣辦事處，負責全國海軍的編遣工作。

經過以上的機構設置變動，掌管海軍軍令的海軍總司令部被撤銷，到 6 月 1 日，海軍部正式成立後，海軍部僅負責海軍軍政。1930 年 2 月 4 日公佈的《海軍部組織法》，規定了海軍部的隸屬關係及其權限：

> 第一條　海軍部直隸於國民政府行政院，管理全國海軍行政事務。
>
> 第二條　海軍部對於各地方最高級行政長官執行本部主管事務有指示監督之責。
>
> 第三條　海軍部就主管事務對於各地方最高級行政長官之命令或處分，認爲有違背或逾越權限者，得請行政院院長提經國務會議議決後，停止或撤銷之。〔註 17〕

由直隸軍政部改爲直隸行政院，海軍署在擴署爲部過程中，地位提高，與軍政部平行。

北洋政府時期閩系同時控制著分掌海軍軍政、軍令的海軍部與海軍總司令部，閩系高層可以在兩部門之間流動。南京國民政府海軍部成立後，閩系所能控制的僅有海軍軍政權，軍令權收歸中央。除了北洋政府與南京國民政府因體制不同而在海軍部門設置上的不同外，實際反映出閩系海軍在中央部門權力的收窄。

南京國民政府時期誰掌控了海軍軍令權？1942 年 6 月，陳紹寬在一次海軍講話中給出了答案：「海軍部直隸於行政院，掌理全國海軍行政事宜；海軍軍令部分則隸屬於軍事委員會。」〔註 18〕而根據 1932 年 3 月 11 日國民政府

〔註 17〕《海軍部組織法》，中國第二歷史檔案館編：《中華民國史檔案資料彙編》，第五輯第一編軍事（一），江蘇古籍出版社，第 68 頁。

〔註 18〕《海軍講話》1942 年 6 月 2 日，載高曉星編，《陳紹寬文集》，海潮出版社，1994 年，第 294～第 295 頁。

公佈的《國民政府軍事委員會暫行組織大綱》規定，「國民政府軍事委員會直隸國民政府，爲全國軍事最高機關」，「關於軍令事項，由委員長負責執行」。因此，長期擔任國民政府軍事委員會委員長的蔣介石掌控著海軍軍令。

閩系雖名爲「中央海軍」，但由於不是蔣介石之嫡系，因而，蔣介石在政府部門權限設置上對海軍部多有限制，以期達到對閩系海軍部的制衡。

一是軍政部。雖然海軍部在地位上與軍政部平行並同時隸屬於行政院，但畢竟海軍部的前身海軍署隸屬過軍政部，因而「海軍部雖與軍政部地位平行，但經費預算和彈藥配補仍由軍政部掌握。」〔註 19〕

二是參謀本部。1932 年 9 月 26 日國民政府公佈《參謀本部組織法》規定「參謀本部直隸於國民政府，掌理國防及用兵事宜」，「 參謀總長綜理部務，統轄全國參謀人員、陸海空軍大學校、測量總局及駐外武官。」〔註 20〕

三是訓練總監部。據 1933 年 3 月公佈的《訓練總監部組織法》，直隸於國民政府的「訓練總監部掌管全國軍隊教育及所轄學校教育並國民軍事教育事宜」，「訓練總監對於全國各軍隊主管教育長官關於教育上有直接指揮監督之權。」〔註 21〕

通過以上權限設置，參謀本部掌控全國陸海空軍最高學府的統轄權，訓練總監部掌管全國軍隊普通教育之權，海軍部的軍政權受到限制。北京政府原設海軍部、海軍總司令部分掌海軍軍令權、軍政權，由於此時的海軍部與海軍總司令部均爲閩人天下，因而閩系實際上掌握著北京政府的海軍軍令權與軍政權。南京國民政府成立後，由軍事委員會掌握海軍軍令權，以海軍總司令部名義歸附國民革命的閩系僅掌握海軍軍政權。北伐完成後，蔣介石爲統一海軍軍令、軍政權，設海軍署，隸屬於軍政部，同時取消海軍總司令部。閩系海軍爲保持自身獨立性，力爭設立海軍部。海軍設部之爭實質上是閩系與蔣介石對海軍軍政權的爭奪。爭奪的結果，一方面是閩系得以實現「擴署爲部」，並從海軍部及其附屬機構的人員構成上看，海軍部爲閩系海軍的天

〔註 19〕《新聞報》，1929 年 7 月 9 日，第 13 頁。轉引自張力著，《航向中央：閩系海軍的發展與蛻變》，載（臺灣）《中國民國史專題論文集第五屆討論會》（國史館印行），2000 年，第 1567 頁。

〔註 20〕《參謀本部組織法》，中國第二歷史檔案館編：《中華民國史檔案資料彙編》，第五輯第一編軍事（一），江蘇古籍出版社，第 48 頁。

〔註 21〕《訓練總監部組織法》，中國第二歷史檔案館編：《中華民國史檔案資料彙編》，第五輯第一編軍事（一），江蘇古籍出版社，第 61 頁。

下；但在另一方面，蔣介石取消海軍司令部，實行軍委會、海軍部分掌海軍軍令權、軍政權的新舉措，從體制上根本改變了閩系獨掌海軍大權的局面。即使對由閩系控制掌管海軍軍政權的海軍部，蔣介石亦從國民政府其他機構的權力設置上對其進行制衡。海軍權力分配的新格局直接影響了接下來的海軍統一。但畢竟閩系海軍實現了設部的願景，因而閩系仍以中央海軍的姿態著手進行統一海軍。

第二節　統一東北海軍、廣東海軍的嘗試

一、海軍部、參謀本部統一海軍艦隊的各自方案

南京國民政府成立後，圍繞統一海軍問題，國府內部產生兩種不同意見，並分別形成各自方案。一是海軍部提出的統一方案，方案所代表的是閩系海軍的想法與意見，又以海軍部長陳紹寬最爲積極；二是軍事委員會及參謀本部提出的統一方案，體現了軍委會委員長蔣介石對統一海軍的構想。這裡所謂的「統一海軍」，主要是指統一海軍各派系（閩系、青島系、廣東系）的軍政、軍令大權，剷除派系賴以存在的經濟基礎與軍事實力，使海軍各派系統轄於中央。

1929 年 2 月召開的編遣海軍會議是爲軍委會統一海軍的最初嘗試。蔣介石召開此次會議的目的恰如閩系李世甲所指出：通過編遣將「這些艦隊的軍政權統屬軍政部，隸屬軍令權統歸軍事委員會，這樣就達到了他控制各系海軍的目的」〔註 22〕。2 月 5 日，國民政府依 1 月 22 日國軍編遣會議第五次大會決議，命令撤銷海軍總司令部，設立海軍編遣辦事處。3 月 16 日，海軍編遣辦事處成立，負責全國海軍的編遣工作。據 3 月 6 日公佈的《海軍編遣辦事處條例》，以楊樹莊爲海軍編遣辦事處主任委員，副主任委員由閩系、東北系、廣東系海軍的代表組成。海軍編遣並未取得實際效果，僅從名義上對各派系所轄艦隊進行整合，具體爲：「原有第一、第二艦隊編爲第一、第二艦隊，渤海艦隊改爲第三艦隊，廣東各艦隊改爲第四艦隊，統歸編遣委員會管轄，由編遣海軍辦事處分別編遣」〔註 23〕。

〔註 22〕李世甲：《我在舊海軍親歷記（續）》，《福建文史資料》，第八輯：海軍史料專輯，中國人民政治協商會議福建省委員會文史資料研究委員會編，福建人民出版社，1984 年，第 14 頁。

〔註 23〕中國社會科學院近代史研究所中華民國史研究室：《中華民國史資料叢稿大事記》，第十五輯，中華書局，第 23 頁。

閩系希望海軍設部，並通過海軍部統一海軍各派系，這與蔣介石召開海軍編遣會議之初衷背道而馳，因而閩系對海軍編遣事務並不熱心，而是把更多的精力放在海軍設部上。1929 年 4 月，蔣介石同意設立海軍部後，海軍編遣一事，實際上不了了之。軍委會的統一海軍方案遭遇挫折。

閩系對統一海軍有自己的主張和方案。閩系掌控的海軍總司令部及海軍部「向中央建議過幾多次擴充海軍的計劃。中央以每月撥響，已經很是困難，更無餘力以謀擴充，於是諸多計劃，均是未能實現。〔註 24〕」儘管閩系發展海軍的計劃沒有得到蔣介石的大力扶持，但在閩系的努力下，截至 1932 年，閩系海軍仍取得了令人欣慰的發展。

除國外由日本播磨造船廠建造的「寧海」艦，排水量 2400 噸，國內各艦主要由江南造船廠建造，詳情如下：

1927～1932 年江南造船廠爲中央海軍建造 200 噸位以上艦艇一覽表。

艦　名	製造年份	型　式	排水量（噸）
咸寧	1928 年	雙螺旋蒸汽機鋼質淺水炮艦	411
永綏	1928 年	雙螺旋蒸汽機鋼質淺水炮艦	617
民權	1928 年	雙螺旋蒸汽機鋼質淺水炮艦	462
逸仙	1929 年	雙螺旋蒸汽機鋼質航艦	1545
民生	1930 年	雙螺旋蒸汽機鋼質淺水炮艦	505
江寧	1932 年	單螺旋蒸汽機鋼質巡邏艇	260
海寧	1932 年	單螺旋蒸汽機鋼質巡邏艇	260

資料來源：《江南造船廠廠史（1865～1949.5）》，上海社會科學院經濟研究所，江蘇人民出版社，第 189 頁。

在這樣一種發展勢頭的鼓舞下，1932 年 6 月 2 日，陳紹寬借助海軍部成立三週年之際，呈請蔣介石，提出了海軍部統一海軍的具體方案：

竊查我國海軍自民六分裂以來，迄今十餘年載，間又分爲南北中三部分。統計此三部分之海軍，尚不及英美海軍數十分之一，而彼此各樹一方，機關重複，不獨與政府之體統攸關，且軍需虛耗，於國家經濟上亦有影響。方今國難當前，舉國一致對外，政府正力

〔註 24〕《在海軍部成立三週年紀念會上的開會詞》，原載《海軍部成立三週年紀念特刊》，見高曉星編，《陳紹寬文集》，海潮出版社，1994 年，第 88 頁。

謀全國軍政之統一，惟南北海軍因與當地軍政長官自相聯絡，餉糈不由政府發給，以致情形隔閡，未能聽命於中央。

鈞座執政以來，涵納萬象，眾望咸歸，各方多以擁護中央，正宜趁此時機，實施統一海軍計劃。風聲所樹，壁壘丕新，使十餘年來分裂之海軍及時實現整一之精神，殊足爲民國歷史上開一新紀元也。茲謹就管見所及縷陳如下：

一、東北海軍分爲江防、海防兩艦隊。江防艦隊本屯駐於黑龍江，前年曾被俄軍擊傷，殘破不充，近以東北事變發生，又被日軍沒收，暫可無須討論。所存者僅有海防艦隊，常駐於青島及其附近之嶗山灣等處，向由沈鴻烈指揮，直接歸張學良主任節制。近以東省被暴日佔據，軍餉遂失接濟，故由沈求長青島市，從中增加捐稅，以充該艦隊經費之用。但至今尚未有掛青天白日旗。前所懸之五色旗，因受東西各國詰問，始行卸下，而對中央政府命令仍未接受，以致海軍統一前途動形障礙。然該艦隊原係中央海軍之一部，將來若能統一，似宜令各艦乃歸原隊，照章一律待遇操作，並受海軍部節制指揮，以免系統混淆，貽笑外國。至沈鴻烈已兼青島市長，統一之後，或以之專任該市長，或調任中央軍政機關官吏，或派充海軍部高級軍官，悉聽鈞座核奪，其餘員兵則可照舊服務。惟實行統一時，必須全艦隊由海軍部調遣來寧，勿俾再據北方，利用中央名義，虛襲統一之形式。北方防務按照沿江沿海各省辦法，由海軍部酌察情形，隨時派艦巡防。

二、廣東海軍規模甚小，其原屬於中央海軍者，僅中山、飛鷹、舞風、福安四艘，此外新舊小船均繫粵省自備船隻湊合。改編統一後，可將中山等四艦調還中央由海軍部節制指揮，歸還原隊，所有待遇及操作，悉照海軍定章一律辦理。陳策擬請委以粵省職務，或中央軍政機關官吏，或調充海軍部相當員缺，屆時若何位置恭候鈞座酌定。其餘各艦仍請留粵，編爲水警。

三、川省督辦劉湘近在滬建造軍艦兩艘，並改造一艦，業已編列艦隊，掛海軍旗，以致歐美各國人員見而疑詫，多向海軍部查詢政府另設一海軍之緣由。本部無詞可答。該項艦隊似宜令其取消，或改掛該省水警旗以示區別。因海軍旗幟須通知外國，且代表政府，關係綦巨，不得任意冒用，致淆惑視聽也。

以上所稱均屬統一海軍之要圖，敬乞俯賜採納，早予施行，海軍幸甚，黨國幸甚。〔註25〕

該方案的實質在於將全國海軍軍政置之於海軍部統一之下。從中可以看出閩系統一海軍艦隊的思路是從收歸東北、廣東海軍中原屬閩系的大型艦艇入手，削弱它們的整體實力，進而實現統一。這在此後閩系統一海軍的具體行動中表現的極爲明顯。

由於海軍部職權僅限海軍軍政部分，故而該方案對海軍軍令並未涉及。陳紹寬以中央海軍部的名義欲統一閩系之外的青島系、廣東系海軍各艦隊，希望原從閩系分裂出去的各艦仍歸閩系，而對於青島系、廣東系海軍實際掌權者沈鴻烈、陳策另由蔣介石安排。這樣一個擴充閩系實力，削弱青島系、廣東系海軍的做法，與蔣介石統一海軍的初衷背道而馳，是蔣介石所不願看到的。並且在實施中必會受到沈鴻烈、陳策等實力派的強烈反對，甚至會引起叛亂事件。因而該方案呈請後如石沉大海，被蔣介石束之高閣。

第二個方案是參謀本部提出的。1934 年參謀本部呈請軍事委員會的《國防計劃海軍部分》中的「統一海軍計劃」則體現了蔣介石統一海軍的新思路。

海軍不統一，不但失國家統一之實，而且貽軍事上作戰之災。茲列統一計劃如下：

一、海軍軍令權歸於最高軍事機關而統一之。是即將廣東海軍之指揮權自第一集團之手、青島海軍之指揮權自北平軍事委員會分會之手、將長江海軍之指揮權自海軍部之手，悉移而置之於軍事委員會委員長之下。

二、海軍軍衡由軍事最高機關統一辦理。是即將廣東、青島及海軍部所屬之海軍人員之進退，由軍事委員會銓敘廳統一辦理。

三、海軍軍需由軍事最高機關統一辦理。是即由軍事委員會遴選會計長，經由主記處呈請任命，常駐海軍部，統一辦理廣東、青島及海軍部所屬海軍之軍需事項。

〔註25〕《函陳統一海軍計劃案》（1932 年 6 月 2 日），第二歷史檔案館藏，載高曉星編：《陳紹寬文集》，海潮出版社，1994 年，第 92～93 頁。原件並無呈請對象，但根據內容，此件應爲呈送蔣介石。

> 四、海軍教育處海軍大學歸參謀本部辦理外，其餘一切海軍教育機關悉歸訓練總監部辦理；訓練總監部之組織法有海軍監之規定；是即將黃埔海軍學校、馬尾海軍學校、威海衛海軍學校及鎮江電雷學校，悉由訓練總監部統一辦理，而附設於中央軍官學校之內。〔註26〕

參謀本部所提統一海軍方案的著眼點與海軍部不同。參謀本部考慮到海軍軍政權掌握在海軍部（閩系控制）、青島系、廣東系各派手中，因而巧妙地繞開海軍軍政不談，從海軍軍令、海軍軍衡、海軍軍需、海軍教育等方面謀求海軍統一。這既與海軍部從統一海軍軍政出發提出的統一海軍方案最大區別之處，也與1929年海軍編遣會議蔣介石同時將海軍軍政權、軍令權置於中央的設想有異，體現了參謀本部更爲務實的統一海軍的新思路。

該方案計劃削弱海軍部各項權利，計有長江海軍之指揮權、海軍部所屬之海軍人員任命權、海軍部所屬海軍之軍需權、馬尾海軍學校之海軍教育權。由於海軍部由閩系掌控，削弱海軍部之任何權利即爲削弱閩系之海軍權利，自然會受到閩系海軍的強烈抵制，因而該方案亦未能實施。

二、閩系統一海軍的具體行動

國民政府成立後，閩系統一海軍的行動主要是針對東北海軍。其原因之一在於東北海軍是閩系之外實力最強的一支海軍，是閩系統一海軍各艦隊的主要對手。而更爲重要的原因是東北海軍的主力艦「海圻」、「海琛」、「肇和」等艦是1917年程璧光南下廣州護法時從中央海軍中分裂出去的，收回此三艘當時最先進的艦艇是閩系將領的夙願。陳紹寬在1932年6月2日《函陳統一海軍計劃案》所言「然該艦隊（東北海軍海防艦隊）原係中央海軍之一部，將來若能統一，似宜令各艦乃歸原隊，照章一律待遇操作」，即主要指此三艦。

〔註26〕《海軍戰時充實計劃草案及國防計劃海軍部分》第六節海軍統一計劃，中國第二歷史檔案館藏，全宗七八七（國防部史政局及戰史編纂委員會），案卷號2081。該件原文並無作者單位，筆者認爲此文件應爲參謀本部所呈：其一該文件計劃將海軍各項權利包括海軍部之長江指揮權、軍衡權收歸中央，實爲削弱海軍部權利，明顯對海軍部不利，並與兩年前海軍部長陳紹寬所呈《函陳統一海軍計劃案》（1932年6月2日）背道而馳，作者單位不可能爲海軍部；其二，筆者在第二歷史檔案館查抄資料時，發現全宗號七八七案卷號2129《海軍國防計劃草案及改訂海軍作戰計劃草案》中的《統一海軍計劃》內容與該文件如此一轍，而署名爲「參謀本部第一廳第四處處長朱偉擬」，而根據參謀本部職權範圍，可斷定此文件爲參謀本部所呈。

然而在長達十餘年的分裂期間，閩系與東北海軍矛盾愈演愈烈。1922 年 4 月下旬，護法艦隊內部發生派系鬥爭。時任魚雷局局長的溫樹德（山東籍）等人武力驅逐了護法艦隊中的閩人。「這些被驅逐的閩人，後來仍由中央海軍加以收容。」〔註 27〕次年，溫樹德率領護法艦隊主力艦北上投靠直系吳佩孚，組建渤海艦隊，而渤海艦隊後來構成了東北海軍的海防艦隊主力。由此，1922 年被驅逐的閩系士兵對東北海軍恨之入骨。

閩系海軍倒戈後，東北海軍司令沈鴻烈派東北海防艦隊主力艦「海圻」、「鎮海」於 1927 年 4 月，秘密南下夜襲閩系海軍「海籌」、「應瑞」等艦，並掠走「江利」炮艦，進一步激化了兩者之間矛盾，以至於陳季良致電譴責沈鴻烈「此次偷襲之舉，非大丈夫光明磊落行為，君子鄙之，果敢一決勝負，請傾君所有艦隊，願在海上相與周旋。」〔註 28〕兩派矛盾已激化到高層。

1928 年底，張學良宣佈東北易幟，歸附南京國民政府。提前近兩年歸附的閩系認為統一東北海軍的時機已到。東北易幟後，東北海軍內部對於是否與閩系海軍合併亦有不同意見。一種意見認為：應突破現有局限性，把中國海軍力量集中起來，使中國海軍得到迅速發展，為多數軍官提升開闢廣闊道路；同時海軍乘機掌握中央海軍部，執中國海軍之牛耳，因此極力主張與福建系海軍合併。持此意見者多為原渤海艦隊官兵。但以沈鴻烈為首原東北海軍高級將領「擔心東北海軍被國民黨海軍吃掉，極力主張維持現狀，反對與福建系海軍合併。」〔註 29〕由於沈鴻烈等人直接掌握東北海軍，他的意見得到張學良的支持。東北海軍最終決定保持獨立性，拒絕與閩系合併。

蔣介石到北平與張學良會晤，並電調陳紹寬前往研究海軍統一問題。儘管蔣介石事前已答應陳紹寬在張學良易幟後的東北海軍歸海軍署接管。但當張學良拒絕東北海軍與閩系合併時，蔣介石只能對陳紹寬推翻此前的承諾：「海軍統一問題，要等一個時期以後再議。」

〔註 27〕陳書麟、陳貞壽編著：《中華民國海軍通史》，海潮出版社，1993 年，第 134 頁。

〔註 28〕李世甲：《我在舊海軍親歷記（續）》，《福建文史資料》，第八輯：海軍史料專輯，中國人民政治協商會議福建省委員會文史資料研究委員會編，福建人民出版社，1984 年，第 4 頁。1919～1920 年，陳季良與沈鴻烈同在吉黑江防艦隊任職。

〔註 29〕張鳳仁：《東北海軍的分裂與兩艦歸還建制》，《遼寧文史資料》，第 4 輯，中國人民政治協商會議遼寧省委員會文史資料研究委員會編，遼寧人民出版社，1964 年，第 40～41 頁。

事實上，蔣介石並不希望由閩系統一東北海軍，與此相反，在接下來的海軍編遣會議上採取統一海軍軍政、軍令的措施來整合閩系、東北、廣東海軍，把東北海軍改編爲第三艦隊，置於與閩系海軍平行的地位。即使如此，實力與閩系相當且擁有一支江防艦隊、兩支海防艦隊的東北海軍不願縮編爲海軍部下轄的第三艦隊，拒絕接受「第三艦隊」的番號。缺少蔣介石的支持的閩系海軍，欲吞併實力與己旗鼓相當的東北海軍，只能伺機而動。

1929 至 1933 年，東北海軍接連發生巨大變動。先是 1929 年中東路事件爆發。10 月，東北海軍江防艦隊與蘇聯艦隊在同江發生戰鬥，其主力艦「利綏」重傷，「利捷」、「江安」沉沒，「江亨」自沉〔註 30〕，經此同江之戰，東北江防艦隊實力損失大半。「九一八事變」後，江防艦隊殘部投降日本，東北海軍第一、第二艦隊雖然沒有受到損失，但在財源上卻因「九一八」事變受到很大影響。東三省陷落後，東北海軍財源隨之斷絕，進而引發一系列更爲嚴重的事變。

海軍軍餉來自陸上軍閥，這既是海軍依附實力派軍閥的動因，也往往是叛變的根源。東北海軍財源斷絕後，以副司令淩霄、「海圻」艦長方念祖、「海琛」艦長劉田甫爲主的高級官員認爲「海軍要擺脫路上軍閥的控制，解決自己的財源問題，非奪取青島爲根據地不可」〔註 31〕，對於該建議，沈鴻烈「以軍人不參政爲理由」拒絕。淩霄等人遂將沈鴻烈軟禁，逼沈稱病辭職。然而「扣沈」行爲未能得到下層官兵的支持，以關繼周爲主的葫蘆島航警學校一期學生組織敢死隊將沈鴻烈救出，一場事變即告結束。事後，救駕有功的葫蘆島一期學生均得到重用，掌握了艦上實權。

建設初期的東北海軍，「上層官兵主要是沈鴻烈的留日同學，中下層以葫蘆島海校第一期畢業的同學爲主」，「自從解決渤海艦隊派以後，東北海軍內部便分成葫蘆島派與渤海艦隊派」。〔註 32〕對此，沈鴻烈採取的手法是：「凡渤海艦隊的舊人一律官復原職，並不時加以提升；對葫蘆島派的同學，一般

〔註 30〕《東北海軍》，見楊志本等編，《中華民國海軍史料》，海軍出版社，1987 年，第 987 頁。

〔註 31〕張鳳仁：《東北海軍的分裂與兩艦歸還建制》，《遼寧文史資料》，第 4 輯，中國人民政治協商會議遼寧省委員會文史資料研究委員會編，遼寧人民出版社，1964 年，第 43 頁。

〔註 32〕張鳳仁：《東北海軍的分裂與兩艦歸還建制》，《遼寧文史資料》，第 4 輯，中國人民政治協商會議遼寧省委員會文史資料研究委員會編，遼寧人民出版社，1964 年，第 48 頁。

都是安排在重要有實權的位置上。東北海軍形成了官是渤海艦隊的多，話是葫蘆島人說了算」〔註 33〕這樣一個局面。嶗山事變後，沈鴻烈因重用渤海艦隊派董沐曾引起葫蘆島派的極大不滿。爲清除渤海艦隊派勢力，以關繼周爲主的葫蘆島派謀劃兵諫。原計劃趁沈鴻烈前往「鎭海」艦訓話之機，將沈劫往「海圻」艦，實行兵諫，清理渤海艦隊派。

1933 年 6 月 24 日，往前劫沈的葫蘆島派人員馮志沖反而被沈鴻烈的部下逮捕。葫蘆島派的兵諫計劃失敗。當晚，沈鴻烈將馮志沖槍斃，其本意是「將馮處死以滅口，不想再追他人」〔註 34〕。然而在關繼周等葫蘆島派看來，沈鴻烈在處理嶗山事件時，把淩霄等人一律資送回籍，而對嶗山事件有功的馮志沖竟處以滅口，激起關繼周等人的強烈反對，最終導致他們率三大主力艦「海圻」、「海琛」、「肇和」出走，脫離東北海軍。因南京閩系海軍爲東北海軍死對頭，且廣東海軍中陳香圃等人爲東北海軍舊人，遂決定出走廣東。7 月，三艦到達廣州。

「海圻」、「海琛」、「肇和」出走後，東北海軍實力極大削弱，被迫接受改編。7 月 5 日，軍委會正式改組東北海軍爲第三艦隊，謝剛哲被任命爲第三艦隊司令。但並未趁此良機將第三艦隊收歸海軍部管轄，仍歸軍委會北平分會管轄。

廣東海軍是三支海軍中實力最爲薄弱的一支，1929 年海軍編遣會議上，被改編爲第四艦隊，陳策任艦隊司令。1932 年 5 月至 7 月間，陳濟棠以武力接收廣東海軍。廣東海軍內部變亂，爲閩系提供了一次契機。

接收「中山」艦。6 月 30 日，「中山」艦艦長陳滌不願攪入內戰，遂率中山艦離粵北上，原擬留廈門協助十九路軍，7 月 4 日，被閩系第一艦隊司令陳季良接收，以羅志通爲艦長，正式編入第一艦隊。此時南京當局亦決定由海軍部接收，7 月 31 日，海軍部致電廣東當局，要求粵方將原屬第一艦隊編制的「福安」、「海瑞」兩艦交還中央，其餘小艦可由粵方接收。但廣東當局亦表示「福安」、「海瑞」萬難交回中央，寧不要其他小艦，也不願放棄一艘巨

〔註 33〕張鳳仁：《東北海軍的分裂與兩艦歸還建制》，《遼寧文史資料》第 4 輯，中國人民政治協商會議遼寧省委員會文史資料研究委員會編，遼寧人民出版社，1964 年，第 48 頁。

〔註 34〕張鳳仁：《東北海軍的分裂與兩艦歸還建制》，《遼寧文史資料》第 4 輯，中國人民政治協商會議遼寧省委員會文史資料研究委員會編，遼寧人民出版社，1964 年，第 50 頁。

艦。後經各方協商，決定各艦仍留粵。閩系收編廣東海軍計劃未獲成功，僅獲得「中山」艦。

「海圻」、「海琛」、「肇和」三大主力艦排水量之和約萬噸〔註 35〕，而當時全國海軍艦艇排水量之和不過 6 萬噸左右。故 1933 年 7 月，三艦南下投靠廣東海軍，使廣東海軍實力倍增。對於此三艦安排，陳濟棠表面上編三艦爲粵海艦隊，任姜西園爲艦隊司令。但在實際上，陳濟棠對三艦始終懷有戒心，想方設法予以控制。1935 年 4 月，陳濟棠借姜西園呈請艦隊人事調動之機，將三艦中握有實權的原東北海軍人員明升暗降，調離三艦，改派親信方念祖等人掌管三艦實權。不久「宣佈取消粵海艦隊司令部，即與江防艦隊合併，由陳濟棠自兼司令」，陳之親信「張之英爲常務副司令，掌管艦隊，姜西園爲政務副司令，實際只負責海校教育。」〔註 36〕然而，東北海軍三艦中下層官兵並不甘心就這樣被陳濟棠吞併，決心率艦離粵，是爲 1935 年 6 月的「黃埔事件」。由於當時「肇和」艦正在修理主機，未能離粵。

至於黃埔事件的經過，其親歷者、曾任「海琛」艦副長的張鳳仁在其文《東北海軍的分裂與兩艦歸還建制》中有詳實的回憶，此處不再贅述。筆者所關注的是「黃埔事件」發生後，閩系採取了什麼樣的措施以爭取兩艦歸附？

「海圻」、「海琛」兩艦離開廣東後，航向香港補充煤水。兩艦行動的原定計劃是「打出廣東，到武漢找張學良」，〔註 37〕但在停泊期間，收到蔣介石從四川拍來的密電「兩艦徑駛首都候吾爲要，一切問題均可解決」〔註 38〕，遂決定北上投靠南京。

在得知「黃埔事件」後，海軍部長陳紹寬即派陳季良率領「寧海」等主力艦前往接收。陳紹寬是自己下令還是奉令派艦前往接收？據中央社南京 22

〔註 35〕「海圻」號巡洋艦，清末訂於英國阿姆斯特朗廠，排水量 4300 噸；「海琛」號巡洋艦，清末訂於德國伏耳鏗廠，排水量 2950 噸；「肇和」號巡洋艦，訂於英國阿摩士莊廠，排水量 2600 噸。

〔註 36〕張鳳仁：《東北海軍的分裂與兩艦歸還建制》，《遼寧文史資料》，第 4 輯，中國人民政治協商會議遼寧省委員會文史資料研究委員會編，遼寧人民出版社，1964 年，第 56 頁。

〔註 37〕時張學良人豫鄂皖剿匪總司令，見張鳳仁：《東北海軍的分裂與兩艦歸還建制》，《遼寧文史資料》，第 4 輯，中國人民政治協商會議遼寧省委員會文史資料研究委員會編，遼寧人民出版社，1964 年，第 58 頁。

〔註 38〕張鳳仁：《東北海軍的分裂與兩艦歸還建制》，《遼寧文史資料》，第 4 輯，中國人民政治協商會議遼寧省委員會文史資料研究委員會編，遼寧人民出版社，1964 年，第 60 頁。

日電文：「國民黨中央自得陳濟棠及逃艦報告後，即派現在海上演習的軍艦前往監視，以免發生意外」〔註 39〕，似乎是蔣介石的命令。

陳季良在香港與兩艦代表就兩艦如何北上進行交涉。陳季良先是要求「海圻」、「海琛」兩艦卸下並交出炮栓；兩艦代表則予以拒絕，但表示可以互換炮栓，並請陳季良改乘「海圻」，指揮同回南京。雙方相持不下，陳季良又提出編隊返京計劃，置「海圻」、「海琛」兩艦於閩系艦隊之間，且在射程之內；兩艦代表則提出各艦並行，航距互爲雙方射程之內。談判陷入僵局。

在與陳季良談判的同時，兩艦亦派代表飛往南京報告經過，蔣介石委派軍事委員會海軍軍令處長陳策赴香港接「海圻」、「海琛」兩艦北上。7 月 18 日，兩艦到達南京。

黃埔事件幾乎涉及海軍各派系，蔣介石爲掌控「圻」、「琛」兩艦，並處於平衡各派考慮，對兩艦進行了較爲謹慎的安排：一方面「圻」、「琛」兩艦仍可編入第三艦隊，至第三艦隊行政事宜，著歸海軍部辦理；〔註 40〕另一方面「圻」、「琛」兩艦駐泊海軍部所在地南京下關，而非第三艦隊駐地青島，雖然閩系、青島系及兩艦官兵對此解決方案均有不滿，但尙能解受，然而對閩系來說，卻意味著統一海軍主力軍艦的失敗。此後，直至 1937 年江陰海戰閩系主力軍艦盡失，歷史再也沒有給予陳紹寬第二次像黃埔事件這樣的天賜良機。

第三節　電雷學校：閩系統一海軍的新障礙

一、蔣介石設立電雷學校

蔣介石不願看到由地方色彩濃厚的閩系來完成海軍統一，但苦於手中無艦隊、無人才。因而，蔣介石從設立海軍學校入手，培養自己的嫡系海軍人才。1932 年，蔣介石在馬尾海軍學校、青島海軍學校、黃埔海軍學校等 3 所正規海軍學校之外另設電雷學校，以期培養未來海軍中堅人才，牽制閩系。

〔註 39〕轉引自《中華民國海軍通史》，陳書麟、陳貞壽編著，海潮出版社，1993 年，第 354 頁。

〔註 40〕《軍事委員會海令字第一號訓令》1935 年 8 月 7 日，《海軍公報》1935 年第 75 期，第 139 頁～第 140 頁。時任海軍第三艦隊司令爲謝剛哲。

電雷學校設立的背景則與「一二八事變」有直接關係，由於此點未能引起學界的充分重視，本節將著重探討兩者之間的關係。

1932 年 1 月 28 日，上海爆發「一二八」事變，駐紮於上海的閩系海軍第一艦隊消極避戰，觀望不前，致使日本艦隊溯江直上，炮擊南京下關，威脅南京。事情之經過據 1932 年 2 月 2 日《外交部致日本駐華公使抗議書》介紹：「據衛戍司令警察廳長報告，停泊南京下關之日本軍艦，突於本月一日下午十一時後陸續發炮八響，用探照燈探照，命中獅子山、下關車站、北極閣、清涼山、幕府山等處，同時，發放機關槍步槍至十二時後始止。」〔註 41〕

國民政府自 1927 年定都南京以來，首都遭外國軍艦炮擊尚屬首次，因此此事對軍方特別是軍委會委員長蔣介石以極大震動。「政府亦感海防之重要與海軍人才亟需培育。」〔註 42〕因而，蔣介石需要加強南京至上海段長江防務，在當時，我們海軍對日本海軍絕對劣勢的情況下，在長江中佈雷以抵制日本軍艦，不失爲一種務實明智的選擇。培養江中佈雷人員需要專門的學校，於是，1932 年蔣介石在鎮江創辦電雷學校，隸屬於參謀本部。恰如青島海校畢業生李連墀晚年回憶：「當中央想成立一支能封鎖長江以抵制日軍溯江而上之武力的機會下，讓他（歐陽格）主持成立了電雷學校，是專門學習在江裏佈雷，在陸上以電控制雷的學校。因爲原來在長江佈的水雷，是有觸角的，必須讓船碰上觸角才會炸，作用比較小，所以要在岸上以電線來控制，看見船來了就炸。」〔註 43〕

按照軍事防守範圍，閩系海軍第一艦隊負責長江防務，那麼在長江下游實施江中佈雷及培育佈雷人員理應成爲閩系海軍的職責。但是，蔣介石並沒有把這一任務交給海軍部，而是在海軍已有的三所海校之外，另設一獨立的電雷學校。其中即可看到蔣介石對閩系的不完全信任，亦可看出江中佈雷及新設立電雷學校的軍事戰略地位。

蔣介石設立電雷學校有其通過設立海軍學校、培育海軍人才，進而逐漸控制海軍的意圖，但是培育長江佈雷人才、在江中佈雷以抵制日本軍艦威脅首都南京，則應是蔣介石的初衷。

〔註 41〕《外交部致日本駐華公使抗議書》（中華民國二十一年二月二日），《革命文獻》，第三十五輯，第 1161 頁，總 7827 頁。

〔註 42〕包遵彭著：《中國海軍史》（下冊），（臺灣）中華叢書編審委員會，1970 年，第 837 頁。

〔註 43〕張力、吳守成訪問，張力、曾金蘭記錄：《李連墀先生訪問紀錄》，載《海軍人物訪問紀錄》，第 1 輯，臺灣中央研究院近代史研究所，1998 年，第 13 頁。

二、閩系與「電雷系」的矛盾

電雷學校的設立，打破了海軍原來閩系、青島系、廣東系三足鼎立的割據，構成所謂「電雷系」，從而使海軍系統形成「四海」局面。電雷系從成立開始，就與閩系矛盾重重。

（一）任用閩系政敵歐陽格。爲蔣介石操辦電雷學校的具體負責人是歐陽格。歐陽格（1895～1941），原是馬尾系所辦煙臺海校的畢業生，曾任「豫章」艦艦長，並參與「中山艦事件」。歐陽格於 1931 年從英國海軍參謀學校留學回國後，本想回海軍任職，遭到海軍部部長陳紹寬的冷遇。〔註 44〕以後歐陽格得到考試院院長戴季陶和軍政部部長何應欽的支持。電雷學校成立後，歐陽格擔任校長。此後，歐陽格與陳紹寬處處不合。

（二）海軍學校掛名陸軍。從電雷學校成立的目的與任務看，確爲海軍性質，但若以海軍學校名義成立，必受海軍部（閩系控制）掌控，這是蔣介石絕對不願看到的，於是蔣介石「揚言該校不是海軍性質，而是純粹對外（時九一八事變之後）水中攻防性的陸軍電雷學校，這樣就使海軍部長陳紹寬不能干涉它，青島系海軍沈鴻烈更不敢過問。但實際該校全係按照海軍正規軍官學校辦理，大量培養自己的海軍骨幹。」〔註 45〕1936 年春，電雷學校奉令改隸於軍政部，名爲軍政部電雷學校，同時學校由鎮江遷往江陰。這樣電雷學校完全屬於陸軍系統，不受海軍干涉了。

（三）排斥閩籍。電雷學校的「教職員大部分是青島、黃埔和馬尾海軍學校中不滿閩系海軍的人物，福建人一個不用。」〔註 46〕1936 年夏，馬尾海軍學校第四屆輪機學生晏海波等三十名，因犯校規被海軍部長陳紹寬命令開除。親歷此事馬尾海校畢業生林鴻炳詳細道出了此事的經過：「比我們早一年進校的輪機班，某次集合點名，因平時都在操場，那天下著毛毛雨，他們班就在走廊集合，周憲章主任要他們來操場點名，他們還是不來，因爲全班除夏新、雲惟賢和吳寶鏘擔任下一期班隊長外，其餘三十名全部

〔註 44〕《軍政部電雷學校》（1932～1938），載楊志本等編，《中華民國海軍史料》，海軍出版社，1987 年，第 71 頁。

〔註 45〕《軍政部電雷學校》（1932～1938），載楊志本等編，《中華民國海軍史料》，海軍出版社，1987 年，第 71 頁。

〔註 46〕《近代中國海軍》，海軍司令部編輯，海潮出版社，1994 年，第 927 頁；《軍政部電雷學校》（1932～1938）亦載電雷「學校中教職員大部分是黃埔海校和青島海校系統及馬尾系統的一些人」見楊志本等編，《中華民國海軍史料》，海軍出版社，1987 年，第 73 頁。

開除。」〔註 47〕同年冬，歐陽格乘機將此班革生除閩籍外尚有王先登等十二名全數收容，爲電雷學校第一屆輪機學生。1937 年 3 月學習期滿後，全數派往德國留學。後來這些人都成爲壓迫馬尾系首腦陳紹寬下臺的主要力量。〔註 48〕

如果說青島系海軍是閩系海軍實現海軍統一的最強實力對手，那麼，有「海軍中的黃埔軍校」〔註 49〕之稱的電雷系，則是從海軍教育方面對閩系形成強有力的挑戰。由於電雷學校是蔣介石直接設立的，因而是閩系統一海軍不可逾越的新障礙。

第四節　統一海軍教育未果

海軍是較爲先進的軍種，其力量形成主要依靠現代化的艦艇和專業化的海軍人才。專業海軍人才的培養需要專門的海軍學校，民國海軍內部的閩系、青島系、廣東系分別控制著馬尾海軍學校、青島海軍學校、黃埔海軍學校等正規的海軍學校，爲本派系造就海軍人才。因此，若能統一海軍教育，則可爲統一海軍奠定堅實的基礎。

閩系控制的馬尾海軍學校。馬尾海校是海軍學校中資歷最老的一所，其前身是沈葆楨創辦的福州船政學堂，1913 年，船政前、後學堂分別改爲海軍製造學校、馬尾海軍學校，隸屬於海軍部。1926 年，海軍製造學校與 1920 年成立的海軍飛潛學校同時併入馬尾海校。1928 年，煙臺海軍學校停辦後，其末屆學校歸入該校。

青島系控制的青島海軍學校。前身爲 1923 年沈鴻烈在東北創設的葫蘆島航警學校，1931 年改稱葫蘆島海軍學校，九一八事變後遷至威海，稱威海衛海軍學校，隸屬於中央軍委會北平分會，1933 年再遷青島，改名爲青島海軍學校，由此校畢業的學生，被稱爲青島系或東北系。

廣東系控制的黃埔海軍學校。前身爲兩廣總督劉坤一於 1887 年創辦的廣東水陸師學堂。1912 年改名爲黃埔海軍學校，1921 年 12 月 31 日，因經費不

〔註 47〕《林鴻炳先生訪問紀錄》，張力、吳守成訪問，張力、曾金蘭記錄，載《海軍人物訪問紀錄》，第 1 輯，臺灣中央研究院近代史研究所，1998 年，第 113～114 頁。

〔註 48〕《軍政部電雷學校》（1932～1938），載楊志本等編，《中華民國海軍史料》，海軍出版社，1987 年，第 73 頁。

〔註 49〕《近代中國海軍》，海軍司令部編輯，海潮出版社，1994 年，第 927 頁。

濟而停辦。1930 年，陳策擬復辦海軍學校，但未獲海軍部許可，1931 年 11 月，陳策向西南政務委員會再度申請復辦，獲准重新開辦黃埔海軍學校，所招收學生多為粵籍。

此外還有 1932 年蔣介石在鎮江設立的電雷學校。對於這四所海軍學校的教育質量，具有青島海校背景的李連墀先生評價較為客觀，他認為：「總結四所海校，論學校基礎，馬尾是標準的海校，完全按照英國的制度來教；青島就比較草率一點，但是東西也實在，稱得上文武兼備的狀態。但是黃埔和電雷就是非常草率了。」〔註 50〕

一、閩系統一海軍教育的舉措

閩系統一海軍的另一個思路是從統一海軍教育入手。當時存在的馬尾海軍學校、青島海軍學校、黃埔海軍學校以及電雷學校均是培養初級軍官的普通海軍學校，陳紹寬意欲在此基礎上籌辦更高級的海軍參謀教育學校——「海軍大學」，籌建原因在於「軍學宜求深造，而建材亟待育成，現在列強海軍戰術，日新月異，本軍軍官尤應研究高深學術，精益求精，以備黨國干城之選。」〔註 51〕由閩系負責籌辦、培養海軍參謀教育的海軍大學，從籌辦之時就蘊含著閩系統一海軍教育的想法。

據李世甲回憶，海軍大學籌辦之處，李曾向陳紹寬建議由蔣介石擔任海軍大學校長，以減少籌辦阻力：「當前蔣介石大權獨攬，對軍事教育也抓住不放他還自兼警官學校、電雷學校的校長，我們的海軍大學如果由他來兼校長，你當然兼教育長，今後的事情會好辦些。」〔註 52〕但未獲陳紹寬同意。陳紹寬親自擔任校長，以李世甲為教育長，選馬尾為校址，並派員至馬尾籌建校舍。

然而一場令陳紹寬意外的分波阻止了海軍大學的籌辦。1934 年 11 月，閩系艦隊以「應瑞」艦長林元銓、「寧海」艦長高申憲等 23 位艦長聯名向國民政府主席林森密呈控告海軍當局親日案，林森轉由行政院長汪精衛處理。同時「永綏」艦長程娟賢趁機面呈蔣介石，該文稱：

〔註 50〕《李連墀先生訪問紀錄》，張力、吳守成訪問，張力、曾金蘭記錄，載《海軍人物訪問紀錄》，第 1 輯，臺灣中央研究院近代史研究所，1998 年，13 頁。

〔註 51〕轉引自張力《以敵為師：日本與中國海軍建設（1928～1937）》，第 114 頁。

〔註 52〕李世甲：《我在舊海軍親歷記（續）》，見《福建文史資料》，第八輯：海軍史料專輯，福建人民出版社，1984 年，第 20 頁。

「陳部長設海軍大學於馬尾，擬調元銓等入學，以求深造。正自慶幸，唯聞大學所聘教官，均繫日人，喪權危國，莫斯爲甚。浸假鑄成大錯，墜敵術中，他日受禍之烈，勢必影響外交，波及國防……海軍當局昧於大義，一意孤行，私聘日人寺岡謹平及信夫淳平爲海軍大學教授，竟舉海軍軍事最高教育權爲敵人之手。」〔註53〕

事情之經過，據李世甲回憶，海軍大學開辦的課程中有軍事學和海戰公法兩科。因國內無適當人選，並出於節省費用和日文易學的考慮，且經蔣介石同意，遂通過外交途徑聘請兩位日本教官。「應聘前來的，一爲日本海軍大佐寺岡，講軍事學，一爲日本海軍法律顧問法學博士信夫，講國際公法。這兩個教官，是由我（李世甲）通過日本駐南京武官岡野大佐向日本海軍省接洽聘用的。」〔註 54〕値此中日關係緊張的氣氛之下，聘用日本海軍官佐擔任軍事教官，必然引起一部分艦長的反對。

但事情並非如此簡單，據李世甲與時任「海籌」副長的曾國晟等親歷者回憶，23 位艦長聯名控告另有他因。李世甲在《我在舊海軍親歷記（續）》中認爲海軍部對各項制度的整頓，艦長的權利逐漸被限制在規定的範圍內，特別是 1934 年，陳紹寬決意改革艦上公費由各艦長包幹的制度極大的損害了艦長的利益，因而引起艦長的聯名反對。〔註 55〕曾國晟在《海軍大學風潮見聞》中認爲風潮的起因是：艦長們認爲陳紹寬要辦這所大學（海軍大學），要實現限制艦長的權力，同時要在艦長入學受訓時，只許帶公費的二成，而把其餘的公費交公，按實物由海軍總部發給，這直接損害到艦長的切身利益。同時，陳紹寬舉辦上尉級海軍軍官的考試制度亦激化了雙方的矛盾。〔註 56〕

此事對陳紹寬打擊很大，因反對者均爲閩系海軍高級將領。陳聞訊後即辭職赴上海休養，由陳季良代理部務。後來在蔣、汪的授意下，陳季良於 1935 年 2 月把林元銓調任海軍軍械處處長、高申憲調任海軍引水傳習所所長，以

〔註53〕轉引自張力《以敵爲師：日本與中國海軍建設（192～1937）》，第 115 頁。

〔註54〕李世甲：《我在舊海軍親歷記（續）》，見《福建文史資料》，第八輯：海軍史料專輯，福建人民出版社，1984 年，第 21 頁。

〔註55〕李世甲：《我在舊海軍親歷記（續）》，《福建文史資料》，第八輯：海軍史料專輯，中國人民政治協商會議福建省委員會文史資料研究委員會編，福建人民出版社，1984 年，第 21～22 頁。

〔註56〕曾國晟：《海軍大學風潮見聞》，載文聞編：《舊中國海軍秘檔》，中國文史出版社，2006 年，第 216、222～223 頁。

示懲戒後，陳紹寬始回部視事。原擬籌辦的海軍大學改在南京草鞋峽海軍水雷營，兩個日本教官仍在校內講課。

經此風潮後，「原（擬）設在馬尾的海軍大學無形中停辦了」，「所謂海軍大學，不外是個講習班而已」〔註57〕。海軍部統一海軍教育的計劃即告失敗。

二、參謀本部對統一海軍教育的計劃

1934 年參謀本部在呈請軍事委員會的《國防計劃海軍部分》中的「教育計劃」中，提出了詳細的統一海軍教育的計劃。

> 教育之所以貴於統一者，欲充門户之風、齊學術之差，而收聲氣相應求之效也。今日海軍教育，黃埔設一校而隸於第一集團軍、馬尾又設一校而隸於海軍部、威海衛又設一校而隸於北平軍事委員分會。風氣自成一家，於是肇門户之見，教授各以意爲，於是來學術之差。激蕩所至，求其無壟斷人心、封建之思，而不各懷取而代之之意已難矣，焉能望其收聲氣相應求之效耶？此不但爲海軍之累，抑且爲他日海軍作戰之災。爲導之於正軌起見，擬具海軍教育計劃如左：
>
> 一、海軍普通教育（海軍軍官學校）及專門教育，皆由訓練總監部（海軍監）會同海軍部（軍學司）統一辦理；海軍參謀教育（海軍大學）由參謀本部辦理。
>
> 二、黃埔海軍學校、馬尾海軍學校及威海衛海軍學校皆並而爲一，附設於中央軍官學校之内，其校長由中央軍官學校校長兼任，内設航海、輪機及潛水三科。
>
> 三、學生名額從全軍所需軍官佐之補充數爲標準，按行省之大小而規定其分配之名額，復試亦按各省所配定之名額錄取。昔日海軍軍官得保送學生一名之例取消。
>
> 四、由訓練總監部會同海軍部設立海軍專門學校一所，内分炮術、水雷術、潛水術、輪機及飛行術五科。又各分爲普通班與高等班，前者凡補授少尉六個月後者，一律入學，但航海士官得不習輪機，其輪機士官唯習輪機及水雷術；後者甄拔中尉級之優秀者入學，

〔註57〕陳書麟、陳貞壽編著：《中華民國海軍通史》，海潮出版社，1993 年，第 306～307 頁。

並於該專門學校五科之下施行。士兵教育（造成下級幹部）亦分普通班與高等班，前者選拔一、二等兵入學，後者選拔一等兵及下士入學。

五、由參謀本部將海軍部所開辦之馬尾海軍大學（據聞內定六個月畢業）接收，正式設立海軍大學，教授軍政、軍令及其所關聯之最高學術，以養成海軍指揮及參謀人才。其學生於上尉級中甄拔之，二年半畢業。並附後高等航海術科及高等輪機科。

六、海軍造船、造兵、造械及海軍軍醫以及海軍無線電人才，就國內外大學在軍中之學生之志願者，委託國內外大學養成之。〔註58〕

該計劃將海軍教育分爲普通教育和參謀教育，由訓練總監部會同海軍部、參謀本部分別辦理，從整體上規定了擁有海軍教育辦理權的機關，繼而整合閩系、青島系、廣東系控制的三所海校。並規定招生按省劃分以避免地方派系的再形成。

客觀而言，該計劃是較爲可行的，對於剷除海軍派系能起到一定作用。但是值得注意的是，該計劃並沒有提及電雷學校，所針對的僅是地方派系所控制的海校。海軍學校是地方各派培養海軍專業人才的搖籃，自然不會輕易交出。事實上，海軍軍校的統一直到抗戰開始後，青島系、廣東系、電雷系所依賴的艦隊喪失後，才歸併在一起，而四所海校的合併則要到抗戰結束後。

〔註58〕《海軍戰時充實計劃草案及國防計劃海軍部分》，中國第二歷史檔案館藏，全宗七八七（國防部史政局及戰史編纂委員會），案卷號2081。

結　語

「統一海軍」是蔣介石對閩系歸附的許諾條件之一，但在實際行動中，由於得不到蔣介石的全力支持，閩系雖多番努力，卻始終未能吞併東北海軍、廣東海軍。究其原因，一是閩系並非蔣之嫡系，未能完全控制閩系的蔣介石自然不會讓閩系一派獨大；然而更重要的原因是蔣介石希望由軍委會來實現海軍軍令權、軍政權的統一，而不是由閩系控制的海軍部來實現統一，這樣在政府內部存在著兩條完全不同的統一方案。

1935 年以後，國防主題逐漸轉向抗日備戰，海軍亦不例外。閩系統一海軍的方案與行動擱淺。1937 年江陰海戰，閩系海軍艦隊主力盡失，失去了統一海軍的資本，此後海軍部裁撤，改組爲海軍總司令部，由陳紹寬擔任海軍總司令。閩系人才的搖籃——福州海軍學校幾經周轉，於 1938 年內遷至貴州桐梓，雖仍堅持辦學，但所培養的海軍學員人數與任職情況已大不如從前。

東北系、廣東系、電雷系海軍三支海軍亦在抗戰初期受到重創，其中實力較強的東北海軍所轄艦艇自沉於青島、劉公島港灣，作阻塞之用。抗戰開始後，青島海校、黃埔海校、電雷學校校址多次內遷，辦學維艱，1938 年 6 月 28 日，蔣介石下令取消電雷學校。第三第四兩期未結業學生，與內遷至宜昌的青島海軍學校合併。〔註 1〕1939 年 3 月，軍委會決定停辦黃埔海校，並指示軍政部需在 6 月底結束該校，在校學員准予提前畢業。經過抗戰前期的整合，到了 1939 年原四所海軍學校僅剩下內遷桐梓的福州海校、遷至宜昌的青島海校。

〔註 1〕包遵彭著：《中國海軍史》（下冊），（臺灣）中華叢書編審委員會，1970 年，第 840 頁。

青島海校在軍政部的努力下成功的接受了電雷學校學員，雖然在兩年後即告撤銷，但仍可清楚的看出在海軍統一問題上軍委會與海軍司令部針鋒相對的鬥爭。中國加入同盟國作戰後，軍委會開始選派學員赴英美留學或接收戰艦，此時已刻意消弭海軍系統內部的派系之分。

戰後，軍政部在蔣介石的指示下接管了海軍司令部，閩系海軍的優勢地位徹底消失，國民政府海軍在軍委會的努力下實現了從「四海」到「一家」的統一。

參考文獻

一、未刊檔案

1. 《中華民國國防計劃綱領草案及國防政策實施意見書》，中國第二歷史檔案館藏，全宗號 787（國防部史政局及戰史編纂委員會），案卷號 1956。
2. 《國防計劃草案》，中國第二歷史檔案館藏，全宗號 787（國防部史政局及戰史編纂委員會），案卷號 1957。
3. 《蔣介石對國防計劃及各地軍事設施指示之函電》，中國第二歷史檔案館藏，全宗號 787（國防部史政局及戰史編纂委員會），案卷號 1959。
4. 《孔祥熙函送美國律師奧伯雷草擬之中國十年國防計劃預算》，中國第二歷史檔案館藏，全宗號 787（國防部史政局及戰史編纂委員會），案卷號 1970。
5. 《參謀本部草擬提交之國防方針及國防外交政策提案》，中國第二歷史檔案館藏，全宗號 787（國防部史政局及戰史編纂委員會），案卷號 2041。
6. 《參謀本部對於國民大會軍事工作報告初稿》，中國第二歷史檔案館藏，全宗號 787（國防部史政局及戰史編纂委員會），案卷號 2055。
7. 《國防軍事建設計劃草稿》，中國第二歷史檔案館藏，全宗號 787（國防部史政局及戰史編纂委員會），案卷號 2058。
8. 《海軍建設計劃草案》，中國第二歷史檔案館藏，全宗號 787（國防部史政局及戰史編纂委員會），案卷號 2080。
9. 《海軍戰時充實計劃草案及國防計劃海軍部分》，中國第二歷史檔案館藏，全宗號 787（國防部史政局及戰史編纂委員會），案卷號 2081。
10. 《國防作戰計劃》，中國第二歷史檔案館藏，全宗號 787（國防部史政局及戰史編纂委員會），案卷號 2128。
11. 《海軍國防計劃草案及改訂海軍作戰計劃草案》，中國第二歷史檔案館藏，全宗號 787（國防部史政局及戰史編纂委員會），案卷號 2129。

12. 《海軍大學聘請外籍教官案》，臺灣「國防部史政編譯局」藏，國軍檔案 425/3815.2。
13. 《陳紹寬請辭海軍部長案》，臺灣「國防部史政編譯局」藏，國軍檔案 325.7/7529。
14. 《青島海軍學校沿革史》，臺灣「國防部史政編譯局」藏，國軍檔案 153.42/5022。
15. 《電雷學校改編案》，臺灣「國防部史政編譯局」藏，國軍檔案 52.3/1071.2。
16. 《應瑞艦長林元銓等請解雇海大日籍教官案》，臺北國史館藏，國民政府檔案 055/0756。
17. 《海軍顧問人事案件案》，臺北國史館藏，國民政府檔案 055/0823。
18. 《海軍部長陳紹寬辭職案》，臺北國史館藏，國民政府檔案 055/0755。
其中第 12～18 條的國軍檔案、國民政府檔案收藏於臺灣，筆者因條件所限，使用轉引方式。

二、檔案資料彙編

1. 李新、孫思白主編：《民國人物傳》，中華書局，1978～1987 年。
2. 秦孝儀主編：《中華民國重要史料初編：對日抗戰時期》，中國國民黨中央委員會黨史委員會，中央文物供應社，1981 年。
3. 殷夢霞、李強編：《國家圖書館藏民國軍事檔案文獻初編》（十二卷），國家圖書館出版社，2009 年。
4. 中國第二歷史檔案館編：《蔣介石年譜初稿》，檔案出版社，1992 年。
5. 中國第二歷史檔案館編：《中華民國史檔案資料彙編》（四十冊），江蘇古籍出版社，1991 年。
6. 中國國民黨中央委員會黨史史料編纂委員會編：《革命文獻》，中央文物供應社，1954 年。
7. 中國國民黨中央委員會黨史委員會：《先總統蔣公思想言論總集》，中央文物供應社，1984 年。

三、資料彙編

1. 劉傳標編：《近代中國海軍大事編年》（三卷本），海風出版社，2008 年。
2. 劉傳標編：《中國近代海軍職官表》，福建人民出版社，2004 年。
3. 蘇小東編著：《中華民國海軍史事日誌》，九洲圖書出版社，1999 年。
4. 文聞編：《舊中國海軍秘檔》，中國文史出版社，2006 年。
5. 楊志本等編：《中華民國海軍史料》，海軍出版社，1987 年。
6. 張寶倉、陳書麟著：《海軍史料研究》（第 1 輯），愛國海軍史研究會印，1986 年。

7. 張俠等編：《清末海軍史料》，海軍出版社，1982 年。
8. 中國人民解放軍海軍司令部研究委員會編：《中國近代海軍史參考資料》（第 1 輯），1960 年。
9. 中國人民解放軍歷史資料叢書編審委員會編：《海軍回憶史料》，解放軍出版社，1999 年。

四、報紙、刊物

1. 《申報》
2. 《眞光》
3. 《大公報》
4. 《新聞報》
5. 《中央日報》
6. 《海軍雜誌》（又名《海軍期刊》

五、專著

1. 包遵彭著：《清季海軍教育史》，（臺灣）「國防研究院」，1969 年。
2. 包遵彭著：《中國海軍史》（上、下冊），（臺灣）中華叢書編審委員會，1970 年。
3. 陳慶擁、蓋玉彪、唐宏主編：《中國海軍史》，海潮出版社，1995 年。
4. 陳書麟、陳貞壽著：《中華民國海軍通史》，海潮出版社，1993 年。
5. 陳書麟編著：《陳紹寬與近代中國海軍》，海洋出版社，1989 年。
6. 馮青著：《中國近代海軍與日本》，吉林大學出版社，2008 年。
7. 高曉星、時平編：《民國海軍的興衰》（江蘇文史資料第 32 輯），中國文史出版社，1989 年。
8. 管力吾編：《海軍官校四十年》，（臺灣）海軍軍官學校，1987 年。
9. 海軍史編委會編：《海軍史》，解放軍出版社，1989 年。
10. 海軍司令部編：《近代中國海軍》，海潮出版社，1994 年。
11. 韓祥麟著：《海軍傳統與歷史》，（臺灣）藝騋圖書出版社，2003 年。
12. 胡立人、王振華主編：《中國近代海軍史》，大連出版社，1990 年。
13. 李宗慶主編：《福建船政學校校志：1866～1996》，鷺江出版社，1996 年。
14. 林慶元著：《福州船政局史稿》（增訂本），福建人民出版社，1999 年。
15. 劉維開著：《編遣會議的實施與影響》，商務印書館（臺北），1989 年。
16. 戚厚傑著：《國民革命軍沿革實錄》，河北人民出版社，2001 年。
17. 秦天、霍小勇主編：《中華海權史論》，國防大學出版社，2000 年。

18. 史滇生主編：《中國海軍史概要》，海潮出版社，2006 年。
19. 蘇小東、唐戴著：《中國近代海軍一百年》，解放軍出版社，1992 年。
20. 臺灣「海軍總司令部」編：《海軍艦隊發展史》，臺灣「國防部史政編譯局」，2001 年。
21. 吳傑章編：《中國近代海軍史》，解放軍出版社，1989 年。
22. 楊國宇主編：《當代中國海軍》，中國社會科學出版社，1987 年。
23. 張墨、程嘉禾著：《中國近代海軍史略》，海軍出版社，1989 年。
24. 鄭文興編：《中華民國海軍軍官學校》，（臺灣）海軍軍官學校校刊社，1999 年。

六、文集、訪問紀錄、文史資料等

1. 陳書麟編著：《陳紹寬與中國近代海軍》，海洋出版社，1989 年。
2. 高曉星編：《中國近代海軍名將：陳紹寬文集》，海潮出版社，1994 年。
3. 李躍乾編著：《民國軍制》，中國大百科全書出版社，2010 年。
4. 張力、吳守成訪問，張力、曾金蘭記錄：《海軍人物訪問紀錄》（第 1 輯），臺灣中央研究院近代史研究所，1998 年。
5. 中國人民政治協商會議馬尾區委員會文史組編：《馬尾文史資料》第 1 輯，1991 年。
6. 中國人民政治協商會議福建省委員會文史資料編輯室編：《福建文史資料》（選輯），第 1 輯，福建人民出版社，1962 年。
7. 中國人民政治協商會議福建省委員會文史資料研究委員會編：《福建文史資料》，第 8 輯：海軍史料專輯，福建人民出版社，1984 年。
8. 中國人民政治協商會議福建省福州市郊區委員會文史資料工作組編：《福州郊區文史資料：陳紹寬一生》，1986 年。
9. 福州市政協文史資料委員會編：《福州文史集粹》（上、下冊），海潮攝影藝術出版社，2006 年。
10. 中國人民政治協商會議遼寧省委員會文史資料研究委員會編：《遼寧文史資料》，第 4 輯，遼寧人民出版社，1964 年。

七、學術論文

1. 傅光中：《論國民革命軍的黨代表制度》，載陳謙平主編《中華民國史新論（政治．中外關係．人物卷）》，三聯書店 2003 年，第 19 頁～33 頁。
2. 高曉星：《南京政府「統一」全國海軍及其軍事行動》，載《軍事歷史研究》，1993 年第 1 期，第 63 頁～92 頁。
3. 高曉星：《評蔣介石的海防言論和行動》，載《軍事歷史研究》，第 142 頁～146 頁。

4. 韓眞：《陳紹寬與國民政府海軍部》，載《漳州師範學院學報》（哲學社會科學版），2002 年第 4 期，第 68 頁～72 頁、88 頁。
5. 韓眞：《民國海軍的派系及其形成》，載《軍事歷史研究》，1992 年第 1 期，第 63 頁～68 頁。
6. 劉傳標：《閩系海軍的興衰及功過》，《福建論壇（人文社會科學版）》，1994 年第 4 期。
7. 劉宏祥：《從閩系到嫡系：國民政府海軍中領導勢力的變化（1927～1945）》，載《史彙》，2005 年第 9 期，第 101 頁～108 頁。
8. 馬幼垣：《中國大陸的近代海軍史研究》，載《嶺南學報》新第 3 期，2006 年 9 月，第 304 頁～336 頁。
9. 茅海建、劉統：《50 年來的中國近代軍事史研究》，載《近代史研究》1999 年第 5 期，第 117 頁～130 頁。
10. 茅海建：《中華民國軍制述略》，載《歷史教學》，1986 年第 4 期，第 13 頁～16 頁。
11. 沈謂濱、蘇貽鳴：《中國近代軍事史研究四十年》，載《歷史教學》，1992 年第 1 期，第 28 頁～33 頁。
12. 蘇小東、李鍾超：《淺談海軍史研究與軍事檔案的利用》，載《軍事歷史研究》，2010 年增刊，第 195 頁～197 頁。
13. 王家儉：《近百年來中國海軍的一頁滄桑史：閩系海軍的興衰》，載（臺灣）《近代中國》，151 期，2002 年 10 月，第 174 頁～191 頁。
14. 楊利文：《北伐前後國民革命軍的黨代表制度》，《民國檔案》，2007 年第 1 期。
15. 張力：《從「四海」到「一家」：國民政府統一海軍的再嘗試，1937～1948》，載（臺灣）《中央研究院近代史研究所集刊》，總 26 期，1996 年 12 月，第 267 頁～316 頁。
16. 張力：《航向中央：閩系海軍的發展與蛻變》，載（臺灣）《中國民國史專題論文集第五屆討論會》（國史館印行），2000 年 10 月。
17. 趙守仁：《民國時期東北海防艦隊始末》，載《遼寧師範大學學報（社科版）》，1990 年第 3 期，第 70 頁～73 頁。
18. 仲華：《1931～1937 年間國民政府海軍建設述論》，載《南京政治學院學報》，2004 年第 5 期，第 56 頁～58 頁。

誌　謝

二〇〇九年九月，南京大學啓用仙林校區，而今天南京大學喜迎一百一十周歲生日。如此重要的三年，能夠在南京大學師從申曉雲教授研究中華民國史，實乃幸事。本文從選題到定稿，都凝聚著申老師的心血，正是在申老師的悉心指導下，才使我這個門外漢得以跨入史學研究之門。同時，申老師爽朗的性格、樂觀的心態深深地影響了我。在此，對申老師三年來關心與指導致以誠摰的謝意。

歷史學系的崔之清教授、陳謙平教授、朱寶琴教授、張生教授、李玉教授、馬俊亞教授等，他們嚴謹治學的學術精神和潛心育人、爲人師表的高尚品德給我留下了深刻的印象。臺灣「中央研究院」近代史研究所張力教授，對本文的選題提出了寶貴意見，特別予以感謝。

本文的撰寫，得到了中國第二歷史檔案館、南京大學圖書館、南京大學歷史學系資料室、南京圖書館等單位的老師或工作人員的幫助，對於他們的辛勤付出，謹致謝忱。

2012 年 5 月 20 日

1927年閻錫山易幟研究

張　寧　著

作者簡介

張寧，女，山東省成武縣人，1987 年 12 月生，酷愛讀書寫作。本科就讀於甘肅省蘭州大學歷史文化學院，專業爲歷史學基地班，大學期間在山東大學交換學習一年，2011 年畢業，獲歷史學學士學位。碩士研究生就讀於江蘇省南京大學歷史系，專業方向爲中國近現代史專業，2014 年畢業，獲歷史學碩士學位。對於中華民國政治史，國共兩黨史以及中華人民共和國史頗具研究興趣與熱情，曾在《歷史學家茶座》、《文史天地》、《北華大學學報》、《南京日報》、《都市時報》等報刊上發表有關文章十餘篇。爲搜集史料，撰寫碩士畢業論文，作者曾到臺灣東吳大學交換學習一學期，在臺期間，多次至國史館、「國家圖書館」查閱檔案。現爲出版社編輯。

提　　要

本文以民國政要閻錫山的易幟作為個案，將閻錫山易幟放置在北伐的時代大背景下，按照「背景 經過 原因 影響」的邏輯主線展開論述，探究其易幟原因及詳細軌跡，還原易幟的經過與前因後果，進而透視北伐時期易幟這一普遍現象的實質與影響。閻錫山易幟既是奉系、武漢國民與南京方面權力博弈的結果，亦是他主動選擇的結果。與孫中山與國民黨在政治理念上的某些相似性，是其易幟的思想原因。閻錫山在山西進行清黨，對山西國民黨進行改組，對省政與軍隊進行改造，在表面上是順應南京國民政府，但其實質是將其個人政治理想置於三民主義革命旗幟之下，以求得在思想與實踐方面仍能控制山西。這種通過易幟達成的統一，無法解決政治認同問題與地方割據問題，直接影響到奉行黨國一體的南京國民政府的理國能力及對於地方的控制能力，背離了北伐的初衷。

目次

緒　論

一、選題緣起

20 世紀對於中國來說可謂是一個風起雲湧的政治大變動時代，在其大多數年份裏「革命」高張大旗，一路高歌猛進。僅上半世紀的不到 50 年中，中國就發生了三場以「改旗易幟」爲標誌的全國性革命和政權更迭（黃龍旗—五色旗—青天白日滿地紅—五星紅旗）。由北伐戰爭進而統一全國的那場革命，雖然不是規模最大的一場革命，但就政體轉換意義上的「易幟」來說，卻是歷史上最具承上啓下意義的一頁。它結束了辛亥革命後的共和體制，開創了南京國民政府的黨治體制。在黨治這方面，國共兩黨都是師法蘇聯，而由中國共產黨建立的黨治政權一直延續到現在。

易幟是北伐中一個值得注意的現象，各省通過易幟來表明自己轉變政治立場，服從三民主義，參與國民革命，使國民黨在短時間內實現了武力統一。易幟現象在當時蔚然成風，但易幟的複雜性及其背後的權力與利益博弈卻未被充分揭示，而且由易幟實現國家整合的這種兼併模式的合理性與實效性也很少被深入反思。民國史研究領域長期以來存在重視中央上層，輕地方下層，重總體研究，輕個案分析的問題，研究某一省份的易幟恰恰可以彌補這方面不足。

基於這種認識與思考，筆者以北伐時期民國政要閻錫山的易幟作爲個案，借助臺北國史館所藏閻錫山檔案，將閻錫山易幟放置在 1920 年代的歷史大背景下，以探究易幟原因及詳細軌迹，特別是其易幟的政治考量及與各方實力派的博弈，還原 1927 年閻錫山易幟的前因後果，同時也可透視北伐戰爭時期軍閥政客紛紛改旗易幟這一獨特的現象。

為何選擇閻錫山的易幟進行論述？因為閻錫山具有獨特性與典型性。他是民國時期執掌一省軍政時間最久的權重人物，「出身行伍卻深諳理學，思想開化又老成圓滑，善創新範又恪守傳統」。從辛亥一直到北伐，這期間閻錫山對外持「門羅主義」，宣稱保境安民，不願意介入外界紛爭，更不許外界染指山西，他用自己的一套政治理論，兢兢業業治理山西，使其成為北洋政府時期的模範省。

閻錫山與國民黨的淵源頗深，又與北洋派有千絲萬縷的聯繫。但國民黨要實現全國統一，張作霖想要維持北方大局，閻錫山無法繼續堅持孤立主義。他的倒向成為寧、漢、奉三方關注的焦點。1927年3月～8月，《申報》、《晨報》、《益世報》等報紙充滿關於閻錫山態度及他與各方來往的新聞報導，由各方對於閻錫山的緊張態度，可見其重要性。閻錫山的易幟與出兵伐奉，沉重打擊了奉張，迫使奉張收縮勢力，不敢貿然南下，為國民黨二期北伐做了開端。他選擇支持南京國民政府，孤立了武漢國民政府，使得武漢在北方得不到響應勢力。可謂部分上能夠決定寧漢之爭與北伐戰局的結果。

以往的研究往往將他易幟的背景、大致過程敘述一遍，缺少深入探討易幟本身的問題研究。「易幟」從表面上看，是將五色旗換成青天白日旗，但問題遠非那麼簡單，因為國民黨想要建設黨國體制，以黨首領一切。伴隨著旗幟的更換，深層次的東西亦會隨之改變。例如山西國民黨黨部的成立、在晉軍中設立政治部的問題、山西清黨的進行、黨化教育的開展……南京國民政府想要的不僅是將山西納入統治版圖，更要使山西成為黨化之地，這才眞正算是「三民主義統一全國」。一直視山西為其禁臠的閻錫山會讓國民黨染指山西嗎？他對三民主義的看法如何？對國民黨與共產黨的態度如何？易幟之後山西有何實質上的改變？這些改變說明了什麼問題？這些疑問都是筆者想要解答的。通過研究閻錫山的易幟，可以透視北伐中南北各派的態度和應對，探討北伐的性質，瞭解北伐中國共兩黨的紛爭對於地方實力派的影響，分析造成國民黨內部分裂的原因，以及追尋日後國民黨敗退臺灣的遠因。

二、學術史回顧

國內外學界關於閻錫山的綜合性著作甚多，關於閻錫山易幟的專題研究成果卻較少。多數綜合性著作視閻錫山易幟為其政治生涯中的一個轉折點，認爲他投靠蔣介石是他審時度勢做出的選擇，符合他「不倒翁」的個性與實用主義的態度。對易幟背後的複雜情境，例如各方是如何爭取閻錫山，閻錫山與張作霖、馮玉祥以及蔣介石的關係，易幟的表現與實質，山西在易幟之後的改變與不變等，並沒有進行深度分析。筆者將談及「易幟」話題的著述梳理如下：

1、專業論文方面

就筆者所能搜索到的，大陸學界有四篇論文，其中已經公開發表的有三篇：田酉如《閻錫山易幟原因探》〔註 1〕，楊天石《論 1927 年閻錫山易幟》〔註 2〕，劉峰搏《閻錫山與一九二七年山西易幟考論——以中央與地方關係爲透析點》〔註 3〕。尚未公開發表的研究成果有南京大學張文俊的博士論文《政制轉型與山西政治秩序重構研究（1911～1929）》〔註 4〕。

田文主要敘述閻錫山與各方關係、易幟過程，探討易幟的原因，認爲閻錫山是出於反共的立場才與蔣介石站在一起，否定了「李大釗是促使閻錫山易幟的主要原因」一說。楊天石的文章探討了北伐期間閻錫山易幟的原因，閻在換旗過程中對各方政治勢力的考慮與應對，以及閻爲何倒向南京蔣介石。作者認爲閻的行爲直接加速了武漢政府的垮臺，促使奉張北撤。該文是目前爲止研究閻錫山易幟的一大力作。劉峰搏亦分析了北伐時期山西易幟的背景、過程以及影響。他認爲山西易幟不能排除閻想保存或擴充實力的個人動機，但客觀上又是一個地方勢力面對三個中央政府對晉工作反應的最終結果，而這一結果對後來北方軍政格局的形成，乃至全國政局的走向都產生了重要影響。劉文雖在觀點上有新意，且選取了一個較好的視角，但他的結論與史料運用都無出楊文。

這三篇文章對於筆者瞭解北伐之前閻錫山與各方關係、易幟的大致過程，大有裨益，啓發了筆者的思考，爲進一步探討閻錫山易幟開拓了思路。但因爲這些作品發表年代較早，囿於條件的限制，他們引用的史料有限，缺乏閻錫山的一手資料。

〔註 1〕田酉如：《閻錫山易幟原因探》，《文史研究》，1990 年第 4 期。

〔註 2〕楊天石：《論 1927 年閻錫山易幟》，《民國檔案》，1993 年第 4 期。

〔註 3〕劉峰搏：《閻錫山與一九二七年山西易幟考論——以中央與地方關係爲透析點》，《山西師大學報（社會科學版）》，2008 年第 35 卷第 2 期。

〔註 4〕張文俊：《政治轉型與山西政治秩序重構研究（1911～1929）》，南京大學歷史系中國近現代史專業博士研究生學位論文，2011 年。

《政制轉型與山西政治秩序重構研究（1911～1929）》中有兩章「以不變應萬變：北伐前夕南北勢易中之山西」與「似變而非變：易幟與軍紳政治的延續」，專門論述閻錫山易幟的背景、經過，以及易幟之後的山西清黨、山西國民黨建設等內容。作者運用臺灣出版的《閻錫山檔案：要電錄存》〔註 5〕、《民國閻伯川先生錫山年譜長編（初稿）》〔註 6〕，內容翔實，對筆者認識那段時間的軍事背景以及山西換旗之後發生的變化等內容頗有啓發。但《閻錫山檔案》只出版到 1926 年，關鍵的 1927 年間檔案尚未出版。《民國閻伯川先生錫山年譜長編（初稿）》也是由閻錫山紀念委員會選取部分檔案內容出版，故能去臺北國史館查閱館藏閻錫山檔案，實屬重要。

臺灣方面僅有一篇與閻錫山北伐易幟緊密相關的學位論文，即羅貫倫的《閻錫山參加北伐的決策歷程：從保境安民到出師討奉（1926～1927）》〔註 7〕。作者主要運用臺北國史館館藏的閻錫山檔案，從軍事史的角度出發，詳細探討閻錫山如何放棄保境安民的中立立場，積極參加北伐戰爭的決策經過。著重強調馮玉祥帶給閻錫山的壓力，是促使閻錫山倒向南京國民政府的重要原因之一。此文有助於筆者從軍事形勢方面瞭解閻錫山易幟的決策歷程，注意到馮玉祥與國民軍在閻錫山易幟中的影響。但此文側重論述軍事史，對於閻錫山易幟的內涵與意義並沒有做過多分析。

2、涉及「易幟」的綜合性著作

大陸方面著述頗多，單傳記就有十多本。現將筆者認爲比較重要的基本著作介紹如下：

中共中央黨校所著《閻錫山評傳》〔註 8〕，是大陸第一部研究閻錫山的專著。編者力求「如實地寫出閻錫山的一生」，力求「讓事實說話，不把閻錫山簡單化、臉譜化」〔註 9〕，但其實際上是站在革命史的角度對其做評價，例如

〔註 5〕何智霖：《閻錫山檔案：要電錄存》（共十冊），臺北：國史館印行，2003～2005 年版。

〔註 6〕民國閻伯川先生紀念會編：《民國閻伯川先生錫山年譜長編（初稿）》，臺灣商務印書館股份有限公司，1988 年版。

〔註 7〕羅貫倫：《閻錫山參加北伐的決策歷程：從保境安民到出師討奉（1926～1927）》，臺灣大學歷史系碩士學位論文，2011 年。

〔註 8〕中共中央黨校《閻錫山評傳》編寫組編：《閻錫山評傳》，北京：中共中央黨校出版社，1991 年版。

〔註 9〕中共中央黨校：《閻錫山評傳》，第 7～8 頁。

認爲閻錫山的一生「長期依附北洋軍閥和國民黨反對派，反共反人民」，他是「逆歷史潮流而動的反面人物」〔註 10〕。書中記述了閻錫山易幟的軍事與政治背景，易幟之後的清黨情況，結合閻錫山的「反動」經歷，說明他的易幟是「善觀市場行情變化，伺機轉換籌碼」。蔣介石的反共「對封建軍閥有利，對中國的大地主、大資產階級有利」，閻錫山自然會「不謀而合，聞風而至」，他是「從骨子裏認同反共這條路子」。〔註 11〕

山西文史資料中有兩本專門記述閻錫山的作品：《閻錫山統治山西史實》〔註 12〕與《閻錫山其人其事》〔註 13〕。《閻錫山統治山西史實》中的北伐一節，簡略介紹國共兩黨合作期間山西學生與工人運動、閻錫山派趙丕廉與國民黨接觸、閻錫山在山西清黨的事實、奉晉之戰的情況。《閻錫山其人其事》是一些與閻錫山有過接觸的人所寫的回憶文章，多數人與其接觸是從 1930 年代開始，因此關於閻錫山易幟的內容極少，僅有一篇文章提及，認爲閻錫山「擁護其（蔣介石）反共政策」，「前後壓迫著武漢政府，造成國共分裂」，對其評價則爲「一貫反人民、反民主、反共的立場」。〔註 14〕

蔣順興、李良玉的《山西王閻錫山》〔註 15〕，主要側重於他一生的政治活動。對於閻錫山在北伐期間的易幟，簡略敘述大致經過，對於原因、結果、影響都未做分析。值得稱道的是，此書作爲比較早期的閻錫山傳記，在歷史觀上相對客觀公正地評價了閻錫山，對其功過是非持辯證態度。但由於客觀條件限制，兩位學者在資料運用方面，尚缺乏閻錫山檔案、日記與回憶錄等一手資料。

李茂盛、雒春普與楊建中所著《閻錫山全傳》〔註 16〕，利用《民國閻伯川先生錫山年譜長編》這套資料，將閻錫山從易幟到參加北伐的過程進行了相對詳細的介紹，側重講述閻錫山如何與武漢國民政府、蔣介石建立聯絡，

〔註 10〕中共中央黨校：《閻錫山評傳》，第 1～2 頁。

〔註 11〕中共中央黨校：《閻錫山評傳》，第 152～156 頁。

〔註 12〕山西省文史資料研究委員會編：《閻錫山統治山西史實》，太原：山西人民出版社，1984 年版。

〔註 13〕山西文史資料編輯部編：《山西文史精選・閻錫山其人其事》，太原：山西高校聯合出版社，1992 年版。

〔註 14〕李冠洋：《對閻錫山的剖析》，山西文史資料編輯部編：《閻錫山其人其事》，第 66 頁。

〔註 15〕蔣順興、李良玉：《山西王閻錫山》，鄭州：河南人民出版社，1991 年版。

〔註 16〕李茂盛、雒春普、楊建中：《閻錫山全傳》，北京：當代中國出版社，1997 年版。

與馮玉祥修補關係，巧妙地應付各方，最後「得到敵對雙方的推崇和諒解」。對於此書中的某些結論與評價，筆者不甚認同，例如作者認爲閻錫山與奉張的周旋是他「保境安民」政略的成功。〔註 17〕但閻錫山在 1926 年就已經放棄保境安民的策略，「保境安民」已經不能成爲他嚴守中立的藉口。〔註 18〕

1926 年 10 月 13 日，閻錫山在山西第四次村政會議上講話時，曾說「山西向來絕對服從中央」，是因爲中央有力量保護山西安然無事，但近些年來中央政府的力量越來越小，地方勢力膨脹，山西只能自強自救。自救方法就是改變以往的閉關自守政策，藉重國內外交，即所謂「拉朋友」而已。〔註 19〕

此書還認爲閻錫山主張奉蔣合作，又一次證明他「不戰而勝的戰略思想與頑固的反共心理」。對於閻錫山拒絕倒向武漢政府，則評價道「基於個人世界觀和階級立場，閻錫山終於沿著擁蔣反共的道路走向了人生的終極。」可見對閻錫山的評價仍舊難脫革命史觀的窠臼。

2000 年之後，隨著新資料的出版，以及學術研究的不斷深入，學界逐漸跳出閻錫山是「軍閥的一生，反共反人民的一生」〔註 20〕這種簡單的是非評價邏輯，不再只大談閻的反共與清黨，不再以其對共產黨的態度作爲衡量的標準，開始歷史地、全面地考察閻錫山。與之前傳記相比，這些著作〔註 21〕多數運用了閻錫山日記與回憶錄，開始注意到閻馮張之間微妙複雜的關係，關注閻錫山協調各方的努力，對於易幟給予了較多的關注。但有些作品缺乏檔案資料支撐，論述還不夠嚴謹，結論亦不能有所突破，例如王樹森就認爲「反共、擁蔣及維護舊禮教，乃是閻錫山此時確定行止的既定規範」，「他此時的一切決策和行動，都是以此爲出發點的」。〔註 22〕王將「維護舊禮教」也納入閻錫山易幟決策的原因之一，未免有失真實。值得一提的是李茂盛又出

〔註 17〕李茂盛、雒春普、楊建中：《閻錫山全傳》，第 401 頁。

〔註 18〕自 1924 年以來，山西又進行兩次擴軍。閻錫山雖然號稱保境安民，但在戰禍不斷的外界環境下，也做好「唯力是視」的戰爭準備。

〔註 19〕《民國閻伯川先生錫山年譜長編（初稿）》（二），第 699～700 頁。

〔註 20〕中共中央黨校：《閻錫山評傳》，第 502 頁。

〔註 21〕例如：苗挺的《三晉梟雄：閻錫山傳》（北京：中國華僑出版社，2005 年版）、李茂盛的《閻錫山大傳》（太原：山西人民出版社，2010 年版）、王樹森的《山西王閻錫山》（上海：上海人民出版社，2010 年版）、雒春普的《閻錫山傳》（北京：國際文化出版公司，2011 年版），其中李茂盛的《閻錫山大傳》分爲上下冊，是多部閻錫山傳記中部頭最大、史料最全、評述最多的一部長篇翔實之作。

〔註 22〕王樹森：《山西王閻錫山》，第 89 頁。

一本《閻錫山大傳》，係在全傳的基礎之上所出。在易幟一節，李引用了《閻錫山檔案》，對閻錫山倒向南京政府行爲評價改爲「閻錫山走向了以同蔣介石合作爲主流，以反對共產主義爲主線的政治道路」，這個評價相對客觀。

大陸有關閻錫山的專題論文甚爲豐富。通過相關數據庫搜索，博碩士論文主要有 20 餘篇，多集中在山西建設方面，例如村治建設、貨幣金融政策等。其他少數文章則論述閻錫山的幕僚集團、軍事策略、外交關係、抗戰表現、閻錫山統治時期的山西文化教育等。〔註 23〕這些論文對於筆者全面瞭解閻錫山有所幫助，但因爲沒有涉及閻錫山易幟問題，在此不做評述。

另外，臺灣、香港、美國的學者也對閻錫山研究做了有益的探索。臺灣比較注重閻錫山資料的搜集與整理，並進行學術性探討，大批傳記與學術性資料相繼問世。如《閻錫山早年回憶錄》〔註 24〕、《閻錫山傳記資料》〔註 25〕、《民國閻伯川先生錫山年譜長編初稿》（共六冊）等資料的出版發行。研究性的著作如曾華璧的《民初時期的閻錫山：民國元年至十六年》〔註 26〕、吳文蔚的《閻錫山傳》〔註 27〕也相繼問世。臺灣的碩士論文與專著主要有以下幾本：《閻錫山與抗戰》〔註 28〕、《閻錫山與戰前中國政局（1931～1937 年）》〔註 29〕、《現代化的儒學實踐——以閻錫山爲例》〔註 30〕，這些作品幫助了筆者

〔註 23〕例如劉亞麗：《閻錫山「綏西屯墾」研究》，山西大學，2010 年；竇雪：《北洋政府時期閻錫山金融政策研究》，山西財經大學，2012 年；祖秋紅：《「山西村治」：國家行政與鄉村自治的整合（1917～1928）》，首都師範大學，2007 年；王宇峰：《閻錫山幕僚研究》，西北大學，2005 年；王惠君：《閻錫山的軍事策略及其治軍實踐》，山西大學，2012 年；郝恩偉：《試析閻錫山「兵農合一」制度》，山西大學，2010 年；趙晉勝：《閻錫山與美國關係研究（1945 年 8 月～1949 年 4 月）》，山西大學，2004 年；安曉輝：《中國共產黨與閻錫山抗日民族統一戰線研究》，廈門大學，2007 年；張君：《閻錫山統治區的山西期刊業研究》，山西大學，2010 年；張蘇梅：《民國時期閻錫山統治區的山西圖書出版研究》，山西大學，2011 年。

〔註 24〕閻錫山：《閻錫山早年回憶錄》，臺北：傳記文學出版社，1968 年版。

〔註 25〕朱傳譽：《閻錫山傳記資料》，臺北：天一出版社，1985 年版。

〔註 26〕曾華璧：《閻錫山與民初政局（民國元年至十六年）》，臺灣大學歷史學研究所（近代史組）68 學年碩士畢業論文，1980 年。

〔註 27〕吳文蔚：《閻錫山傳》， 1983 年版。

〔註 28〕陳曉慧：《閻錫山與抗戰》，臺灣政治大學歷史學研究所碩士論文，1989 年。

〔註 29〕黃毓芳：《閻錫山與戰前中國政局（1931～1937 年）》，臺灣政治大學歷史學研究所碩士論文，2004 年。

〔註 30〕尤石川：《現代化的儒學實踐——以閻錫山爲例》，臺灣政治大學中國文學系九十五學年第二學期碩士學位論文，2007 年。

更好瞭解對岸閻錫山研究的狀況。

曾華璧的《閻錫山與民初政局（民國元年至十六年）》，其中一章主要強調了馮玉祥與國民軍帶給閻錫山的壓力，是他投向國民革命陣營的主要原因。臺灣的這兩篇論文都強調馮玉祥帶給閻錫山的強大壓力，是促使閻錫山易幟的主要原因，這一點與以往研究頗有不同。

香港地區關於閻錫山的研究，目前來看只有陳少校的《閻錫山傳》〔註 31〕與《閻錫山之興滅》〔註 32〕。陳少校的作品並非嚴謹的學術著作，帶有戲說與誇張的文學色彩，例如他稱閻錫山爲「一隻老狐狸，也是一個老妖精」〔註 33〕。對於易幟一節，陳幾乎是直接略過，僅有的內容也只講述蔣閻對馮的猜疑。〔註 34〕

美國學者唐納德・G・季林所著《閻錫山研究——一個美國人筆下的閻錫山》〔註 35〕，是目前國外閻錫山研究中最具代表性的著作。這本書屬於當代人寫當代史，他親自拜訪過閻錫山以及閻錫山的重要友人和部屬，例如孔祥熙、賈景德、徐永昌等，因此具有很大的參考價值。該著全方位多角度地評述閻錫山，從其早年直到他逝世，對閻錫山的思想、政治行爲，山西現代化建設的追求與實踐、派系紛爭，閻錫山統治時期山西的官僚政治等都進行了論述，在一定程度上還原了閻錫山與山西的眞實面貌。其不足在於文中許多地方對歷史事實多有誤讀之處，更爲嚴重的是作者主觀筆調較爲突出，對閻錫山的評價多有過失之處，多有「他的行爲是軍閥時期中國政界中的虛僞作風和不顧羞恥地投機取巧的典型」，「他的成功主要在於他的狡詐和山西堅不可摧的天然屏障」〔註 36〕等主觀性話語。

唐納德指出閻錫山本是反對孫中山的三民主義，看到改組後的國民黨取得勝利已經成爲定局的時候，他才下令要山西民眾信仰三民主義，以民族主義戰士的面目出現。對於閻錫山易幟，唐納德評價道：「他與國民黨聯合所帶來的結果幾乎沒有超出『易旗改名』。例如，他只簡單地廢除了軍隊和省政府以前使用的名稱和其它職銜以相應的國民黨的革命稱號取而代之。並沒有立

〔註 31〕陳少校：《閻錫山傳》，香港：致誠出版社，1966 年版。

〔註 32〕陳少校：《閻錫山之興滅》，香港：至誠出版社，1972 年版。

〔註 33〕陳少校：《閻錫山之興滅》，第 1 頁。

〔註 34〕陳少校：《閻錫山之興滅》，第 19～21 頁。

〔註 35〕【美】唐納德・G・季林：《閻錫山研究——一個美國人筆下的閻錫山》，哈爾濱：黑龍江教育出版社，1990 年版。

〔註 36〕【美】唐納德・G・季林：《閻錫山研究——一個美國人筆下的閻錫山》，第 18 頁、22 頁。

即改變對張作霖的政策。他也沒向駐紮在河北省和察哈爾省的東北軍進攻，而是企圖在張和蔣之間實現和解，主要爲的是阻止張的強大的軍隊侵入山西，但也因爲任何一方的徹底失敗，將使山西遭受勝利者的支配。」〔註 37〕總之，唐納德的主要觀點爲：閻錫山易幟是爲求自保而又一次站在勝利的一方。對此，筆者認爲有其合理性，但並非完全如此。

上述關於閻錫山論著，對筆者瞭解閻錫山的一生經歷，在各個歷史時期的表現，以及他的政治文化思想多有裨益。但對於北伐期間閻錫山易幟這一課題，現有研究存在以下幾個缺陷：

1、專題研究數量比較少，內容相對單一，缺乏多角度多側面深入分析。多重視政治軍事史，對於易幟背後的政治文化內涵與意義的考察有所忽略。

2、資料方面。大陸方面研究使用的資料相對單一，鮮有人利用臺北國史館所藏閻錫山檔案。臺灣雖然佔有資料優勢，但學界對於閻錫山的研究興致似乎不高，多的是大部頭的資料彙編，而缺乏精深的學術研究。

3、人物評價方面。隨著時代的發展，大陸學界對閻錫山的評價雖然更爲客觀公正，但是囿於刻板印象的形成，仍會不自覺地站在意識形態的立場進行評述。有些作者即使在利用新材料得出新觀點之後，還是會回到世人對閻錫山的傳統評價上面去，沒有做到「論從史出」。

綜上所述，筆者認爲，無論是在資料利用方面，還是方法視角上面，學界對於閻錫山易幟的研究猶有未盡之處，都需要進一步探討。閻錫山的易幟牽涉到各方利益，並非孤立事件，1927 年又是多事之秋，發生諸多影響深遠的大事，例如寧漢分裂，蔣介石進行清黨，局勢的變化勢必影響閻錫山關於易幟的考量，因此研究者要將眼光放在全局，將閻錫山易幟放在大時代的背景下來考察。

利用「國民黨黨史資料庫」〔註 38〕搜索「閻錫山」，可發現出現頻率最高的兩個時段，首先是 1927 年～1929 年，其中 1927 年最高；其次是 1939～1949 年，其中 1945 年最高。以「三民主義」爲關鍵詞進行搜索，分佈最多的年代爲 1921～1928 年，其中 1922 年與 1927 年爲最多；另一時段爲 1939～1949

〔註 37〕【美】唐納德・G・季林：《閻錫山研究——一個美國人筆下的閻錫山》，第 100～101 頁。

〔註 38〕因國民黨黨史館在搬遷，檔案資料尚未開放。筆者只好去使用臺灣大學的「國民黨黨史庫」。此數據庫只收集了一部分資料，筆者主要查閱了「漢口檔案」。

年，以 1943、1944 年最多。由此可以管窺閻錫山在 1927 年的重要性，而國民黨致力於「三民主義統一全國」的關鍵一年亦爲 1927 年。當閻錫山在 1927 年遭遇「國民黨」與「三民主義」，他會怎麼辦？

臺灣原國民黨中央黨史委員會主任李雲漢先生在 1996 年召開的一次學術研討會上指出，北伐史的研究應包含軍事、黨務、政治、外交、社會、教育、文化及國際八個層面，即所謂的「八面塔」。每個層面又有若干重大的事件或運動，每個層面也都有或疏或密的關聯性。〔註 39〕因此對於閻錫山易幟的研究亦不可剝離對北伐的探討，也要重視軍事、黨務政治、外交、社會、文化及國際交往這些層面的互動與關聯。

本文的創新之處，體現在所用資料、論述內容以及觀點方面。資料方面，利用了臺北國史館所藏閻錫山檔案與臺灣學者的學位論文等學術著作；內容方面，體現在從多重視角來看閻錫山易幟，除了考察軍事政治之外，也會關注閻錫山的政治理念。在論及各種政治力量博弈的時候，注重考察閻錫山是如何主持斡旋南北和議、力勸張作霖易幟的。本文亦會考察易幟之後的山西有何改變，又有何堅守，閻錫山是如何防備國民黨的滲入，又是如何想要把國民黨黨權、黨義吸收爲己用，變成「閻氏三民主義」的。最後探討以「易幟」這種形式整合國家、重建秩序的合理性。

三、研究思路、方法與參考資料

本文的基本思路，是按照「論從史出」的傳統史學研究模式，在大量搜集、整理、分析歸納相關檔案史料的基礎之上，按照「易幟背景—經過—原因—結果」的邏輯主線展開論述。在展現閻錫山易幟全貌的同時，兼顧歷史細節的考察，以揭示閻錫山易幟背後的權力與利益博弈，並一窺通過「易幟」實現國家整合的這種兼併模式的合理性與實效性。除了歷史學基本的研究方法之外，本文兼及社會學、政治學的一些方法對問題進行闡述。

第一、關於閻錫山的易幟原因。楊天石的觀點代表了學界對閻錫山易幟的普遍看法，即閻錫山在北伐軍事勝利的前提之下，「審時度勢，做出選擇」，軍事原因是其易幟的主要原因。筆者認爲研究者不能只注重外部因素，還要注重內部因素，不能只考察軍事政治因素，也要關注思想與文化因素。例如

〔註 39〕〔美〕齊錫生著，楊雲若、蕭延中譯：《中國的軍閥政治 1916～1928 年》，北京：中國人民大學出版社，1991 年版，導論第 11 頁。

閻錫山對於南北雙方的觀感、關於「三民主義」與「革命」的理解，也應當予以重視。

第二，關於閻錫山易幟的過程。閻錫山的易幟是個多方博弈的結果。多數論者雖然注意到閻錫山在 1927 年的南北和議中成爲調停人，但很少有人就這個問題展開論述。楊天石、劉峰搏稍有論及，楊文簡述了武漢國民政府對閻錫山的爭取，但忽略了奉張以及南京政府的拉攏活動，劉文對奉張與武漢的活動都有簡述，但對於南京方面與閻錫山互動則著墨較少。陳鐵建、黃嶺峻對於北伐戰爭時期的奉張寧蔣議和，有專文論述，也注意到日本在其中發揮的作用，但對於閻錫山在其中起到的作用則沒有給予足夠關注。〔註 40〕本文利用閻錫山檔案，呈現閻錫山如何力勸張作霖改稱易幟，而張作霖又是如何反應的。此外，日本如何介入南北和談，想要以閻錫山取代張作霖，也是值得探討的。

第三，關於易幟的性質與結果。現有論點多認爲「改稱易幟」只是形式易幟，出兵伐奉才屬於易幟的實質表現。但筆者認爲易幟的實質應當是中國國民黨想要的「三民主義統一中國」，建立一個黨制政權。故山西在易幟之後，有沒有允許國民黨勢力滲透進山西核心機關，使得國民黨統領軍事、財政、人事大權，有沒有使山西民眾接受信仰孫中山三民主義，這些才是易幟的實質內容。

本文的主要內容如下：

第一章爲閻錫山易幟前的中國政局。主要考察閻錫山易幟的時代背景與個體背景。20 年代的大背景有南北兩個政府對峙、國共關係破裂以及國民黨內部分裂、蔣介石發動清黨。個體背景爲閻錫山與山西革命歷史淵源頗深，但此後多年堅持保境安民。受到北伐衝擊之後，閻錫山不得不調整與各方關係。

本文認爲閻錫山的易幟分爲兩部分，一部分是外在表現，即排除各方干擾因素，調解南北關係，出兵伐奉等。另一部分是內在表現，即對山西內部，實行清黨、黨化教育以及改組山西省政府與軍隊。本文第二、三章分別記述的是閻錫山易幟的外在和內在表現。

第二章從外在因素考察閻錫山易幟，關注各方勢力對於閻錫山的「游說」與干擾，閻錫山是如何應對，並試圖調解南京與奉張的關係的。其中日本也

〔註 40〕參見陳鐵建、黃嶺峻：《北伐戰爭時期的奉張寧蔣議和》，《近代史研究》1995 年第 6 期，第 140～166 頁。

參與了閻錫山作爲調停人的南北議和。閻錫山最終排除各種紛擾，選擇倒向南京國民政府。

第三章從易幟的內在表現來寫，即山西是如何開展黨化教育、清黨、改組山西省政府等。閻錫山一面推行孫中山崇拜、構建革命符號，進行廣泛的革命宣傳，另一方面又抵制中央權力與國民黨的滲入，將清黨與國民黨改組置於個人領導之下，又以晉系心腹擔任新成立的黨政機構的要員。大加宣傳經過改造的「閻氏三民主義」，將三民主義等同於村本政治。

第四章進一步分析閻錫山易幟的思想原因。閻錫山與國民黨淵源頗深，他與三民主義在政治主張上有相似之處。他的易幟一方面是政治與軍事局勢的產物，一方面也是他能夠接受三民主義，並將其轉換成自己的理論資源的結果。

第五章爲閻錫山易幟對民國政局的影響。閻錫山倒向南京，使得民國政治力量的構成發生轉變，奉張北京政府大受打擊，不敢輕易南下；武漢政府受到孤立，在北方獲得支持的可能性微乎其微，在與南京方面的爭鬥中也進一步處於劣勢。對南京政府來說，使南京在寧漢對立中處於更有利的位置，對後來的寧漢合流產生促進影響。但從長期來看，則帶來較多的後續問題，例如黨權不張，軍權膨脹，國民黨與社會底層隔膜等。這些都直接影響到奉行黨國一體的國民黨的集權能力以及南京國民政府對於地方的控制能力，背離了北伐的初衷。

在研究資料方面，本文主要運用的檔案資料爲臺灣國史館所藏閻錫山檔案，時間集中於 1926 年到 1927 年國民革命軍北伐時期，含《北伐黨軍奠定贛鄂進克浙閩寧滬案》、《北伐清黨始末與國府遷寧案》、《北伐吳部解體與奉軍入豫案》兩卷、《北伐奉張組安國軍政府案》、《北伐西北軍東進案》、《北伐北方黨政軍之運用案》、《北伐會師軍事部署案》、《北伐會師晉北鑒戰津浦線出擊案：附五三事件》等多卷。

除此之外，筆者還參閱了國史館所編《閻錫山檔案：要電錄存》，閻伯川先生紀念會編纂的《道範流長》〔註 41〕、《高山仰止》〔註 42〕、《閻錫山要電錄》〔註 43〕以及六卷本的《民國閻伯川先生錫山年譜（初稿長編）》，朱傳譽

〔註 41〕閻伯川先生紀念會編印：《道範流長》，1982 年版。

〔註 42〕閻伯川先生紀念會編印：《閻伯川先生百年晉十誕辰紀念文集：高山仰止》，1992 年版。

〔註 43〕閻伯川先生紀念會編印：《閻錫山要電錄》，1996 年版。

所編《閻錫山傳記資料》。參閱的一般性的檔案彙編有：中央黨史史料委員會編纂的《革命文獻》第 19 輯與 20 輯的北伐史料〔註 44〕、《中華民國政府公報》〔註 45〕以及中國第二歷史檔案館所出版的《中華民國檔案史料彙編》有關北伐的政治與軍事資料〔註 46〕，遼寧檔案館編《奉系軍閥檔案史料》〔註 47〕第 6 冊與第 9 冊有關閻錫山與奉系的內容。

在日記、回憶錄方面，主要運用了《閻錫山日記全編》〔註 48〕，《閻錫山早年回憶錄》〔註 49〕。在報刊雜誌方面，主要運用了《晨報》、《申報》、《益世報》、《山西日報》、《國聞周報》等報紙雜誌。爲了彌補官方資料的不足，筆者還參考了部分文史資料，例如《山西文史資料》以及一些當事人的回憶文章，在此不再一一列舉。

筆者雖然花費大量時間與精力搜集資料，除了搜集大陸資料之外，還借助在臺灣交換學習的機會，在國史館查抄閻錫山檔案，在「國家圖書館」、「中央研究院」等機構搜集與閻錫山有關的資料。儘管如此，由於自身時間與精力有限，筆者對於海外的研究資料不能窮盡。由於自身學術涵養與視野的局限，本文還有很多欠妥之處，敬請各位專家批評與賜教，不勝感激。

〔註 44〕羅家倫主編：《革命文獻》，臺北：中國國民黨中央委員會黨史編纂委員會，1984 年版。

〔註 45〕黃季陸：《革命人物志》，臺北：中央文物社，1969 年版。

〔註 46〕中國第二歷史檔案館編：《中華民國史檔案資料彙編》，南京：鳳凰出版傳媒集團，1994 年版。

〔註 47〕遼寧檔案館：《奉系軍閥檔案史料》，南京：江蘇古籍出版社，1990 年版。

〔註 48〕閻錫山著，李永明編：《閻錫山日記全編》，太原：三晉出版社，2012 年版。

〔註 49〕閻錫山：《閻錫山早年回憶錄》，臺北：傳記文學出版社，1968 年版。

第一章　閻錫山易幟前的中國政局

閻錫山易幟是指 1927 年 6 月，當武漢北伐軍與國民軍會師鄭州、奉軍潰敗北撤之時，以閻錫山爲首的晉系軍事集團在山西太原公開宣佈遵守孫中山的三民主義，就任北方國民革命軍總司令，降下象徵著北京政府的五色國旗，改懸南京國民政府的青天白日滿地紅旗的政治轉向事件。

對於閻錫山的易幟，楊天石認爲他是在北伐軍事進展順利，馮玉祥國民軍再度崛起帶來的壓力之下，「權衡形勢與利害，不得不修改自己的航向」。〔註 1〕如果單就閻錫山易幟來講，其背景確爲 1926～1927 年北伐軍興起以來的軍事變動。但閻錫山易幟並非偶然與孤立事件，本章擬從 20 世紀初政治軍事劇烈變動的時代大背景出發，通過對北伐前的中國政局，閻錫山與山西革命的淵源關係，閻錫山與奉系、國民軍關係三方面展開論述，以展現其所處環境的複雜與多變。

第一節　南北對峙的政治局面

二次革命後，中國出現南北對立趨勢，1917 年 9 月孫中山在廣州建立護法軍政府，形成南北政府對立之勢。1916 年袁世凱病逝，1925 年孫中山在北京病逝，兩大政治人物的去世對於南北雙方產生了重大影響。

自袁世凱病逝後，北洋體系再也沒有出現一個能夠被大家認可、足以統一全國的強勢人物。中央政府權力有限，各地出現軍人干預政治、把持地方政治的局面，軍閥割據混戰的局面形成。中國陷入表面遵從中央，實際卻各自爲政的「五代十國」式的軍閥割據狀態。責任內閣被軍閥視爲謀求個人與

〔註 1〕楊天石：《論 1927 年閻錫山易幟》，《民國檔案》1993 年第 4 期，第 93 頁。

派系利益的工具，總統選舉成爲軍閥之間權力平衡的政治交易。北洋軍隊分裂爲直系、皖系、奉系，先後控制北京政府。經過兩次直奉戰爭，北洋體系漸呈現崩裂之象，軍校畢業一輩老成凋謝，例如吳佩孚、孫傳芳等人，新興起來的是基本上未受過教育的張作霖、張宗昌、馮玉祥等，他們無力統一全國，只能在內部提倡和平團結。

南方在孫中山爲首的國民黨人的團結下，實現兩廣統一，肅清異己軍事力量，接受蘇俄援助，與共產黨合作，打出「聯俄容共扶助農工」與「打倒軍閥除列強」的旗號，進行旨在統一全國的北伐戰爭。「北洋已消極，而國民黨正積極；北洋的失道，更使國民黨的北伐不再是地方對抗中央，反成爲有道伐無道」〔註 2〕，南方在道義上就已佔了上風。南北兵戎相見，北洋系軍隊接連敗退，北伐軍所向披靡，勢不可擋，大有統一全國之勢。軍事進展順利的同時，政治形勢卻波譎雲詭，險象叢生。因爲國共兩黨在主義方面相差太遠，孫中山生前被壓制住的國共間的齟齬在其死後逐漸爆發，國民黨內部矛盾激化，南京國民政府應運而生。至此，中國存在三個爭奪合法性的「中央政府」——武漢國民政府、南京國民政府與奉張北京政府。

一、南方要「打倒列強除軍閥」

五四運動之後，中國文化思潮進入激進時代，「革命」壓倒「啓蒙」。辛亥年間社會尚普遍認同「革命軍起，革命黨消」，但到 1920 年代，革命已成爲一種不容反駁、代表著進步的絕對眞理。民眾的最大願望是通過統一，來實現民族主義，而不是繼續分裂的地方主義。國民革命和共產革命的日益增高，與此背景有著密切關係。

南方以「打倒列強除軍閥」以及「三民主義統一全國」爲號召，樹立起自己的革命形象。「打倒列強除軍閥」這一口號正是五四運動「外抗強權內懲國賊」口號的直接傳承。〔註 3〕這一口號契合了當時暗潮湧動的民族主義情緒，因此廣爲人們接受與歡迎。恰如王奇生指出，「打倒帝國主義」的魅力在於「它將中國的一切貧困落後都歸咎於帝國主義，故而具有強大的政治號召力和民族主義的煽動性」。〔註 4〕但在北伐的實際過程中，由於寧漢分裂，「列

〔註 2〕羅志田：《南北新舊與北伐成功的再詮釋》，《開放時代》2000 年第 9 期，第 50 頁。

〔註 3〕羅志田：《南北新舊與北伐成功的再詮釋》，第 49 頁。

〔註 4〕王奇生：《革命與反革命：社會文化視野下的民國政治》，北京：社會科學文

強」反而變成蔣介石爭取的對象。

「軍閥」〔註 5〕帶有極大的貶義色彩，是指私利性的、帶有地方割據或具有暴發勃起性質的軍事實力派，〔註 6〕軍人政治由此被視爲「非法」與「非道」。〔註 7〕政黨政治則顯得比軍人政治更具組織性與紀律性，段祺瑞、吳佩孚與張作霖輪番執掌北京政權，卻無法帶領中國走向進步，人們對他們倍感失望，他們被視爲「舊軍閥」，「成爲各方面攻擊對象」〔註 8〕。國民黨則以其「黨治」主張給人以「耳目一新」的感覺。國民黨對於軍閥的定義也並非絕對，北伐之初的戰略思想「打倒吳佩孚」、「聯絡孫傳芳」、「不理張作霖」，〔註 9〕就含有遠交近攻、分化攻破之意，只要他們願意改稱易幟，服從國民黨的統治，就可以成爲革命軍。在武力統一的同時，南北和談之聲卻從來沒有停止過。

各地「軍閥」在北伐開始後，表現不一：楊森、劉湘等人，很快答應改稱易幟，服從國民政府，搖身變爲「國民革命中一員」。吳佩孚、孫傳芳、張作霖、張宗昌等則以軍事相抵抗，即被視爲需要打倒的軍閥。馮玉祥於 1926 年在五原誓師，加入國民革命的陣營，與南方遙相呼應。閻錫山比較特殊，曾爲同盟會會員，與國民黨淵源頗深，但他又與北洋派系有緊密聯繫，曾支持段祺瑞，一度被認爲是直系中人。他若服從革命，即被視爲「國民革命中一員」，但他若與奉張站在一起，則亦歸於國民黨眼中的「軍閥」一列。

二、北方以反赤爲號召

南方攻擊北方爲「軍閥」，北方則指責南方爲「赤化」。奉張北京政府用「反赤化」來整合北方軍事政治勢力。1924 年初，隨著國民黨的改組以及「聯俄容共」政策的確立，國民黨接受蘇俄的軍事援助，大批蘇聯顧問到國民革

獻出版社，2010 年版，第 153 頁。

〔註 5〕「軍閥」是一個從日本傳入中國的舶來名詞。在日本，「軍閥」是指能夠直接活動於中央政局，導致軍政關係不平衡的家族勢力，具有「中央型」特徵，但傳入中國之後，其含義發生嬗變。

〔註 6〕徐勇：《近代中國軍政關係與「軍閥」話語研究》，北京：中華書局，2009 年版，第 214 頁。

〔註 7〕徐勇：《近代中國軍政關係與「軍閥」話語研究》，第 512 頁。

〔註 8〕《奉寧同時妥協乎？》，《晨報》1927 年 6 月 14 日，第 2 版。

〔註 9〕丁雍年、董建中編著：《國民革命史》，北京市：中國文史出版社，1991 年版，第 223 頁。

命軍中擔任軍事顧問，國民黨因此被北方斥爲「赤化」。北方對於「赤化」的討伐分爲兩步：首先是討伐「北赤」馮玉祥，其次是建立以討伐「南赤」蔣介石的「反赤」大聯盟。

1924 年 10 月，馮玉祥發動北京政變，推翻直系軍閥所控制的北京政府，將其所部改編爲中華民國國民軍。爲對抗奉張與直系，馮玉祥積極地向蘇聯尋求軍事援助。蘇聯給予國民軍武器彈藥並派遣軍事顧問，中國共產黨委派李大釗深入國民軍，給予「政治幫助」。〔註 10〕馮玉祥力量壯大之後，參與策反張作霖部下郭松齡，並攻打駐天津的奉系部下李景林，國奉戰爭爆發。奉軍受到重創，張作霖被迫退出北京。張作霖、吳佩孚謀求合作，組成奉直聯盟，做出「雙方共同以馮玉祥爲敵，合力消滅馮和國民黨」的決定，〔註 11〕這是北方第一次實現反赤合作。馮玉祥被迫率國民軍退往綏遠，張作霖再次控制北京政府。

1926 年 7 月，國民革命軍誓師北伐，並迅速攻佔長沙，8 月下旬，北伐軍一舉佔領岳陽，吳佩孚無力迴天，漢陽、漢口相繼失守，10 月份武漢三鎮爲北伐軍全部佔領。在如此軍事形勢下，爲「反共討赤」，張作霖於 11 月 11 日，邀請北洋各派代表聚會津門，共商討敵之策，奉魯系將領悉數參加，吳佩孚、孫傳芳、閻錫山也派代表與會。張作霖稱「北赤雖滅，南赤未除，我輩衛國捍民，仔肩尚未能盡卸，故仍希望諸君本此精神，振做到底。」〔註 12〕張宗昌致辭：「北赤雖遠投荒徼，而南赤方張」，呼籲在座軍人能團結一致，共同對敵。〔註 13〕會議決定，在西北，協同閻錫山，限制馮玉祥在陝甘的活動；在南方則以直魯聯軍援孫、奉軍援吳，共同對付「南赤」。

在北伐軍攻佔武漢之前，孫傳芳聲稱「保境安民」，一直沒有加入北方奉直的「反赤」聯盟。在吳佩孚勢力被消滅後，孫傳芳倍感威脅，才與奉系及直魯聯軍拋卻前嫌，中途加入天津會議。孫傳芳提出，推舉張作霖爲全國討赤聯合軍總司令，奉系謀士楊宇霆建議將「討赤」改爲「安國」。閻錫山表示

〔註 10〕楊雨青：《國民軍與俄共（布）中央政治局中國委員會》，《近代史研究》，2000 年第 3 期，第 118 頁。

〔註 11〕參見孟星魁：《直系軍閥大聯合的醞釀和失敗經過》，中國人民政治協商會議全國委員會文史資料委員會編：《文史資料選輯：第 35 輯》，北京：中國文史出版社，1986 年版，第 99～100 頁。

〔註 12〕《蔡家花園之慰勞將士大會》，《晨報》，1926 年 11 月 16 日，第 2 版。

〔註 13〕《蔡家花園之慰勞將士大會》，《晨報》，1926 年 11 月 16 日，第 2 版。

贊成張作霖的主張，緊隨孫傳芳、張宗昌號召，列名第四，共推張作霖爲安國軍總司令。

張作霖於 12 月 1 日發表通電，聲討南方「暴民亂紀，宣傳赤化，勾結外援」，呼籲「袍澤同仇，共紓國難」，〔註 14〕在天津就任安國軍總司令職，正式把持北京政權。任命孫傳芳、張宗昌爲副司令，楊宇霆爲總參謀長，並派顧問日人土肥原到山西，力勸閻出任副司令，得到閻同意。12 月 8 日又電請閻錫山出任「安國軍副司令兼晉綏總司令」，閻錫山對此表示願意就職，並派代表祝賀張作霖就職。20 日又發表任命閻錫山爲安國軍副司令職。閻於 20 日就任安國軍副司令職。〔註 15〕閻錫山在討赤聯盟一事上，實際上處於被動附和與接受的位置，其眞實心理與幕後活動將在後文論述。

三、青天白日旗與五色旗

「旗幟」本是一種象徵符號，表示標示、認同與歸屬。孫中山對於北洋政府以「五色旗」爲中華民國的國旗甚爲不滿，他一直主張以青天白日旗爲國旗。孫中山認爲，五色旗帶有濃重的「前清」遺留色彩（五色旗最初爲清朝海軍官旗），五色表示五族共和卻又上下排列，仍有等級之分，以黃色代表滿族甚爲不妥。因爲青天白日旗本是興中會成員陸皓東設計的軍旗，之後不久陸便死於廣州起義中。孫中山認爲青天白日旗是「革命黨二十年來以先烈之血沃成」，毫無疑問「這是國旗的最佳選擇」。〔註 16〕

無論是 1914 年在日本組織反對袁世凱的中華革命黨，1920 年在廣州非常國會當選爲大總統，還是 1923 年在廣州組織大元帥府，孫中山都揭揚青天白日旗，鮮明地表明自己反對北洋政府的政治立場，以及想要北伐統一全國的政治決心。此時，北洋政府仍舊是爲國民和列國所承認的合法政府，五色旗仍然被尊奉爲惟一的國旗，象徵的是辛亥革命產生的自由主義共和國。在 1923～1928 年發生的幾件事情頗能說明這個問題：

> 是年（1923 年）全國學生會在廣州召集大會，請總理（孫中山）於開會日蒞場指導，行禮時，總理見堂上懸五色旗，竟不爲禮。演

〔註 14〕中國第二歷史檔案館編：《中華民國史檔案資料彙編軍事（一）》，南京：鳳凰出版社，1994 年版，第 754 頁。

〔註 15〕卓遵宏：《國史擬傳（第四輯）》，2001 年版，第 304 頁。

〔註 16〕【澳】費約翰（John Fitzgerald）著，李恭忠譯：《喚醒中國：國民革命中的政治、文化與階級》，北京：生活・讀書・新知三聯書店，2004 年版，第 183 頁。

說間，乃說明青天白日旗與五色旗之異同，及在革命史上之價值，眾始瞭解。

民十三（1924 年），總理乘中山艦北上，道經香港，艦上懸青天白日旗。英吏遣人相告曰：如改懸五色旗，當以禮接，蓋青天白日旗之爲國旗尚未經國際承認也。總理毅然不恤。〔註17〕

1925年元旦開始，廣州市公安局長對繼續懸掛五色旗的市民處以罰款。〔註18〕

民十六（1928 年），革命軍攻克南京，平津旋亦底定，無何，張學良且拒絕日人警令東北四省盡改懸青天白日旗，由是中國國民黨統一全國，各國雖欲不正式承認，不可得矣。〔註19〕

從上面幾則例子可以看出，即使是在南方也有很多民眾仍舊懸掛五色旗，說是出於習慣也好，說是政治認同也罷，從中都可以看出政治文化符號的影響力。費約翰觀察到「在1924年以前，所有的政黨和派別，都讓自己黨派的旗幟作爲五色旗旁的三角旗懸掛，以示對自由主義共和國的忠誠」,「旗幟的改變既不標誌政府換屆，也不表明國民運動領導層的變化，但它顯示了民國歷史中的深刻變遷。它預示著自由主義共和國的五色國旗在中國的公眾儀式中的消失。」〔註20〕取而代之的是象徵著三民主義與黨國的青天白日旗，在中國公眾儀式中的頻繁大量出現。

孫中山去世後，國民黨繼承了他的政治遺產，廣泛推行孫中山崇拜，孫中山符號出現在中國公眾儀式之中。例如儀式空間的布置——中間懸掛總理遺像，遺像旁邊懸掛青天白日的黨旗與青天白日滿地紅的國旗；宣傳三民主義、背誦總理遺囑、開辦總理紀念周、塑造總理雕像等等。〔註21〕國民黨旗幟爲青天白日，國旗爲青天白日滿地紅，昭示著黨國一體，以黨治國的理念。

〔註17〕馮自由：《革命逸史：馮自由回憶錄》，北京：東方出版社，2011 年版，第 23 頁。

〔註18〕North China Herald（北華捷報），1925 年 10 月 3 日、10 日。

〔註19〕馮自由：《革命逸史：馮自由回憶錄》，第 23 頁。

〔註20〕【澳】費約翰（John Fitzgerald）著，李恭忠譯：《喚醒中國：國民革命中的政治、文化與階級》，第 181 頁。

〔註21〕可參閱陳蘊茜《崇拜與記憶：孫中山符號的構建與傳播》（南京大學出版社，2009 年版）一書，此書揭示了國民黨政權在構建現代民族過程中刻意製作、利用政治象徵符號，藉以整合社會、鞏固其威權政治。

國民黨北伐的目的就是統一全國，使黨旗與國旗招展各地。對於青天白日旗，北洋派系軍人有的可以接受，換旗以自保。有的則始終不肯接受，如張作霖、張宗昌。閻錫山爲勸張作霖答應易幟，可謂煞費苦心，但收效甚微，從中可以一窺旗幟背後之深意，這一節內容筆者將在後面的內容討論，

第二節　國民黨內部的分裂

1924年孫中山在蘇俄與中共幫助下對國民黨進行改組，國共合作從此開始，這次改組對國民黨乃至日後的中國政局都有深遠影響。從國民黨自身來說，其「從黨章制定、機構設置到組織建設，全面仿傚蘇俄列寧主義政黨模式，從中央到地方建立起一套黨政軍管控體系，開創了『以黨治國』的新模式」。〔註22〕改組一方面使得國民黨變成一個「中央集權的、分等級的、官僚化的和具有絕對權威的、必然將其控制擴大到國家和軍隊的所有部門與機構的政黨」〔註23〕；另一方面也激化了國民黨內部的分裂，開啓中國政爭新局面，「此後政治中所爭的，從『法』的問題變爲『黨』的問題了；從前是『約法』無上，此後將爲『黨權』無上；從前談『法理』，此後將談『黨紀』；從前談『護法』，此後將談『護黨』；從前爭『法統』，此後將爭『黨統』了」。〔註24〕

對於國共合作以及「聯俄、容共、扶助農工」的三大政策，很多老國民黨員其實並不贊同，例如鄒魯、吳稚暉、張繼、謝持、馮自由等人；在共產黨一方，也有不少人反對國共合作，而國共兩黨在實際合作過程中也糾紛不斷。〔註25〕孫中山之所以選擇與中共合作是爲了獲取蘇聯的軍事援助，以完成北伐大業。爲了迎合蘇俄，他對三民主義做了新的闡釋，在民族主義與民權主義的解釋中，增加了階級的概念和理論，指出民族主義對不同的階級有不同的意義；民權主義是革命的原則，民權只賦予那些堅持革命政權觀點的人。除此之外，還增加了反帝的內容。

〔註22〕楊振東：《廣州國民政府黨治體制運行初探》，南京大學歷史系中國近現代史碩士學位論文，2012年，第I頁。
〔註23〕【法】謝和耐：《中國社會史》，上海古籍出版社，2001年版，第237頁。
〔註24〕李劍農：《最近三十年中國政治史》，太平洋書店，1930年版，第531頁。
〔註25〕可參見楊奎松：《國民黨的「聯共」與「反共」》，北京：社會科學文獻出版社，2009年版，第15～76頁。

在孫中山看來，黨是傳播主義的工具，多一些人入黨，就多一些主義的傳播者與同情者，中共黨員加入國民黨沒有壞處。他對共產黨並無多少好感，認爲中共只是一班「自以爲是及一時崇拜俄國革命過當」〔註 26〕的少年學生。他私下對國民黨人說：「中國的共產黨完全不値一提，都是些在政治上沒有修養的年輕人」。〔註 27〕他也不認同於共產黨的學說，所以堅持要越飛公開聲明承認「共產制度」不能適用於中國。

孫中山明白國民黨內老黨員對於「容共」的反感，他亦擔心「因此主義（民生主義）而生誤會，因誤會而生懷疑，因懷疑而生暗潮，刻既有此現象，恐兆將來分裂，發生不良結果」。〔註 28〕因此他對民生主義進行解釋，認爲三民主義能解釋共產主義：「本黨既服從民生主義，則所謂社會主義、共產主義與集體主義，均包括其中。至共產主義之實行，並非創自俄國，我國數十年前洪秀全在太平天國已實行……共產主義和民生主義毫無衝突，不過範圍有大小而已。」〔註 29〕

孫中山一直相信只有三民主義才是最適合於中國國情的主張，其他一切主義，包括共產主義、社會主義，凡是符合三民主義內容的地方，都可概括於三民主義之內。對於跨黨的共產黨員，孫自信能「默化之」，使他們最終服膺三民主義。國民黨內的反共暗潮，礙於他的權威，被壓制下來。

孫中山的去世，使得國共合作問題上被遮掩的矛盾持續爆發出來。一方面在國民黨內部，由於對「聯俄容共」政策的意見不同，國民黨分化成左右中三派，以鄒魯、謝持爲首的「西山會議派」已經分裂出來，宣佈驅逐共產黨。另一方面是國共矛盾，導致 1926 年 3 月中山艦事件的爆發。

蘇聯對於蔣介石製造的中山艦事件採取讓步措施，汪精衛負氣出走。1926 年 4 月 16 日，國民黨中央部與國民政府舉行聯席會議，蔣介石被推選爲軍事委員會主席。5 月國民黨二屆二中全會通過《整理黨務案》。6 月 4 日，國民黨中央執行委員會舉行臨時會議，通過迅速出師北伐，任命蔣介石爲國民革

〔註 26〕孫中山：《批鄧澤如等的上書》（1923 年 11 月 29 日），中山大學歷史系孫中山研究室編：《孫中山全集》第 8 卷，北京：中華書局，1986 年版，第 458 頁。

〔註 27〕《中共廣東區委聯席會議記錄》（1924 年 10 月），轉引自楊奎松《孫中山與共產黨——基於俄國因素的歷史考察》，《近代史研究》2001 年第 3 期。

〔註 28〕孫中山：《關於民生主義之說明》（1924 年 1 月 21 日），中國社科院近代史所編：《孫中山全集》第 9 卷，北京：中華書局，2011 年版，第 110 頁。

〔註 29〕孫中山：《關於民生主義之說明》（1924 年 1 月 21 日），中國社科院近代史所編：《孫中山全集》第 9 卷，第 111～112 頁。

命軍總司令率師北伐的議案。7 日，國民黨中央委員會舉行全體會議，會議推選蔣介石爲國民黨中央執行委員會主席。按國民革命軍總司令部組織大綱規定，出征動員令下後，凡國民政府所屬軍、政、民、財各機關，均須受總司令指揮。7 月之後，蔣介石執掌國民黨、北伐軍、國民政府所有大權，成爲國民黨第一號領袖人物。

蔣介石與汪精衛之間發生「黨統」之爭，其實質是對孫中山思想正統繼承人及國民黨領袖地位的爭奪。蔣介石率領北伐軍進佔上海後，發動四·一二事變，開始清黨，並在南京成立國民政府。當時北方報紙即評論道「南京政府以正統純正之三民主義信仰者自命，而武漢政府亦以合法嫡系之三民主義信仰者字號。從客觀言之，寧漢兩政府之色彩，自有濃淡之分。字號縱屬相同，而貨物似有差異，則兩號爲擴張銷路起見，必須競爭」。〔註 30〕兩者競爭的表現之一即爲爭取閻錫山。

閻錫山聲稱自己在日本留學期間，曾親聆孫中山革命教誨，「大爲悅服」。但據採訪過閻錫山本人的唐納德稱，「他對於注重事實和有軍事頭腦的袁世凱比對喜歡空想不講成效的孫中山更加欽佩」，「甚至到了 1957 年，他談及袁時，說袁智慧超人，欲做之事，定能成功。」〔註 31〕由此可以推斷閻錫山對於孫中山以及三民主義的態度，並不是像他所講那樣信服。

1924～1927 年間，山西亦出現國共兩黨合作的局面。1926 年 4～5 月，經山西的國共組織雙方協商，決定共同組建國民黨山西臨時省黨部執行委員會。同年 12 月 15 日，國民黨山西省第一次代表大會在太原召開。國共合作下，山西的民眾運動開展起來，聲援國民革命、組織學生抗房稅，掀起以「滬案後援」爲特徵的反帝運動，發動工農群眾反對軍閥戰爭。閻錫山對於國民黨並沒有公開打擊，但亦未表示支持。

國民黨山西省黨部原是左右派的聯合組織，在 9 名執行委員中，國民黨占 5 席，共產黨員占 4 席。〔註 32〕，右派以苗培成、韓克溫爲首，向來就主張排斥共產黨。1927 年 3 月 12 日，山西省黨部在公園舉行工人學生聯席大會，紀念孫中山逝世兩週年。大會主席苗培成說共產黨共產共妻，受到在場共產

〔註 30〕《今後之北方大局》，《晨報》1927 年 6 月 12 日，第 2 版。

〔註 31〕【美】唐納德·G·季林著：《閻錫山研究——一個美國人筆下的閻錫山》，第 14 頁。

〔註 32〕楊天石：《論 1927 年閻錫山易幟》，《民國檔案》1993 年第 4 期，第 96 頁。

黨員王瀛等人的反對。苗培成等人搗毀了共產黨領導的太原總工會。太原總工會又搗毀了山西國民黨右派大本營。嗣後，以國共兩黨為背景的兩個公會之間的衝突持續一個月。此時寧漢尚未公開決裂，閻錫山持觀望態度，只是實行戒嚴，發佈禁止械鬥的命令。〔註 33〕

1927 年 3 月開始，受武漢國民政府激進主義的影響，山西省內的左派學生開始活躍起來。在王瀛、彭眞與薄一波的領導下，這些學生控制了太原市公會，並「控制當地國民黨，與反共分子進行了激烈的鬥爭」，「因為國民黨內部的激進分子也經常攻擊省政府官員，所以他們的舉動必然使閻嚇破了膽」。〔註 34〕

閻錫山對於激進主義向來持反對態度，因此當蔣介石退出武漢政府，在南京成立新的反共的國民政府時，閻錫山極表贊同。寧漢分裂之後，閻錫山開始表態支持山西省黨部，讓苗系骨幹每人從山西省公署領取手槍一支，以便向共產黨動武。〔註 35〕唐納德認為，在閻錫山的建議下，馮玉祥和他聯合支持南京政府，導致武漢政府被迫向蔣介石屈服並驅共。〔註 36〕唐納德的看法有一定合理性，但誇大了閻錫山在其中的作用。山西省開始進行清黨，國民黨開除了跨黨的共產黨員，他們或被逮捕，或者被迫離省。〔註 37〕從閻錫山對待省內國民黨左右派的態度，可知其對於武漢與南京的態度。

第三節　閻錫山與山西政治

一、閻錫山的個性與思想

筆者認為描述閻錫山最為傳神的一段話，當屬李宗仁第一次見到閻錫山，對他的描述。從外貌到性格，從經歷到事功都有精闢的概括：

> 中等身材，皮膚黧黑，態度深沉，說的一口極重山西土音，寡

〔註 33〕參見薄一波：《七十年奮鬥與思考》，第 56 頁。

〔註 34〕【美】唐納德・G・季林：《閻錫山研究——一個美國人筆下的閻錫山》，第 98～100 頁。

〔註 35〕薄一波：《七十年奮鬥與思考》上卷《戰爭歲月》，北京：中共黨史出版社，1996 年版，第 56 頁。；李茂盛：《閻錫山大傳》上冊，太原市：山西人民出版社，2010 年版，第 361 頁。

〔註 36〕【美】唐納德・G・季林：《閻錫山研究——一個美國人筆下的閻錫山》，第 100 頁。

〔註 37〕山西省政協文史資料研究委員會：《閻錫山統治山西史實》，第 111～114 頁。

言鮮笑，唇上留著八字鬍鬚，四十許人，已顯蒼老，一望而知爲工於心計的人物。……據閻的同學程潛告我，渠在日本留學時成績尋常，土氣十足，在朋輩之間，並不見得有任何過人之處。誰知其回國之後，瞬即頭角崢嶸，馳名全國，爲日本留學生回國後，在政壇上表現最爲輝煌的人物。民國初年歷任山西都督，山西督軍等職，勵精圖治，革命軍北伐至長江流域，渠即向國民政府輸誠，成爲中國政壇上的不倒翁。錫山爲人，喜慍不行於色，與馮玉祥的粗放，恰成一對比。〔註 38〕

外人對於閻錫山的個性觀感大多是「態度深沉、寡言鮮笑、工於心計」，當時人品評北洋人物，常將他與孫傳芳對比，認爲士官出身的北方人中，「沉潛莫如閻，機智莫如孫，北人之二難也」。有人說「老漢喜歡人叫他『不倒翁』」，可見對於世人「精於計算、工於心計」的評價，閻非但不惱，還自以爲傲。〔註 39〕閻錫山能久屹於軍閥叢林之中而不倒，唐納德·G·季林說，「他的成功主要在於他的狡詐和山西堅不可摧的天然屏障。」〔註 40〕閻錫山之所以長期「不倒」，固然與他善於審時度勢、左右逢源的個性以及山西表裏河山、易守難攻的地形有一定關係，但他長期堅持「保境安民」政策，兢兢業業建設山西，也是他能長期統治山西的原因之一。

閻錫山思想十分複雜，善於將各家思想融合吸收、爲己所用，其治理山西的政治哲學融合了儒家、道家等各家學說，可以尋見王陽明、曾國藩、俾斯麥、伊藤博文，甚至是共產主義的隻言片語。閻錫山爲人處事有其獨特的系統理念，他根據中國古代的中庸之道，並結合自己從商從政的經驗，創立「中的哲學」，又叫「二的哲學」。他認爲不偏不倚、情理兼顧，不過、不「不及」是爲中，事之恰好處是爲中；人事得中則成，失中則毀；承認矛盾，要用二的方法分析矛盾，以求矛盾對消，達到適中，以求得生存；認爲事理有母理與子理之別，母理是不變的，子理服從母理，人事以生爲最高母理；存在即是眞理，需要即是合法。中的表現，是「恰當正好，部位上不偏不倚，程度上無過無不及，關係上橫不礙其他，豎不礙將來，人欲有對無錯，充分

〔註 38〕李宗仁口述，唐德剛撰寫：《李宗仁回憶錄》，桂林：廣西師範大學出版社，2005 年版，第 433 頁。

〔註 39〕閻效正：《一些人士對閻錫山的看法》，《閻錫山其人其事》，第 103～104 頁。

〔註 40〕【美】唐納德·G·季林：《閻錫山研究：一個美國人筆下的閻錫山》，第 22 頁。

完滿地完成事，必須得中」。〔註 41〕

「中」的哲學是閻錫山制訂戰略策略和採取行動的理論根據。在政治舞臺上，他始終以「生存、存在」爲最高眞理，對於各種矛盾以「二」來分析，「執其兩端而叩其中」，在「恰好」之時採取行動。因此，對於袁世凱，他可以韜光養晦、曲意逢迎；在軍閥混戰中，他高舉保境安民的大旗，避免陷入外界爭戰；北伐開始後，閻錫山最初在馮玉祥、張作霖與國民黨之間周旋，三足鼎立之勢出現後，又繼續在武漢、南京與北京三方之間周旋，與各方都保持往來。但隨著形勢發展，「中」的哲學無法繼續適用，他也不得不做出抉擇。

二、閻錫山與山西革命淵源

辛亥革命前，清政府在山西的統治遭到士紳、學生與新軍的強烈不滿與反抗，主要表現爲民眾抗捐活動、士紳和學生的爭礦鬥爭、新舊軍之間的衝突以及同盟會的秘密革命活動。閻錫山即爲同盟會中之一員。他曾在日本留學〔註 42〕，赴日初期，其政治態度傾向康有爲與梁啓超的保皇派；後因爲在日本感受到現代國家的先進理念、發展狀況，遂認爲清廷腐敗無能，誤國太甚，乃毅然參加同盟會，投入革命的行列。〔註 43〕

閻錫山曾向孫中山請教過同盟會誓言「驅除韃虜，恢復中華，建立民國，平均地權」中「平均地權」的意義。他聲稱自己對孫中山諄諄教誨人的親切態度很是敬重佩服。〔註 44〕孫中山指示同盟會中學習軍事的中國留學生不可參加外部活動，保證身份機密，以組成一個純軍事統治的團體，負擔實施革命的責任，即「鐵血丈夫團」，進行暴力革命。閻錫山、溫壽泉加入其中，跟他們一起的團員還有黃郛、李烈鈞、張鳳翔、羅佩金等，都是辛亥前後革命中堅人物。〔註 45〕

1909 年 3 月，閻錫山從日本陸軍士官學校畢業後回國，先後出任山西陸

〔註 41〕關於「中的哲學」可參見《閻錫山傳略》（有刪節），《閻錫山回憶錄》，北京：人民出版社，2012 年版，第 80 頁。

〔註 42〕閻錫山 1901 年入山西武備學堂，1904 年被清廷選爲公派留學生留學日本，先後在東京振武學校、弘前步兵第 31 連隊，及東京士官學校等處學習軍事。可參見閻伯川先生紀念會編《民國閻伯川先生錫山年譜長編初稿》，《閻錫山回憶錄》。

〔註 43〕閻錫山：《閻錫山回憶錄》，第 3～4 頁。

〔註 44〕閻錫山：《閻錫山回憶錄》，第 4～5 頁。

〔註 45〕閻錫山：《閻錫山回憶錄》，第 5 頁。

軍小學教官、監督，旋升任第四十三混成協第 86 標標統。〔註 46〕閻錫山注重與新軍中上層軍官的聯繫，塑造他在軍隊的威望，後又成立軍人俱樂部，以研究學術爲名，團結革命人士。

山西辛亥革命亦是新舊勢力聯合起事的武力政變。武昌起義爆發後，山西於 1911 年 10 月 29 日響應革命，由同情革命的新軍管帶姚以價率先發難。革命軍槍殺山西巡撫陸鍾琦，宣佈獨立。當天革命軍在諮議局成立山西軍政分府，首推協統姚鴻發爲晉省都督。姚以其父現任陸軍部侍郎，力辭不就。諮議局局長梁善濟與閻錫山關係較好，經過他的安排，閻錫山被推舉爲山西都督，溫壽泉爲副都督。閻錫山當選爲山西都督，是以同盟會和新軍爲代表的「新」勢力與以部分立憲黨人和官紳爲代表的「舊」勢力聯合，試圖建立新的政治秩序的妥協結果。〔註 47〕

清廷聞知山西獨立後，即命吳祿貞爲山西巡撫，令其率第六鎭士兵進攻山西。吳亦是同盟會會員，在北京致力於首都革命的工作，也是當時唯一能夠制服袁世凱的人。吳密謀與山西合作，組成「燕晉聯軍」，以阻止袁世凱北上，共圖北京，此事因吳被刺殺而作罷。北方軍政大權落入袁世凱之手，影響民國政局甚大。〔註 48〕

1912 年 9 月 19 日，孫中山赴晉，在太原發表演講，肯定了閻錫山與山西起義的功勞，「使非山西起義，斷絕南北交通，天下事未可知也」。在歡宴會上，孫中山又再次讚賞：「武昌起義，山西首爲響應，共和成立，須首推閻都督之力爲最」。〔註 49〕閻錫山在回憶錄中記述孫中山對他的誇獎之辭，卻未記述孫中山對他的擔憂。孫中山在演講中亦表示對地方主義危險的擔心，勉勵革命黨人將地方利益置於共同利益之下。但閻錫山緊隨袁世凱的步伐，在二次革命中保持中立，遵照袁世凱的命令，取締國民黨，後又支持洪憲帝制。閻與袁關係的親密程度，已超過其與國民黨的關係。從 1914 到 1924 年，這十年間，閻錫山「孤懸北方」，與國民黨聯絡甚少。

1924 年，張作霖、段祺瑞電請孫中山北上，召開國是會議。此時閻錫山已與國民黨有所聯絡。他於 11 月 27 日派王憲代表赴天津歡迎，並請孫中山訓

〔註 46〕參見山西省地方志辦公室編：《民國山西史》，太原：山西出版集團·山西人民出版社，2011 年版，第 44～49 頁。

〔註 47〕文俊：《政制轉型與山西政治秩序重構研究（1911～1929）》，第 19～20 頁。

〔註 48〕參見《閻錫山回憶錄》，第 17～19 頁。

〔註 49〕參見《閻錫山回憶錄》，第 22 頁。

示。王憲發電報告訴閻錫山，孫科、張溥泉、汪精衛希望閻錫山能夠顧念同盟會舊情，「對於中山有正式之表示，或盡力讚助中山之主張，方不背民黨之宗旨，時機不可錯過，千萬千萬」。〔註 50〕閻錫山回覆：「晉省中級以上長官，幾盡同盟會舊人，對於中山先生，自無不盡力讚助之理。不過山西做事，向主實力作去，不搖旗吶喊，故覺默默無聞，十三年來，無一刻不在實行革命中也」。〔註 51〕孫中山希望在山西試行自己的政治主張，他曾派人到山西與閻錫山商議在山西試行建國大綱，此事對山西日後制定《山西施行三民主義五權政治大綱》頗有影響。孫中山本來準備病癒後到晉詳爲面談，「繼因一病不起，致請教無由」。〔註 52〕這一階段的接觸，並沒有取得實質性效果，閻錫山仍發電表示支持段祺瑞，試行孫中山主義的倡議亦隨著孫的病逝而告終。

國民黨開始北伐後，閻錫山與國民黨又開始往來，宣佈易幟之後，閻解釋此前的行爲是謹遵孫中山的囑咐，韜光隱晦，堅持革命理想，保守住山西革命基地。據他稱，孫中山 1912 年離開太原的時候，特地囑咐他「北方環境與南方不同，你要想盡辦法，保守山西這一革命基地。」〔註 53〕這個理由向來被世人視作閻錫山爲自己親近北洋政府與袁世凱的「不光彩」歷史找藉口，不過就事實層面來講，閻錫山的確一直致力於山西建設，這爲他參加北伐奠定了基礎。

閻錫山雖然在辛亥革命之後擔任山西都督，但最初幾年因爲全國局勢變幻不定，其羽翼不豐、上下左右多有掣肘，他並沒有太大作爲。一直到張勳復辟失敗，晉軍出師討逆有功，他才被段祺瑞任命爲督軍兼省長，獨攬山西大權，正式推行山西新政。新政內容龐雜，大致內容爲實行「用民政治」和「村本政治」，整頓各級吏治、改革財稅體制等。用民政治的主要措施就是著名的「六政三事」〔註 54〕，閻錫山組織成立洗心社、育才館，頒發「山西用民政治實行大綱」、「人民須知」，強調「用民」非止於安民，需培養民德、民智、民財，並養成世界觀。加強民眾的道德修養、推行國民職業和人才教育、

〔註 50〕《王憲天津十二月十八日巧電》，《民國閻伯川先生錫山年譜長編（初稿）》（二），第 597 頁。

〔註 51〕《復王憲效電》，《民國閻伯川先生錫山年譜長編（初稿）》（二），第 597 頁。

〔註 52〕《民國閻伯川先生錫山年譜長編（初稿）》（二），第 582 頁。

〔註 53〕閻錫山：《閻錫山回憶錄》，第 22 頁。

〔註 54〕六政爲「水利、蠶桑、種樹、禁煙、纏足、剪髮」，前三項興利後三項除弊，三事爲「種棉、牧畜、造林」與六政相輔而行。

開放農工礦商四項，以解決頑民、愚民與貧民問題。村本政治包括四項內容，即整理村範，訂立村禁約，組織息訟會，成立保衛團。

山西新政展示了閻氏政治思想的初步框架，確立了他統治山西的基本模式。通過新政，山西經濟社會狀況好轉，社會安定，民眾對於閻錫山的統治多持肯定態度，〔註 55〕文化教育事業也得到明顯發展，在政治、經濟與軍事上面爲他進而問鼎中原、退而固守晉綏奠定了相對強大的實力基礎。〔註 56〕

三、閻錫山與三方勢力的關係

山西爲內陸省份，交通不便，信息閉塞。在閻錫山主政山西之前，晉省經濟並不發達，軍事力量也較爲薄弱。閻錫山深知向外擴張，有弊無益，只有尋求「可靠之保障」方能保境安民，「中央政府若能讓山西安然無事，山西就惟命是從」。袁世凱在位的時候，閻錫山一直依靠袁世凱的中央政府，緊隨其步伐。迨至袁世凱與國民黨關係破裂，於 1913 年 11 月 4 日強令解散國民黨時，閻錫山亦宣佈脫離國民黨，並解散了國民黨在山西的各級黨部。孫中山發動「二次革命」，閻錫山沒有公開反袁，並於 1914 年 6 月 30 日由袁世凱委任爲「同武將軍督理山西軍務」，成爲在唯一在袁世凱手下任都督的國民黨員。1915 年 12 月 12 日袁世凱稱帝，當月，封閻錫山爲一等侯，閻亦受爵。對袁世凱稱帝的某些細節，例如他曾公開發電勸進，閻錫山用「不知道、被署名」以及「委曲求全，保全山西革命基地」來解釋，這個理由並不爲多數國民黨人接受。閻錫山與袁世凱的關係成爲他「革命」的污點，日後他不斷就這個問題向國民黨解釋、證明自己的「革命忠誠度」。

袁世凱去世後，各省都督遂成割據之勢，相互爭鬥傾軋，「不意比年以來，中央政府之力量日絀，而非中央政府之力量反日見膨脹；山西失卻可靠之保障，時移勢異，則由非自強自救不爲功也」。如何自救？一是改變以往閉關自守政策，藉重於國內外交，即所謂「拉朋友」。〔註 57〕閻錫山的這些話爲他近年來整軍擴軍和與南北保持良好外交關係作了合乎邏輯的解釋。他一方面高

〔註 55〕據鄉紳劉大鵬記載，曹錕就任大總統職後，曾傳聞要換山西都督，晉人莫不恐慌，怕治安之晉省，亦流入不安之漩渦。後謠言被澄清，劉言「此爲極好消息，晉人可以再享治安之幸福矣。」參見劉大鵬著，喬志強標注：《退想齋日記》，太原：山西人民出版社，1990 年版，第 310 頁。

〔註 56〕智效民：《閻錫山的「六政三事」與「用民政治」——民國初年山西新政初探》，《晉陽學刊》1996 年第 6 期，第 92 頁。

〔註 57〕《民國閻伯川先生錫山年譜長編（初稿）》（二），第 699 頁。

舉「保境安民」的大旗，極力避免山西捲入戰禍；另一方面繼續建設山西，並且逐步擴張軍隊，以應對可能的戰爭。

時至 1927 年，閻錫山與山西面臨著三股勢力帶來的壓力：一方爲加入國民革命陣營的馮玉祥，此爲最緊急的威脅；一方爲奉張北京政府，另一方爲蔣介石爲首的國民黨力量。易幟前夕，閻錫山與各方關係如何呢？馮玉祥與國民軍是腋下之患，奉系是「背後黃雀」，在兩方壓力之下，閻錫山轉向與國民黨合作。

1924 年馮玉祥、胡景冀發動北京政變，囚禁曹錕，欲籠絡閻錫山共同防守晉綏，閻錫山先是向馮玉祥呼籲「國步阽危，民生凋敝，窮兵黷武，誠非所宜。……以禮讓爲國家，化干戈爲玉帛」〔註 58〕，一再申明自己「保境安民」。「今馮等主張，深幸同志有人，革命成功可望，故毅然表示讚助」，出兵石家莊，阻絕吳佩孚援兵北上，以「縮短戰期，亟圖建設」〔註 59〕。

馮玉祥倒戈成功後，佔有察綏兩區及京畿附近後，組建國民軍，兵力迅速擴張，卻無地盤無軍餉，對近在咫尺的山西常存覬覦之心。國民軍三個軍分別從東（京畿）、北（察）、西（綏）三個方向包抄山西，到 1925 年夏，「山西已被國民軍 1、2、3 軍包圍得水泄不通，兵工廠用的材料也運不進來。由天津購運感到困難，才改由漢中進行，不料運經河南，又爲國民 2 軍扣留」。〔註 60〕國民軍的存在直接威脅山西的安危，一位山西鄉紳在日記中的記載，頗能說明國民軍帶給山西的壓力：

> （1926 年 2 月 13 日）吾晉被國民軍所圍，四面楚歌，聲浪最盛。故上年晉督募兵，各關隘口防堵不疏，晉已增兵十萬有奇之多，軍需孔急，籌餉眾多，晉人擔負日益加重，有不堪其苦之勢。閻錫山手握軍、民兩政權，處此鄰省窺伺之際，不得不用心武備，以冀三晉安全。〔註 61〕

爲擺脫困境，閻錫山一面擴軍，一面放棄反直立場，聯合直吳、奉張，

〔註 58〕《復馮玉祥等敬電》，《民國閻伯川先生錫山年譜長編（初稿）》（二），第 570 頁。

〔註 59〕《復馮玉祥函》，《民國閻伯川先生錫山年譜長編（初稿）》（二），第 574 頁。

〔註 60〕周玳：《閻錫山參加直奉反馮的經過》，中國人民政治協商會議全國委員會文史資料研究委員會編：《文史資料選輯》第 51 輯，北京：文史資料出版社，1962 年版，第 127 頁。

〔註 61〕劉大鵬：《退想齋日記》，第 313 頁。

共同討馮。閻錫山將晉軍擴張爲兩個師、12 個旅，步兵將近 40 個團，騎、炮兵各兩個團，又另各十餘營。1926 年 4 月間傳出閻錫山將要進攻奉系的謠言，閻錫山致電張作霖，說明是馮玉祥手下鹿鍾麟與張之江的「離間之計」：「鹿鍾麟、張之江等，其來意一系請晉軍開入北京，一系擁戴弟爲一軍首領，純係計間，均經嚴拒。」〔註 62〕張作霖贊許道：「鹿鍾各方奔走，無非挑撥離間之慣技。我兄燭破其奸，極佩卓識。」〔註 63〕

1926 年春，閻錫山與奉、直兩派聯合進攻馮玉祥的國民軍。國民軍約以 80 萬人於 18 日開始，分六路進攻山西雁北。晉軍奮戰阻馮部進攻，國民軍遭奉、直攻擊退往綏遠，閻派兵直追，於 9 月 1 日進佔綏遠。此次戰爭，馮玉祥失敗，閻錫山收編了其部下鹿鍾麟、張之江與宋哲元部。馮玉祥爲求出路，宣佈下野，前往蘇俄。國民革命軍北伐開始後，張之江、鹿鍾麟與宋哲元與在俄的馮玉祥互通消息，力促馮回國組織力量。1926 年 9 月 17 日，馮玉祥在五原誓師，在誓師會上舉行易幟儀式，將五色旗更換爲青天白日旗，並當場宣佈：爲表明國民軍忠於孫中山的三民主義，決心出師北伐，國民軍全體將士加入中國國民黨。鄭重地向全國發出誓師宣言。

馮玉祥極力想要把閻錫山拉入「革命陣營」，爲挑起奉晉之間的爭執，甚至製造謠言，宣傳閻錫山與他已經合作。10 月 17 日劉鎮華電閻錫山，稱馮玉祥軍隊盤踞甘肅，有東侵之心，收編的軍隊，是否誠心歸屬，很難揣測。如果不快速解決馮部，死灰復燃，晉軍首當其衝。就目前局勢而言，只有與奉合作才能支撐北方局面，「可否先商奉方助我於最短期間殲滅馮部，陝甘局勢一定，再與奉合作，奠定中原」。1926 年 10 月 18 日，閻錫山致電張作霖，「我輩共同討赤，自應貫徹主張，始終一致」，確認對馮作戰照原計劃進行。〔註 64〕21 日回覆劉鎮華，指示與奉合作要「相機進行」。〔註 65〕同一天，馮玉祥由五原赴包頭，希望收回投靠閻錫山的韓復渠部，向京綏路活動，張家口大同又告緊張。

馮玉祥的歸來讓閻錫山十分緊張，其收編的馮玉祥舊部也開始有回歸舊

〔註 62〕《致張作霖删電》，《民國閻伯川先生錫山年譜長編（初稿）》（二），第 677 頁。

〔註 63〕《張作霖四月十八日嘯電》，《民國閻伯川先生錫山年譜長編初稿》（二），第 677 頁。

〔註 64〕《劉鎮華十月十七日篠電》、《復劉鎮華箇電》、《致張作霖巧電》，參見《民國閻伯川先生錫山年譜長編（初稿）》（二），第 708 頁。

〔註 65〕《復劉鎮華箇電》，《民國閻伯川先生錫山年譜長編（初稿）》（二），第 708 頁。

主之心。馮玉祥舊部心懷舊主，留必有禍，不如做個順水人情，閻錫山遂做出友好姿態，將收編國民軍部隊歸還給馮，任他們留或去。11 月 22 日，商震彙報收編部隊的傾向問題，聲稱滿泰〔註 66〕騎兵旅約一千四百人確定不附馮，第一、二、三路兵第一、二師，則依違兩可，但是比較傾向晉方。閻錫山對此甚爲生氣，「此次煥章做法太差，致我爲難。我方觀測大局，權衡厲害，當讓奉方單獨解決」。閻錫山對奉方並非完全放心，告訴商震「山西應再觀察奉方做法及大局變化，不應該採取決絕主張。」〔註 67〕

1927 年 5 月 3 日，馮玉祥致電閻錫山，呼籲他不要只關注山西，應顧國家大局：「奉張召聚帝制餘孽，謀傾國家。此次率隊入關，恐帝孽復張，阻礙共和。我弟爲首創共和之人，萬請爲共和國謀存在，不可謀山西也。」閻錫山 7 日回覆馮玉祥電報，仍舊以保境安民爲拒絕理由：「愛國熱誠，極深佩慰。大軍北上，氣壯風雲。弟以地方紳民束縛，不克隨兄後塵，至感抱歉」。〔註 68〕馮玉祥畢竟已經加入國民黨，若閻錫山與蔣介石合作，因戰略布置問題，亦需要與馮玉祥和解，而馮與張水火不容。閻錫山必須在馮玉祥與張作霖之間選擇一位合作對象。

閻錫山深知張作霖軍事實力強大且有野心，一方面他與張作霖聯合對付馮玉祥，另一方面也對張作霖持防備之心，積極尋求別的出路。閻錫山與張作霖在對抗「北赤」馮玉祥上面有共同利益，時常電報往來，交換討赤意見。但張作霖深知閻錫山與國民黨的淵源關係，密切關注閻錫山對於北伐與國民黨的態度，極力拉攏他，不使他倒向國民黨。1926 年 9 月 4 日，張作霖派張學良、韓麟春來太原見閻，商談綏遠和西北軍事問題，不斷給閻施加壓力，表示奉軍願獨負北路軍事，逼閻將綏遠交給韓麟春。閻不得已只好應允，並電函商震將綏遠部隊開回太原，一是防吳敗兵侵入，二是防止劉鎮華退回潼

〔註 66〕滿泰：（1883～1934）護路司令。字子舒，內蒙古土默特左翼旗（今土默特左旗）人。蒙古族。畢業於北京法政學校及綏遠軍事教育班。早年加入中國同盟會，曾任薩拉齊蒙古諮議員，亦曾出家爲喇嘛。後投奔綏西清鄉軍。1926 年升任綏遠騎兵第一旅旅長。此後曾任騎兵第三師師長兼第三十一軍副軍長及綏西鎮守使。參見劉國銘主編：《中國國民黨百年人物全書》，北京：團結出版社，2005 年版，第 2312 頁。

〔註 67〕《復歸化商都統啓密漾午電》，1926 年 11 月 24 日發，臺北國史館所藏閻錫山檔案，卷宗不詳。

〔註 68〕《馮玉祥五月二日冬電》、《河南馮玉祥五月三日江電》、《復馮玉祥微電》，《民國閻伯川先生年譜初稿長編》（二），第 456～457 頁。

關後進犯晉南。〔註 69〕閻錫山曾致電商震，指出奉軍來綏「窺其用意不過希圖駐兵包綏」，「控制財政、交通權」，「察西之事可為殷鑒」。

由上可知，張作霖給閻錫山的壓力，一方面是軍事壓力，即以聯合討馮來牽制閻錫山，並希望閻負擔一定的軍事責任；另一方面是政治壓力，不斷向閻錫山施壓，要其公開表明態度，是留在北洋陣營還是要倒向國民黨，如果留在北洋陣營，就要共同討赤。閻錫山一面與張作霖周旋，對張作霖所提要求，幾乎全部口頭應允，一面秘密與國民黨聯絡。

1926 年底，國民革命軍已佔領湖北、江西大部，向北挺進至長江流域，已成為左右時局之一大勢力。閻錫山在南北壓力下，試圖與國民革命軍建立聯絡。廣東國民政府也在努力爭取他，北伐軍攻佔武漢後不久，即於 1926 年 11 月派胡賓為代表赴晉見閻，聯絡山西參與北伐事宜。閻錫山表示因為有一批槍械，須在三個月之後，才能由日本運到山西，所以不能有所舉動。他派趙丕廉以山西代表身份出席全國教育會議，其實際任務是密謁蔣介石，面聆北伐機宜。據賈景德言：「當先生派趙芷青先生南下時，告曰：革命大業，從此開始。你去不定歸期，在未揭開以前，由你負責，到揭開以後，由我負責。又行前請約定通訊密碼，以『酒滿』代名，預慶革命成功。」〔註 70〕趙丕廉隨胡賓到武漢，首先與政治部主任鄧演達會晤，又見了陳公博。陳公博帶領趙到南昌與蔣介石見面。

12 月 1 日，趙丕廉抵達南昌，秘密會見蔣介石，陳述山西加入國民革命軍的意願。〔註 71〕蔣說，閻錫山是老前輩，又是丈夫團的人，盼閻能早舉事。趙向蔣說明閻的處境與三個月內不能舉事的原因。當時軍委會曾召開會議，決定繼續北伐。會議前夕，趙丕廉接到閻錫山電報，表示在次年 5 月 5 日可以舉事。軍委會批准閻錫山以「北方國民革命軍總司令」的名義，趙丕廉攜軍事計劃回到太原。閻錫山不願驟然表明態度，因而沒有就任這一職位。此為閻錫山與武漢國民政府以及時任國民革命軍總司令的蔣介石的首次接觸。蔣介石在給閻錫山的電報中稱「先生以就地理言，山西實為北方革命基地。但被軍閥包圍、環伺，非至最後關頭，不宜輕有表露。現定：出師須俟兩種

〔註 69〕馮玉祥：《馮玉祥日記》（第二冊），南京：江蘇古籍出版社，1992 年版，第 243 頁。

〔註 70〕《民國閻伯川先生錫山年譜長編（初稿）》（二），第 713 頁。

〔註 71〕中國第二歷史檔案館編：《蔣介石年譜初稿》，北京：檔案出版社，1992 年版，第 829 頁。

關鍵時機，一爲山西出師革命即能成功之時，一爲山西不出師革命即將失敗之時。」〔註 72〕雙方約定，北伐軍進入河南或者到達津浦路時，晉省將起而響應。之後，奉方察覺閻錫山與蔣介石聯絡事，極爲駭怒，對山西加大威脅，但奉軍從此有了後顧之憂，不能放膽南進。

以上即爲閻錫山易幟前的時代背景與政治生態，中國呈現南北對峙之勢，南方號召打倒軍閥，北方則號召討赤。寧漢分裂之後，中國呈現南京國民政府、武漢國民政府以及奉張北京政府三足鼎立之勢。閻錫山與國民黨有歷史淵源關係，他曾經是同盟會秘密組織「鐵血丈夫團」團員，參與山西辛亥革命，並成爲山西都督。在袁世凱統治時期，閻錫山疏遠了國民黨，與北洋政府走得很近。據他自己解釋是遵從孫中山之命，爲保存山西這一革命基地，才不得不韜光養晦，與北洋派虛與委蛇。在北洋統治的多數時期，閻錫山都堅守「門羅主義」，保境安民，潛心建設山西，山西一度成爲模範省。在易幟前夕，他與各方保持聯絡，一邊繼續高舉保境安民的大旗，一邊謀求出路。馮玉祥對他來說是一個直接威脅，實力強大的張作霖則是後顧之憂，閻錫山與國民黨開始初步接觸，並就改稱易幟與出兵問題達成一定程度的妥協。

〔註 72〕參見《民國閻伯川先生錫山年譜長編（初稿）》（二），第 718 頁。

第二章　易幟中的多方博弈及南北和議

本章主要論述易幟的對外表現，即為排除外界干擾，倒向南京國民政府，以及在軍事上出兵伐奉。閻錫山易幟過程可分為兩個階段，第一階段為形式易幟，第二階段為南北議和與出兵伐奉，「伐奉」被視為閻錫山易幟的重要構成與必然結果，亦標誌閻錫山斡旋南北談判以失敗告終。易幟並非閻錫山個人的簡單取捨，其中還包含著各種政治力量「干擾」，某種程度上也是三個「中央政府」博弈的結果。閻錫山作為北伐期間重要的地方實力派，其決策很大程度上會影響當時政治、軍事力量的平衡。隨著時局的發展，閻錫山的政治考量也隨之發生相應的變化，從其斡旋南北和談和周旋於「奉寧晉」之間的活動，可審視其易幟的心路歷程和政治取捨。

第一節　閻錫山易幟經過概述

1927 年 1 月 31 日，蔣介石向中央提請任命閻錫山為「國民革命軍北路軍總司令」。國民黨中央政治會議通過，3 月 11 日經武漢國民政府批准。3 月中旬，閻錫山派南桂馨、崔文徵與馮玉祥建立國晉聯合辦事處，雙方修復關係。其實際上傾向於國民革命的心意已經相當堅決。3 月 16 日閻錫山覆電武漢國民政府表示已經做好準備，從此跨出易幟步伐。

根據 1926 年底與武漢方面「次年 5 月 5 日可以舉事」的約定，1927 年 4 月 1 日，閻錫山宣佈廢除北京政府任命的山西督辦名義，改稱晉綏軍總司令，將所部山西、綏遠各軍隊改編為晉綏軍。4 月 5 日，閻錫山電告駐武漢代表趙丕廉，即日起頒佈動員令，向省民宣佈服從三民主義。〔註 1〕但因為此時武漢

〔註 1〕《致漢口趙芷青方密微電》，4 月 5 日發，國史館藏閻錫山檔案。亦可參見《致

政府與蔣介石之間發生「遷都之爭」，國民黨內部的分裂越來越明顯，政治與軍事形勢更加複雜。在接到閻錫山的電報後，趙丕廉根據武漢的形勢，4月6日密電閻錫山，告以「方密奉電五日宣佈動員。據告政府，極爲滿意。但此間內部分化與前局勢驟變，北伐主力難免延緩」，山西難以「獨當勁敵」，對於是進攻還是防守，山西應該「相機審度」，讓閻錫山一定要等到馮玉祥軍東出，唐生智軍北上的時候才能有軍事動作。〔註2〕閻錫山聽從趙丕廉的建議，沒有立即出兵，仍繼續改造「舊軍閥」政治，將山西省政改組爲委員制，以「晉綏總司令」統轄軍民兩政。〔註3〕4月12日，蔣介石在上海下令逮捕及屠殺共產黨員與工會領袖，並於4月18日在南京另組國民政府，形成了寧漢對峙的局面。駐守大同的晉軍師長李服膺致電閻錫山，讓其等到時局穩定之後，再做決斷：「近來左右派傾軋甚烈，唐軍未能按期北進，蔣意不進取，俟內部鞏固後，再行北伐，並有通告馮煥章暫勿庸出動等……我軍亦以慎重爲好」。〔註4〕

四・一二清黨之後，蔣介石與張作霖在反共上已經取得一致意見。另一方面，由於吳佩孚、孫傳芳兩大集團已先後被擊敗，奉系呈現頹勢。蔣、奉雙方都萌生了以政治手段解決雙方矛盾的意願。閻錫山在蔣奉之間斡旋，勸奉方順應潮流，改換旗幟，服從三民主義，歸依南方，共同討赤。但奉方表示可以接受三民主義，但不肯放棄安國軍旗幟，企圖以長江爲界，南北分治。〔註5〕蔣介石不可能接受奉方要求，這一階段和談破裂。

寧漢雙方都以「總理信徒」、「正宗國民黨」自居，繼續北伐。武漢方面採取進軍河南，與馮玉祥國民軍會師中原，再與閻錫山聯合，驅逐奉軍出京津，最後解決華南問題的二次北伐方案。〔註6〕隨著武漢方面向河南進軍，南京方面也北渡長江，攻打直魯聯軍與孫傳芳。6月1日，武漢方面與馮玉祥會

趙丕廉微電》，《民國閻伯川先生錫山年譜長編（初稿）》（二），第741頁。

〔註2〕《民國閻伯川先生錫山年譜長編初稿》（二），第741頁。

〔註3〕《山西取消督辦公署》，《大公報》1927年4月15日，第2版。

〔註4〕《大同李師長長生密敬電》，1927年4月25日到，臺灣國史館藏，《閻錫山史料》，《北伐清黨始末與國府遷寧案》，入藏登錄號：116000000059A，微卷縮號：131000007769M。

〔註5〕《楊丙致蔣介石等密函》，未刊稿，中國第二歷史檔案館藏，轉引自楊天石《蔣介石與南京國民政府》，北京：中國人民大學出版社，2007年版，第171頁。

〔註6〕中華民國史事紀要編輯委員會編：《中華民國史事紀要（初稿）》（1927年1月～6月），臺灣：中華民國史料研究中心，1976年版，第767頁。

師鄭州，4日克復開封；與此同時，南京方面也於6月2日攻佔徐州。

鑒於北伐軍已經打到北方，閻錫山遂於6月3日在太原宣佈易幟，山西全省升起青天白日滿地紅國旗，宣告取消晉軍原有編制，改編晉綏軍十五萬人爲北方國民革命軍，由大同、娘子關向東出擊，做出了響應北伐的具體行動。5日太原召開國民會議，在山西各團體擁戴之下，閻錫山通電就任「北方國民革命軍總司令」，之後由南京國民政府追認。張作霖在閻錫山易幟後，一直派代表欲說服其迴心轉意，和談未果，於是做出先解決北方問題，再行討赤的決策，決意以重兵迅速解決山西。1927年9月27日，晉軍商震部率先向奉軍發動襲擊，切斷晉綏線，收繳大同以西奉軍槍械，晉奉之戰遂起。

值得注意的是，從1927年4月到9月，奉張、武漢國民政府與南京國民政府都對閻錫山進行拉攏，三方使者以及馮玉祥、張宗昌、孫傳芳的使者雲集太原，太原一時成爲世人矚目所在。奉張對山西公開易幟甚爲惱怒，甚至決意以重兵解決山西。但閻錫山不願與奉公開決裂，他致力於促成奉、寧、晉三方妥協，成立一個反赤聯盟，共同對付武漢國民政府與馮玉祥。由此可知閻錫山易幟的決策經過，甚爲複雜，面臨諸多干擾因素，既是其自主選擇，亦是多方博弈的結果。

第二節　干擾因素與多方博弈

閻錫山在1927年4月到10月之間，成爲影響時局的關鍵人物。中共中央稱：「中國南方革命勢力與奉張反動軍閥的鬥爭，誰能拉住閻錫山便是誰占勝利。」〔註7〕閻錫山一時炙手可熱，各派的代表往來太原、南京、武漢等地，都是職業的說客，很有當年戰國時代連橫的味道。此時共有三方爭取閻錫山：南京國民政府、武漢國民政府、奉張北京政府，另外馮玉祥、孫傳芳等人的代表也常出現在太原。

這段時間，幾大報紙《申報》、《晨報》、《順天時報》、《益世報》上面關於閻錫山與太原的報導非常多。晨報有一篇報導《冠蓋雲集中之太原》，頗能說明當時盛況：

> 查日來各方派來之代表，先後不下三四十人之多，送往迎來，

〔註7〕《其嘉致胡海、白和信》，《中央政治通訊》第13期，轉引自楊天石《論1927年閻錫山易幟》，第94頁。

誠太原空前未有之盛況也。奉張前派其參謀趙延升，參謀處科長侯瑩來晉，次早即赴督署，與閻曾作長時間之談話。雖內容吾人無從探悉，然奉晉雙方，仍甚融洽，於此固可見其一斑矣。〔註8〕

閻錫山對於各方代表，派人熱情招待，起居飲食，十分周到，但就是不接見他們，把軍民兩政付託給商震與溫壽泉，自己稱有胃病，閉門謝客。另一篇新聞報導《晉閻閉門靜養》頗爲傳神地刻畫了閻錫山如何應對這些「說客」的：

近有某方代表，新由太原回京，有人晤及，詢以晉閻近狀。據云：太原城內，各方代表麇集，晉閻對之，極表歡迎。起居飲食，靡不周至。履其地者，大有賓至如歸，樂而忘返之慨，惟有使命者，欲與晉閻謀面，則咫尺天涯，殊不可得。蓋表面上，山西軍政，係委託商震負責，民政則由溫壽泉代表。閻本人既不易見面，若與此二公談，風月之外，若及其他，則以須請示於閻爲辭。待之既久，則杳無信息，即或有之，亦多模棱兩可之詞。閻則閉門謝客，一若有重病在身者然。故赴晉代表有所商洽而得結果者，百不居一；類皆一無頭緒，廢然而返。究竟閻之病情如何，固非局外人之所得知云云。〔註9〕

由上可知，閻錫山對於各方代表在接待上決不怠慢，但就是對於實質性內容卻不予商討，甚至不給他們見面機會。閻錫山在想什麼？又是如何與各方周旋的？筆者在現有研究成果基礎之上，結合個人研究認識，對此一時期的政治博弈做一論述。

一、拒絕武漢國民政府的爭取

武漢方面對閻錫山的爭取，主要是在軍事上給予一定的任職，並派代表游說。1927年4月22日，武漢國民黨中常會第8次會議通過軍事委員會的呈請，正式任命閻錫山爲國民革命軍第三集團軍總司令。據共產黨員孟湘鑒向武漢中央報告，對於閻錫山，曾請范熙壬等「包圍他左傾」，結果卻是「不單無成績，並無說話餘地」。也曾派人到商震處「包圍彼思想左傾」，並要求在石家莊各地開始向奉軍攻擊，結果是「聞閻商稍有惡感，在外表上不甚顯明。」

〔註8〕《冠蓋雲集之太原》，《晨報》1927年4月23日，第5版。
〔註9〕《晉閻閉門靜養》，《晨報》1927年7月20日，第2版。

〔註 10〕

鑒於奉天與蔣介石都派代表聯絡山西，王法勤於 5 月 4 日、12 日，兩次向武漢國民黨中央提出：趕緊派一兩個代表聯絡山西。因此，武漢方面決定以孔庚爲山西特派員。〔註 11〕孔庚與閻錫山同爲留日陸軍士官學校學生，又同爲同盟會秘密組織鐵血丈夫團團員。辛亥革命時，孔庚參與山西光復之役，之後曾在山西任軍職，與閻錫山交誼甚深，可謂是去山西的不二人選。

駐武漢的晉方代表趙丕廉屢次致電閻錫山，勸其應速就任武漢政府任命的第三集團軍總司令職，或先來電表示服從中央決議。之後，趙之電文頗爲頻繁，連日有電，甚至一日數電，目的都在希望閻「認政府，不認個人」，請閻速就職，如此方得「在政治上先佔地步」，不致待遇落後。趙丕廉此時的電報與之前勸閻錫山「相機審度」的立場截然不同，據研究者稱可以斷定趙「在武漢受到了一定程度的監視」〔註 12〕，其中有多大程度是趙本人的意見，還是武漢政府迫使趙所講，令人難以判斷。趙丕廉說明蔣介石因「不善處置，自失民心」，「中央久計叛將明令處罰，萬勿誤會，替他說話」，勸告閻不要受蔣影響，爲蔣說話：

> （1）政府議遷南京，鎮壓反動，與介石裂痕愈顯（2）我們立足點，認政府不認個人，羅谿爲鄧（鄧演達）所派，故特使接近並電文軒勳彝（3）我公實際上已負極重責任，當敵之堅，只因尚未就職，旗幟不明，以至待遇落後（4）長此緘默，專注軍事，不如早有表示，爭得先著爲有利（5）最近應付不易，速示尊見，俾有所依（6）滬報我公主張停戰，萬勿誤會。〔註 13〕

4 月中，趙丕廉轉達武漢當局軍委會所擬就的北伐計劃，要求山西配合，具體內容爲：（一）唐生智率領六軍向鄭州北進，18 日動員，5 月 5 日到 10 日總攻擊。（二）電令馮軍西進，由孟津渡河，同時佔領豫北。令閻錫山軍同

〔註 10〕中華民國史事紀要編輯委員會編：《中華民國史事紀要（初稿）》（1927 年 1 月～6 月），臺灣：中華民國史料研究中心，1976 年版，第 774 頁。

〔註 11〕《中國國民黨中央政治委員會第 18、20 次會議速記錄》，中國第二歷史檔案館編：《中國國民黨第一、二次全國代表大會會議史料》，南京：江蘇古籍出版社，1986 年版，第 1120、1149 頁。

〔註 12〕羅貫倫：《閻錫山參加北伐的決策歷程：從保境安民到出師伐奉（1926～1927）》，第 56 頁。

〔註 13〕《漢口趙芷青方密十日電》，1927 年 5 月 6 日到，《北伐清黨始末與國府遷寧案》。

時以重兵佔領石家莊，截斷奉軍歸路；一路出奇進佔涿州，堵住南下奉軍；京綏路晉軍則相機佔領京津。此計劃係俄國軍事顧問加侖將軍所制定，趙且聲稱加侖告訴他：「確有把握，他可擔保」，希望閻5月5日後全力猛進，佔領鐵路附近各要點。〔註14〕5月11日，趙又向閻錫山呼籲世界革命不遠、軍閥必然崩潰，勸閻錫山不要與軍閥站在一起，應順應世界潮流，借助共產力量，以繼續政治生命：

> 世界潮流已至，人心趨向已得，共產助力漸爲政治生命唯一關鍵，介石前墮逆潮，落個叛黨摧工，功敗垂成，倘順應潮流，應付得法，放手去做，立可稱爲唯一領袖、世界偉人，共產本不可怕，怕亦防不勝防，軍閥必然潰敗，世界革命不遠，目下可注意者。

閻錫山對於趙的勸告任職，不置可否。對於出兵，則表示情況未明，需等候時機。5月11日，閻錫山回覆趙丕廉，委婉地表示自己的反共立場。表示自己不會做軍閥，但也不會贊同共產主義；軍事方面，山西需要警惕馮玉祥，不會立即出兵：

> 此間決不做軍閥，亦不與軍閥合作。決不殘害青年，亦不放縱青年。因北方空氣與南方不同，共產主義一致反對。至提高黨權，極端贊成以黨治國，若黨權不固，仍是軍閥割據，何貴革命。軍事已布置就緒，一俟馮軍集中洛陽，同時向東進攻。馮轉軍會計劃，此間石莊一路，可後馮軍攻彰兩日。此路軍隊，早已集中正太沿線，八小時即可至石家莊，決不致誤約。惟聞馮軍開出潼關者不足萬人，不知後部隊如何？奉方現在仍有固守黃河，先解決山西之計劃。並有聯陝圖晉，共分晉綏之說。揆之情理，雖不之信，然北京方面確有此項條件之磋商。加以馮日來屢電假道，愈使人民驚疑。因之晉人皆謂馮非以大部隊伍與奉接觸，此間不可輕動。〔註15〕

從電報發文與到達日期可看出，晉方與漢方「雙方通訊不良」，電報時有延誤。〔註16〕雙方關係乏善可陳，不過未到公然對立的地步。閻錫山對武漢方面的

〔註14〕《漢口趙芷青方密十五日電》（5月5日到）、《漢口趙芷青十五日電》（5月22日到）、《漢口趙芷青方密（四月十六日）電》（5月22日到），《北伐清黨始末與國府遷寧案》。

〔註15〕《民國閻伯川先生錫山年譜長編初稿》（二），第748頁。

〔註16〕羅貫倫：《閻錫山參與北伐的決策歷程：從保境安民到出兵伐奉（1926～1927）》，第67頁。

回電，多空洞搪塞之語，雖不願公開反對武漢，從他給山西駐北京代表溫壽泉的電報中便可看出，其態度傾向南京方面已毋庸置疑。1927 年 5 月 6 日閻錫山致電溫壽泉，表示：「武漢不倒，南京必失敗。時期愈延長，愈危險。武漢倒後，中國之腐敗軍閥，必不足爲國民黨之敵手也。應排除一切，專對武漢」。〔註 17〕

5 月下旬，奉軍在河南戰敗。5 月 26 日，馮玉祥軍攻佔洛陽。27 日，唐生智軍攻佔京漢線側的軍事重鎭臨穎，兩軍會師在即。但是閻錫山並沒有踐約出兵。同月底，奉軍放棄鄭州、開封等地，撤至黃河北岸，閻錫山才於 6 月 2 日派部隊進駐娘子關外的東天門及河北井陘、獲鹿等地。3 日，在石家莊設立正太鐵路護路司令部。但是，閻錫山的這些舉動以防禦爲主要目的，並無立即進攻奉軍的企圖。

孔庚代表馮某於 6 月 16 日抵太原車站時，被右派份子捕送到閻錫山公署。〔註 18〕孔庚於 17 日到達太原，山西民眾對孔來晉一時輿論大嘩，反對聲浪布滿全城，街市各牆壁遍貼紅綠紙和各種標語，甚或有種種怪狀諷刺畫。據報載孔來晉的政治任務有請停止清黨運動，請晉省當局實行反蔣等。南京國民政府獲知孔庚聯繫山西後，亦擔心山西被其他勢力拉攏，特派中央黨部視察委員劉芙若和蔣介石代表何亞農、彭淩霄等 3 人赴晉，視察一切。省黨部於 17 日下午在黨部大議場開歡迎大會，歡迎南京國民政府代表。〔註 19〕從山西對待武漢方面和南京方面所派代表截然不同的態度來看，山西已倒向南京國民政府。

19 日，孔庚終於得見閻錫山。對於出兵一節，閻錫山解釋道，本來預備出兵，因爲北伐軍不曾過河，兵力單薄，不敢冒然出兵；再則有兩個政府，不知道何所適從。他說據一般人的觀察，武漢是共產黨的政府，南京才是眞正國民黨的政府。武漢有一個鮑羅廷，是第三國際派來的，武漢政府完全是爲他所把持。共產黨忌刻蔣總司令的功勞太高，怕國民革命成了功，想出種種辦法在後方掣肘；但蔣總司令是總理的信徒，他還是革命的。對於停止清黨一節，閻錫山埋怨山西的共產黨以前鬧得太不成話，只喊列寧萬歲，不喊

〔註 17〕《致北京溫靜庵榮密魚二電》，1927 年 5 月 6 日發，《北伐清黨始末與國府遷寧案》。

〔註 18〕《閻錫山之眞意與晉人》，《晨報》1927 年 6 月 23 日，第 2 版。

〔註 19〕《晉省清黨運動》，《晨報》1927 年 6 月 22 日，第 5 版。

孫中山萬歲。追悼李大釗的時候，只追悼共產黨殉難的，不追悼國民黨的，並且撕毀總理遺像，說要打倒三民主義，國民黨沒有辦法，大家都很害怕。

閻錫山的解釋一部分屬於眞實想法，他與蔣介石在反共這一點上高度一致，都反對武漢政府；另一部分則屬於託詞，閻與蔣私交不多〔註 20〕，他對蔣的印象與認識多來自山西代表們的彙報。另外，閻錫山對於山西國民黨並沒有同情與庇護，相反他限制國民黨在山西的發展。

孔庚想要向閻錫山介紹一下武漢政府與共產黨的區別，但閻錫山以患胃病相辭，此後不再接見他。孔庚只好對晉系其他要員進行游說，趙戴文避嫌不見，南桂馨則說他願意去南京，但不肯去武漢，武漢被共產黨盤踞，甚爲糟糕，「共產黨排斥辛亥的老同志，他們都是辛亥起義的老人物，自然不見容，只有同蔣介石合作」。〔註 21〕南桂馨的觀點大概能代表晉系要員對於武漢的普遍看法。第二天山西省黨部、太原市黨部及清黨委員會發起「驅孔」活動，貼出了「打倒共產黨走狗孔庚」等等的標語，並要求山西政府交出來孔庚打死。孔庚很憤怒，質問閻錫山的參謀長，山西政府究竟是何意思，如果對他不滿意可以把他交出去讓他們打死，否則就讓他走，「像這樣鬧太不像話了！」於是閻錫山給他兩封帶給武漢國民政府的信，將其送走。〔註 22〕至此，武漢國民政府爭取閻錫山的努力徹底失敗。

二、排除奉張的干擾

奉張方面的干擾主要體現在兩方面，一爲在閻錫山正式宣佈易幟之前，不斷派代表游說閻錫山，通過山西駐京代表既傳達合作意向也傳達警告與威脅，以阻止閻錫山倒向國民黨，努力促成奉、晉合作；在閻錫山易幟之後，張作霖的態度經歷三個變化：從最初的憤怒，到之後的無可奈何，表示理解晉方行爲，再到聲明原諒晉方，仍舊希望閻錫山繼續擔任斡旋南北的調停人。

二是張作霖在孫傳芳等人的擁戴之下，組建安國軍政府，就任海陸軍大

〔註 20〕查閱這一時期的蔣介石日記與事略稿本，亦未發現有許多關於閻錫山的記載。1927 年初蔣介石曾在手令中將閻錫山誤作爲「閻錫三」，由此可見其關係疏離。

〔註 21〕孔庚：《到山西聯絡閻錫山的經過》，蔣永敬主編：《北伐時期的政治史料——1927 年的中國》，臺北：正中書局，1981 年版，第 130 頁。

〔註 22〕參見孔庚：《到山西聯絡閻錫山的經過》，蔣永敬主編：《北伐時期的政治史料——1927 年的中國》，第 129～132 頁。

元帥，並請閻錫山任職。安國軍政府有張作霖、孫傳芳、張宗昌等軍事勢力，分和、戰兩種意見。奉系直面北伐軍，爲求政治解決，自然傾向於和談，而此時孫傳芳、張宗昌等人則拒絕和談，慫恿張作霖與南軍抵抗，將「討赤」進行到底；孫傳芳、張宗昌一直敦促閻錫山表明態度。再者奉系內部有新舊派之爭，張學良、韓麟春甚至單獨與閻錫山、蔣介石聯絡，表示和談意圖，開列和談條件。日本也在中間出謀劃策，促使和議進行。日本的作用以及閻錫山與新派的和談，將在下一節內容論述，在此不作展開。奉張集團內部的意見不一，亦給閻錫山帶來相當困擾，難以分辨奉張眞實態度。

（一）雙方代表與電報往返

張作霖對閻錫山的政治與軍事動向十分關注，時常發電報詢問，閻錫山多回覆爲保境安民之需。張作霖對於閻的覆電，極爲不悅，「均疑山西、馮（馮玉祥）、吳（吳佩孚）早有預約」〔註 23〕，擔心他與馮玉祥聯合攻奉。閻錫山則盡力維繫與奉關係，通過駐京代表李慶芳向張作霖表態，並希望居中調停南北，促進奉、晉、蔣的合作，共同對付共產黨與馮玉祥。

1927 年 4 月，爲修補奉晉關係，李慶芳一上任就忙於同奉系要人交際。李慶芳向張作霖保證閻絕不會聯馮攻奉，張則懷疑李慶芳能否代表閻錫山的眞實意願，李則發誓若不能代表的話，「當即辭去代表，請改賢能」，晉若聯馮攻奉的話，「請大帥縛芳置之前線，願先受晉軍炮火」，張作霖則回答說「我信老弟，絕不欺我」，「但綏區報告晉軍確有退讓形勢，事實如此。」〔註 24〕4 月 17 日，李慶芳向閻錫山聲稱「奉、晉感情，已恢復十分之九，幸不辱命，堪慰鈞係。」〔註 25〕然而就在第二天，另一位駐京人員溫壽泉，彙報的狀況卻與李相反，溫認爲奉對晉頗感惶恐與不滿：「西北軍已到五原，晉軍有退讓之形勢，張氏頗感惶恐。又對山西撤消督辦，就晉綏總司令。益爲不滿。」張作霖認爲山西這樣做，雖不是要用武力對付自己，但恐怕此後不會再聽命

〔註 23〕《北京溫代表蘇代表達密筱二電》，1927 年 2 月 18 日到，臺灣國史館藏，《閻錫山史料》，《北伐奉張組安國政府案》，微卷縮號：1310000770M，入藏登錄號：116000000062A。

〔註 24〕《李芬圃北京咸酉電》，《民國閻伯川先生錫山年譜長編初稿》（二），第 743 頁。

〔註 25〕《北京李芬圃裕密篠二電》，1927 年 4 月 18 日到，臺灣國史館藏，《閻錫山史料》，《北伐北方黨政軍之運用案（一）》，微卷縮號：1310000770M，入藏登錄號：116000000064A。

於中央。〔註26〕結合實際情況來看，溫的電報更爲準確。

閻錫山在勸說奉張易幟未成功後，晉方先行易幟。早在6月1日，閻錫山就通過李慶芳向奉方表示，若奉軍決定總退卻，山西爲未雨綢繆計，必須更換旗幟，5日又致電聲明將更換旗幟先行就職，實係表明反共。同一天閻錫山電告張作霖，解釋晉軍出動是因爲奉軍北退之後，臨時不易佈防，停於井陘。也電告張學良、韓麟春說出兵是「徇人民之請，業經更換旗幟，爲未雨綢繆之計」。〔註27〕同日，奉系接報晉軍除出兵井陘外，綏遠也下動員令，以譚慶林爲前鋒司令，準備攻擊奉軍，已推進至天鎮云云。

對於山西單方面宣佈易幟，奉方深感不滿。張作霖對李慶芳說，對此已調三師在居庸關佈防，「晉如決意來襲，我決不怯懦，但在奉只係防衛，山西背信，不要怨我」。〔註28〕又說，「此次百帥願我聯蔣討赤，實行三民主義，我皆贊同，決不賣友。晉省先掛青天白日旗，不妨各行其是。百帥近來病多，受黨人包圍，指揮不靈，結果不只賣我還要賣老弟（李慶芳），可謂痛心」。奉張截獲晉閻致馮玉祥電報內，有不令奉天一兵一械出關之語，「百帥既與馮合，我既絕望，何必相瞞？」〔註29〕奉張的語氣中透露出空前的不滿，李慶芳承受很大壓力，屢次拿項上人頭、全家性命，向奉張擔保晉方決不襲奉。但奉方認爲晉閻此舉是「誘以甘言，逼以實力」、「乘人之危，相欺太甚，破裂亦無顧忌」。自6月6日起，奉晉交涉「似已經遭遇嚴重瓶頸」。〔註30〕

6月12日，商震遵命在歸綏通電就任國民革命軍北方軍第一軍軍長職，綏遠全省改懸青天白日滿地紅國旗，並向張家口作進兵準備。對此舉動，閻錫山繼續向張作霖解釋，是爲確保山西利益，並表示願意與張作霖友好合作，但不能讓他爲了北方利益而犧牲山西利益：

> 自信山西絕無自負地位，果使北方政治至鞏固地位，不特無進取之意，且願退做一個平民。……我與雨帥，誠意合作，是北方之

〔註26〕《北京溫代表榮密巧電》，1927年4月18日到，《北伐奉張組安國政府案》。

〔註27〕《致張學良、韓麟春歌二電》，《民國閻伯川先生錫山年譜長編初稿》（二），第755頁。

〔註28〕《北京李芬圃庚密魚寅電》，1927年6月7日到，《北伐奉張組安國政府案》。

〔註29〕《北京李芬圃裕密魚辰電》，1927年6月7日到，《北伐奉張組安國政府案》。

〔註30〕羅貫倫：《閻錫山參加北伐的決策歷程：從保境安民到出師伐奉（1926～1927）》，第84頁。

利害。我之種種自衛的措施，是山西之利害。我固不能只顧山西利害，而不顧北方利害。雨帥對我，當亦不能使我先犧牲山西利害，而顧北方也。〔註31〕

閻錫山深知張作霖不會原諒他，在與蔣介石商議北伐、西征戰略，比較「先奉後共」與「先共後奉」的利害後，得出應當先解決奉軍再對付共產黨的結論。閻錫山認爲奉方視國共爲鷸蚌，國共相爭漁人得利。奉已經意識到不能見容於國民黨，蔣、閻幫他討共可以，他卻不會幫蔣閻討共，再用政治手腕利用奉軍實屬困難：

先奉後共，討舊軍閥，將士與民眾不生疑慮，其利一。馮（玉祥）、唐（生智）不敢冒天下之大不韙攻我後路，其利二。晉軍全力可由京漢、京綏兩路出攻，其利三。新敗之後，易於攻破，其利四。北京爲國家首都，中外觀瞻所繫，佔領之後易於號召。凡川、滇、黔、鄂湘、豫、陝，非共產系軍隊，皆無顧慮，必能助我討共，其利五……晉方傾全力由京綏京漢兩路攻奉。請寧方以部分兵力由津浦北上，會師京津。如慮濟南外交關係，亦請置重兵於徐州，監視馮、唐，一部最小限三萬人，由魯南渡河牽制直魯。晉方即可解決奉軍。〔註32〕

迫於晉軍壓力，河南的奉軍不得不撤退。6月15日撤退完畢後，張作霖電請閻錫山出兵黃河北岸，分擔防務，閻未答應。6月23日，于國翰質問李慶芳，晉既揭明旗幟，若國民黨議決討奉，晉將何如？蔣、馮、唐一致北伐邀晉，晉將何如？李慶芳解釋道，易旗改稱及出兵都是基於自衛觀念，若奉、晉失和，兩力相消，徒爲馮製造機會，絕不肯爲。在觀察奉方內部情勢後，李慶芳電告晉閻，對奉交際困難，奉方將領「感情重而理解少」，自鄭州退卻後，舊派壓倒新派，恐山東戰事稍平，攻晉之聲必起。請閻速與新派聯絡，自己則智囊已空，無一事實可作向奉方進言資料，請閻速示方法。〔註33〕從這則電報可看出奉晉關係已惡劣到不可調解的地步。

〔註31〕《致北京李慶芳元電》，《民國閻伯川先生錫山年譜長編（初稿）》（二），第759頁。

〔註32〕《復上海劉棫元電》，《民國閻伯川先生錫山年譜長編（初稿）》（二），第759～760頁。

〔註33〕《北京李芬圃庚密養電》，1927年6月23日到，《北伐北方黨政軍之運用案（一）》。

但到6月底，奉方又採懷柔政策，25日奉張發出一公電，自稱與孫中山爲多年老友，宗旨相同；凡爲中山信徒，眞正三民主義者一律友視，「本大元帥爲老友爭榮譽，爲國民爭人格，爲世界爭和平」，一致討伐赤化。〔註34〕26日，又致電閻錫山，呼籲南北休戰「非停戰不可以救民，非議和不足以殲赤」。〔註35〕同日張作霖又會見李慶芳，態度「和顏悅色」，表明自己理解晉方，晉方的易幟純係應付時局，並非跟他過不去，「晉人厚道，我對百帥完全諒解」，「張某願意幫助山西，山西如有困難，餉械均充分接濟」，「大丈夫作事，決不欺人，我若攻晉，上帝不容，斷子絕孫。百帥如肯擔當國事，我肯服從」。

張作霖態度轉變，肯諒解山西，李慶芳說是因爲有位參謀「確實陳說之力」，說山西絕不會攻打奉，山西現在的表現不過是擺擺樣子，敷衍各方而已，並舉楊森的例子，楊森亦改名易幟，結果被武漢軍擊退。李慶芳亦順勢向張作霖表示，山西易幟對北方有利，因爲「非接受三民主義不能聯蔣，非蔣不能保魯，非魯不能存實力於關內」。〔註36〕晉系要員也爭相表示對晉有信心：于國翰聲言相信山西不會攻奉；楊宇霆則向李慶芳表示，深爲感佩於閻錫山爲了奉事苦心毅力，此後「三方妥協固好，二方無惡亦佳」、「只有晉向奉開火，奉決不向晉開火」。〔註37〕

28日奉張又派邢士廉以慰問閻錫山病爲名，偕李慶芳赴晉往聘，實際上是與閻錫山商議奉寧晉妥協之事。邢士廉發表對新聞記者談話，表示張作霖完全諒解閻錫山，希望閻錫山繼續擔當和議中間人。邢士廉表示，奉晉感情素洽，此次奉方從河南撤兵，最初對閻錫山雖稍有誤會，然不久即冰釋。奉方不但在軍事上對閻錫山早已諒解，即使對於閻懸掛黨旗，改稱國民革命軍，亦不干涉，「南北妥協問題，始終係由晉閻居中斡旋。現在已呈何種現象，前途究竟如何，非與晉閻面商不可」，並表示北京政局改組，張作霖就任陸海軍大元帥，「實有不得已之苦衷」，「晉閻是否有所誤會，雖不可知，然非前往解釋，不足以表示合作」。他們在奉天採買上等人參鹿茸及奉綢等，準備贈送給

〔註34〕《張作霖爲孫中山爭榮譽》，《晨報》1927年6月26日，第2版。

〔註35〕《大公報》（天津版）1927年7月8日，第2版。

〔註36〕《北京李芬圃庚密宥子電》，1927年6月26日到，《北伐北方黨軍政之運用案（一）》。

〔註37〕《北京李芬圃庚密感戌電》，1927年6月29日到，《北伐北方黨軍政之運用案（一）》。

晉閻。〔註38〕

由上可知奉張對此次訪問十分重視，然而閻錫山以病未親自接見邢，派趙戴文、朱綬光接待，雙方雖然言談和氣，但皆舊調重提。趙丕廉聲稱閻錫山希望奉速與蔣妥協，北京政治應依照三民主義改革，先進行易幟更名。邢則表明奉張認爲妥協的第一步爲停戰，一切糾紛待國民大會解決。因爲此行不得要領，邢士廉勾留數日即歸，並無具體成果。〔註39〕

閻錫山自 6 月中運作妥協、武裝調停失敗後，晉方戰機已露，而奉張又斷然開府自任大元帥，晉、奉雙方雖然繼續相互略事敷衍，但山西已經無法再單靠李慶芳等代表們的花言巧語，來說服奉方做出讓步，雙方皆知對方有隨時動武的可能。蔣介石下野之後，奉晉關係更爲緊張，閻錫山指派駐京代表各方活動，尋求新的轉機。駐京代表們最重要的工作之一便是聯繫段祺瑞及通過段系與日方往來，以及聯合北方其他政要，例如顏惠慶〔註40〕、顧維鈞、李培陞〔註41〕，這些政要也爲山西提供情報；另外還聯絡會黨（紅槍會）與地方保衛團，秘密運動內應軍隊等工作。〔註42〕南桂馨主持的對段系、日方、外交團以及謀叛部隊等各方面的秘密工作，在晉、奉開戰之後仍繼續進行，其成果在北伐即將結束時，一一呈現出來。〔註43〕

（二）拒絕加入安國軍政府

1927 年 4 月底，奉方通過張宗昌探問閻錫山對張作霖登臺之意見，隨後請李慶芳電詢。李慶芳電曰，各帥公推張作霖登臺，孫傳芳已四度來電請奉張正大位，然以山西未有來電，暫爲沉寂，其日後必徵求山西同意，屆時如何應付，請閻錫山指明。對此問題，閻皆復曰贊成奉張肩負大任，「惟手續上似宜脫開軍人範圍，從公民方面求一適合方法」。〔註44〕

〔註38〕《晉閻最近態度　仍希望奉寧妥協》，《晨報》1927 年 5 月 18 日，第 2 版。

〔註39〕季嘯風、沈友益主編：《中華民國史史料外編（中文部分）前日本末次研究所情報資料》第 25 冊，桂林市：廣西師範大學出版社，1997 年版，第 478 頁。

〔註40〕曾任北京政府國務總理、外交總長。

〔註41〕內務部禮俗司司長。

〔註42〕參見羅貫倫：《閻錫山參加北伐的決策歷程：從保境安民到出師伐奉（1926～1927）》，第 125～128 頁。

〔註43〕可參考李泰棻：《閻錫山在「二次北伐」中取得京津地盤的原因》，中國人民政治協商會議全國委員會文史資料委員會編：《文史資料存稿選編．軍事派系（上）》，北京：中國文史出版社，2002 年版，第 829～833 頁。

〔註44〕《蚌埠張效帥安密哿電》，（4 月 20 日到），《復蚌埠張效帥安密養電》（4 月 22

對於奉張如何登臺，安國總部會商辦法三種，一是由北方省區代表公舉之；二是由安國軍三位副司令聯名推戴之；三由國會議員票選之。與會者多主第二種推戴法，提議由蘇孫或者晉閻領銜。閻得報後，復以「第三法正大，第一法不免貽人口實，但較第二法爲宜」，言下不贊成推戴。又以馮玉祥必藉口來攻爲由，婉拒領銜。〔註45〕且稱正大位宜俟時機：一、擊敗唐生智或馮玉祥後；二、取得南京或蔣、唐任何一方妥協後，方爲穩妥。晉閻此言與正在進行的妥協運動相配合，並可拖延奉張登臺，避免對妥協造成不利影響。〔註46〕但是蘇孫、魯張各將領多主擁戴，奉張本就懷疑山西對登臺一事未必贊同，因此李慶芳不便與眾議參差太多，除避免領銜之外，頗難立異，于國翰還稱請閻錫山「犧牲一下」。〔註47〕最終楊宇霆擬定計劃，5月中旬奉軍肅清江北後，奉張親自出巡石家莊、鄭州、徐州、濟南等地，與各將領會議，再登大位。〔註48〕奉張隨於5月10日召李，告以在楊到京後，自己將親往鄭州閱兵，詢以晉閻能在石莊一晤否。閻得此消息後，電覆自己因胃病未愈，不能親到。奉張即無出京必要，將待閻痊癒後再定會晤日期。由於晉閻以消極態度迴避，奉張南巡由眾將領擁戴就位之計劃未成，登大位事遂暫寢。〔註49〕

6月中閻錫山斡旋妥協失敗後，奉晉關係惡化。奉張登臺組織政府一事，加速進行，不再參考山西意見。6月16日晚由八位將領聯名、孫傳芳領銜通電，請奉張「勉就海陸軍大元帥」。〔註50〕6月18日，張作霖就任中華民國陸海軍大元帥，成立安國軍政府。選擇「大元帥」的稱號，是爲了仿照孫中山

日發)，《北伐奉張組安國軍政府案》。《北京李芬圃庚密陷電》(4月30日到)，《復北京李芬圃庚密冬電》(5月2日發)，臺灣國史館藏，《閻錫山史料》，《北伐北方黨政軍之運用案(二)》，微卷縮號：13100000770M，入藏登錄號：116000000065A。

〔註45〕《北京李芬圃裕密支電》(5月4日到)、《北京李芬圃庚密支二電》(5月4日到)、《復北京李芬圃庚密豪二電》(5月4日發)、《北京李芬圃庚密支三電》(5月4日到)、《復北京李芬圃庚密歌電》(5月5日發)，《北伐奉張組安國政府案》。

〔註46〕《復北京李芬圃庚密魚電》，5月6日發，《北伐奉張組安國政府案》。

〔註47〕《北京李芬圃庚密魚亥電》，5月7日到，《北京潘代表仁密虞電》，5月7日到，《北伐奉張組安國政府案》。

〔註48〕《順天時報》(北京)，1927年5月6日，第2版。

〔註49〕《北京李芬圃備密蒸三電》(5月11日到)、《復北京李芬圃備密眞亥電》(5月11日發)，《北伐奉張組安國政府案》。

〔註50〕《順天時報》1927年6月18日，第2版。八位將領依序爲孫傳芳、張宗昌、吳俊陞、張作相、褚玉璞、張學良、韓麟春、湯玉麟。

當年在廣東的局面，易於號召。晉方沒有發電響應，晉方代表也未出席。報紙稱就職儀式可謂莊嚴，「惟參列人員中不見元老，頗感寂寞耳」〔註51〕。潘復內閣，請李慶芳保留一閣席，意謂晉不可無人，李慶芳表示自己職務繁忙，難以兼顧，請他另薦一人入閣。〔註52〕潘復親訪，再請李就任農工、實業、司法、教育中任一席，懇請他顧全北方大局，毅然擔任，免奉、晉再生波折。李慶芳表示「未奉敝帥明示以前，不敢聞命」。〔註53〕當日晉閻得知後，即指示李慶芳對於奉張登臺一節「應暫守默然，閣員以不參加爲是，免失調人資格」。〔註54〕李慶芳於是告訴奉方，他以布衣身份調和奉晉更爲有效，以「職務甚繁，萬難再兼閣席且不願作官」辭掉閣席。〔註55〕

安國軍政府成分複雜，除了奉張之外，還有蘇孫、魯張。張作霖對於閻錫山多有忍讓，但張宗昌、孫傳芳等人則不然。據報載，張宗昌等決定電閻，請閻注重北洋袍澤，合作到底，措詞強硬，經張作霖主張改爲勸告語氣，免傷感情。李慶芳在7月中旬向張作霖傳達閻錫山意見，「謂爲依和平手段謀大局之安定起見，希望取消大元帥府，並表述總理之三民主義」。〔註56〕

與張作霖的忍讓不同，張宗昌憤憤指責：「山西十數年來每遇事，輒態度不明，這一次中樞改組，山西究竟贊成反對再難含混必須有明白之表示」。〔註57〕張宗昌聲稱青白旗接近共產黨，請山西改用五色旗。〔註58〕向晉方提出四個條件：甲、山西取消旗幟；乙、合力攻馮救豫；丙、願任先向中央劃歸山西之權利；丁、願任向奉方疏解一切誤會。對於張宗昌的要求，晉方代表回應道取消旗幟一節絕難辦到。〔註59〕

潘體仁電告閻錫山，奉派人物以晉馮爲一體，擬武力相向。但楊宇霆提議與山西商討防馮辦法，因爲蔣介石下野，是馮玉祥不攻漢之結果，蔣不滿馮，

〔註51〕《順天時報》1927年6月19日，第2版。
〔註52〕《北京李芬圃庚密銑亥電》，6月18日到，《北伐奉張組安國政府案》。
〔註53〕《北京李芬圃庚密篠子電》，6月18日到，《北伐奉張組安國政府案》。
〔註54〕《復北京李芬圃備密巧電》，6月18日發，《北伐奉張組安國政府案》。
〔註55〕《北京李芬圃備密皓電》，6月19日到，《北伐奉張組安國政府案》。
〔註56〕《晉代表勸奉取消帥號》，《申報》1927年7月15日，第6版。
〔註57〕《北京蘇代表潘代表義密巧電》，7月20日到，《北伐北方黨軍政之運用案（二）》。
〔註58〕《北京李芬圃備密敬亥電》，8月25日到，《北伐北方黨軍政之運用案（二）》。
〔註59〕《北京蘇代表南代表華密敬電》，8月26日到，《北伐北方黨軍政之運用案（二）》。

山西擁蔣當然反馮，故不妨與山西實行接洽，故對晉用兵又較和緩。〔註60〕從此電報可看出楊宇霆等新派人物對於奉、晉關係所起到的緩和與調節作用。閻錫山在日本的幫助下，與新派人物開展和談工作。

三、列強的態度與影響

北伐戰爭不僅是中國的南北之爭，也是一場具有國際影響力的戰爭。作爲被打倒對象的英、美、日等列強，在中國勃興的民族主義潮流之下也感受到強大壓力、受到很大衝擊。他們密切關注北伐的進展與南北雙方關係的變化，並適時調整對華政策。列強對於北伐進程以及時局影響殊爲重大，例如「南京事件」、「濟南事件」、「皇姑屯事件」都與列強有直接關係。據學者研究，蔣介石的「四・一二」政變及隨後的清黨，與列強的支持也不無關係。〔註61〕奉、寧、晉之間的南北和議不只爲國人所關注，列強也扮演了相當重要的角色。閻錫山與其部下甚爲關心列強的態度，各地代表時不時向閻錫山彙報列強在華動態。閻錫山的易幟有沒有受到列強的影響呢？

面對洶湧的革命潮流，爲擺脫「頭號帝國主義」的不利地位，英國在北伐開始後不久，就決定迅速調整對華政策，把「改善與國民政府關係」放在第一位，並以中國問題專家藍普森（Miles Lampson）替換鍾情於北方軍閥的原駐華公使麻克瑞（Sir Ronald Macleay）。〔註62〕藍普森在1926年11月抵達香港，當時正值國民革命軍誓師北伐不久，進軍神速，加以國民革命軍北伐初期之戰略，爲分化北洋陣營，以利各個擊破，所以在進攻吳佩孚與孫傳芳的時候，極力拉攏張作霖。廣州與瀋陽之間的信使來往頻繁，張、蔣合作之說盛傳一時。〔註63〕藍普森沒有先到北京履任，而是先去武漢，與國民政府外交部長陳友仁會談修約事宜，但並未達成具體成果。藍普森於12月底北上，先到天津，與張作霖會談。12月25日，溫壽泉致電閻錫山，彙報藍普森與張作霖會談意見如下：

〔註60〕《北京潘代表等華密巧二電》，8月21日，《北伐奉張組安國政府案》。

〔註61〕參見邵鼎勳：《中國第一次革命戰爭時期的美日勾結》，《歷史研究》1958年第8期，第11～30頁。

〔註62〕「British Representation in China」，July 15,1926，《英國外交檔案》，FO，371/11690,轉引自申曉雲《四一二前後的蔣介石與列強》，《歷史研究》2000年第6期，第98頁。

〔註63〕毛思誠：《民國十五年以前之蔣介石先生》，香港：龍門書店，1965年版，第19卷，第112頁。

英使藍博森昨已抵京，日前過津晤張。時藍謂中國南北情形截然不同，已有分立之勢，似不如分疆治理之爲愈也。南中僅有愛國之士，民黨之中左右分派，不能一概而論。張謂中國歷史只有北方打勝南方，絕無南方統一北方之事，我一息尚存，必當討赤到底云云。〔註64〕

由這則電報可以看出，英國希望中國能夠南北分立而治。當時的很多中國報紙也報導藍普森建議張與南方停戰，雙方劃江而治。〔註65〕根據英方檔案，藍普森認爲南北之間似已陷入僵局，雙方皆無力渡過長江，主張南北雙方的穩健派應合作，共同對付南方的激進派。〔註66〕但張作霖認爲中國歷史上沒有南方戰勝北方之說，他必討赤到底。

1927年4月，針對共產主義與中國共產黨，南北各發生了一件大事：在北方，張作霖派人搜查了俄國大使館，逮捕了李大釗等人，並發現了一批蘇俄陰謀赤化中國的文件，此事影響極大；在南方，蔣介石在上海發動了四·一二清黨，南京國民政府與武漢國民政府成對峙之勢。1927年5月7日，李芬圃致電閻錫山，彙報南北狀況及列強態度：

英日因發現俄館秘件，有排外先英後日，赤化先支那後朝鮮等陰謀，對中國赤化有防制決心，惟防制辦法尚在研究中，蔣介石知非反赤不能立足，故大肆捕殺。英日對南望蔣討赤，對北則催張登臺。漢口政府對於五一五四遊行嚴加取締，亦鑒於外形勢。我晉制止遊行，均佩先見。總部對河南軍事同抱樂觀，惟皖北軍事正急，故在豫奉軍前線暫不深入。……蔣已認定赤化重心在唐馮二人。〔註67〕

這一階段的南北和議，藍普森更多是遵循英國的指示，沒有過多介入。

〔註64〕《北京溫代表培密敬電》，12月25日到，臺灣國史館藏，《閻錫山史料》，《北伐黨軍莫定贛鄂進克浙閩寧滬案》，微卷編號：131000007769M，入藏登錄號：116000000058A。

〔註65〕參見《東方雜誌》24卷4號，第110頁。，及沈雲龍《黃膺白先生年譜長編》，臺北：聯經出版事業公司，1976年版，第226頁。

〔註66〕Lampson to F.0.23Dec.1926,F0371/11664(F5715/10/10).轉引自唐啓華《英國與北伐時期的南北和議（1926～1928）》，臺中：興大歷史學報第三期，第132頁。

〔註67〕《北京李芬圃裕密陽午電》，1927年5月7日到，《北伐清黨始末與國府遷寧案》。

〔註 68〕從李芬圃的電報中可知，英國仍舊持有南北和談的態度。總之，從 1927 年 4 月一直到 1928 年 4 月，英國的基本態度爲希望南北和議成功，但絕不干預；若受南北雙方同時邀請，英國願盡力調停，但審慎地避免任何傾向某一方的舉動。

美國也很想在中國事務中佔有一定的重要位置，但又因爲自己國內同情中國革命的力量很大，只好表示「中立」立場，美使館馬格德（John・MacGruder）〔註 69〕讓潘連茹轉告閻錫山，美國純爲通商，並無「偏甲偏乙之成見也」。〔註 70〕另外，據南桂馨給閻錫山電報中稱，美政府電召馬慕瑞大使回國，表面謂是咨詢華情，實則因中國當局事事求教於田中，現在日本之勢力已深入中國北部，今後政治將爲日本所操縱，若國民黨得勢又有聯俄之虞。中國對美之親交，不免疏離。今後美國只有自顧，一任中國之紛亂而已。觀此則知美承認南京之舉實屬不確。〔註 71〕美使館馬格德告訴潘連茹，奉方財政困難，南攻受限，英國並沒有以經濟援助奉方：

> 奉方主戰而財政又無辦法，是其致命傷，乃外傳英國以經濟協助奉方，斷無其事；豫中奉軍現在駐馬店附近尚未與唐軍正式接觸，近數日仍係與靳軍衝突。奉占優勝，奉方以給養困難且豫西危機四伏，似不積極南攻。〔註 72〕

奉張組建安國軍政府，就任陸海軍大元帥後，招待外使。十二國公使、代辦與會，奉張演說尊重國際信義、保障外人安全，而各公使無答詞。且外交團方面已決定避免承認新政府，對外解釋只是受張個人招待，未著禮服出席。〔註 73〕

1926 年 11 月底，溫壽泉告訴閻錫山，日本使者認爲外交團對於南北的態度是：「黨政府若遷武漢，英人或首先承認，美人心理早已南傾，承認自無問題。日本方面亦承認黨軍有政府有辦法主張，較北方軍閥爭地奪權、毫無辦

〔註 68〕唐啓華：《英國與北伐時期的南北和議（1926～1928）》，臺中：興大歷史學報第三期，第 133～134 頁。

〔註 69〕【美】John・MacGruder（1888～1958）：1920～1923 年任駐華使館副陸軍參贊。1941 年奉羅斯福總統命再度來華，以陸軍中將任美國駐華軍事代表團團長。因在美援問題上與蔣介石意見不合，1942 年回國。

〔註 70〕《北京潘代表仁密佳電》，1927 年 5 月 10 日到，《北伐清黨始末與國府遷寧案》。

〔註 71〕《北京南處長等華密微電》，1927 年 8 月 7 日到，《北伐奉張組安國政府案》。

〔註 72〕《北京潘代表仁密佳電》，1927 年 5 月 10 日到，《北伐清黨始末與國府遷寧案》。

〔註 73〕《順天時報》1927 年 6 月 19 日，第 2 版；1927 年 6 月 20 日，第 3 版。

法主張者，不能一概而論。」〔註 74〕由此可知，英美日三方皆已傾向南方，日本也認爲黨軍比只知爭權奪地、毫無主張的北洋軍閥強，奉日關係漸趨緊張。

從上可知多數國家並不再單一親近奉張，都表現出承認南方政府的傾向。對於閻錫山斡旋南北和議，英國表示支持，美國則保持中立姿態。從中可推測閻錫山對於英國與美國並無太多顧慮，他特別在意的是日本的看法，甚至倫敦也很重視東京的態度。日本政府關注中國政局，希望中國出現南北兩個政府，以便分而治之。張作霖及一班部將比較守舊，不肯接受易幟，軍事上又接連失敗。在對頑固的張作霖失望之後，日本將目光投向閻錫山。閻錫山的駐京代表與日本駐華大使關係十分密切，他們彙報給閻錫山的很多消息都是直接從日本方面獲得的，而閻錫山也是通過日本將很多消息轉達給張作霖，日本在奉晉之間起到相當重要的調節作用。

1927 年初，溫壽泉潘連茹電告閻錫山，奉日外交問題益陷僵境，奉方在落地稅、二五附稅、金票等問題上與日本發生衝突，楊宇霆、莫德惠等以外交棘手、金融恐慌，兩日連電張返奉，張本有返奉意，但因外人警告及各方挽留，已聲明在京度歲，主持一切。奉票暴落，勢將激成巨變，張作霖連日派人向日本商借整理金融款，但其結果爲日商以奉票發行太濫數目太巨，已拒絕借貸。「張雨帥近頗感政治複雜，非常悲觀，有停止大選運動之意，其部下亦意見不一，各爭權利，故前途殊少發展之望」。〔註 75〕日本在經濟上面制裁奉方，導致奉方資金困難，此可視爲日本對奉張失望的一個例證。但這並不代表日本會放棄奉張，日本更願意促進奉張與南方合作。

1927 年 4 月，溫壽泉告訴閻錫山，日本有斡旋南北妥協之意圖：

> 在日本方面多數人心理以爲南北妥協條件最好，在北方排除舊軍閥如張作霖、張作相、吳俊陞等，在南方驅逐共產黨而以南北新式軍人成立妥協，則南北統一可以成功矣，惟在奉張得意之今日，此事恐不易做到。此時山西宜與奉軍中之反奉者及其他同志本此主義聯絡進行，一方與西北軍確實結合共成一同盟軍，待機而動，果

〔註 74〕《北京溫代表肅密勘電》，1926 年 11 月 29 日到，《北伐黨軍奠定贛鄂進克浙閩寧滬案》。

〔註 75〕《北京溫代表潘代表肅密陷電》，1927 年 1 月 30 日到，《北伐奉張組安國政府案》。

能如是，似可稱山西自衛上最必要之辦法，但此事絕非純用武力且有待時機之必要。不得不聲明云云所言甚有見地，特電陳以備參考。〔註76〕

從這則絕密電文可知，日本觀望政治軍事形勢的發展，奉張的失勢與頑固，使得日本想讓閻錫山主持北方大局，以取代張作霖。1927年5月25日，蘇體仁、潘連茹致電閻錫山，日本明確表示奉將退出關外，由山西維持北方政局，斡旋南北，早息戰爭。〔註77〕6月，蘇體仁、潘連茹電閻錫山，土肥原稱，太原的電報由本莊中將傳遞給張作霖。張作霖已經決定贊同三民主義，但沒有答應下野，蔣介石到達徐州後，會與奉方議和，彼時請山西從中斡旋，日本支持山西維持京畿：

奉軍退守河北，絕不放棄京津，其敗退情形並非如所傳之甚。日前由太原所發二電曾由本莊中將，將全文陳諸張作霖。……彼方已決定贊成三民主義，下野一說似覺非時機。彼方對於討赤，始終不變，猶願與山西合作妥協事因蔣無覆電，楊認爲無誠意。蔣通過日本人轉告說到徐州就不再前進，各派代表在相當地點進行會商。奉方得到消息後，覺得大有機會議和。極盼由山西出爲斡旋。又說奉軍北去，由山西維持京畿一節，日本方面甚所歡迎。不過奉軍現在決定不退，尚不便與之言。〔註78〕

據土肥原言，日本參謀本部第二部長松井石根到南京會晤蔣介石與胡漢民，回京後，將妥協條件告之，一項爲接受三民主義，另一項爲以國民會議解決一切，只此兩項而已，別無要求。對於山西要求的易幟改稱，土肥原認爲改稱國民革命軍，奉方也可以辦到，「惟不便操縱之過急，在彼等（按：張作霖等人）眞頑神經過敏」〔註79〕。儘管有日方的壓力，「神經過敏」的張作霖仍不能接受易幟改稱之要求，寧奉妥協以失敗告終。

1928年初，蔣介石再次上臺，開始進行二期北伐。5月3日日本出兵山東，製造濟南慘案。事發後，南京國民政府與北京安國軍政府分別向日本提

〔註76〕《北京溫代表榮密文三電》，1927年4月13日到，《北伐奉張組安國政府案》。

〔註77〕《蘇體仁、潘連茹五月二十五日徑電》，《民國閻伯川先生錫山年譜長編初稿》（二），第750頁。

〔註78〕《北京蘇代表潘代表義密江電》，1927年6月4日到，《北伐奉張組安國政府案》。

〔註79〕《北京溫代表等義密虞二電》，1927年6月9日到，《北伐奉張組安國政府案》。

出抗議，國內各階層普遍呼籲雙方就此息爭，合力對外。張作霖答應停戰，退回關外。日本製造皇姑屯事件，炸死張作霖，卻在客觀上促使張學良東北易幟，中國實現形式上統一。楊天石認爲這是「國民黨人的一個勝利，但是也是土肥原『以晉代奉』計劃的勝利。這是一個不無遺憾的結局」。〔註 80〕假如 1927 年 4～8 月間的和談成功，中國或許是另一番景象，其失敗之原因實有探討之必要。

四、倒向南京國民政府

蔣介石於 1927 年 1 月 31 日提請國民政府任命閻錫山爲國民革命軍北路總司令，中國國民黨中央政治會議 2 月 2 日通過，國民政府 3 月 11 日特字第 38 號令任命。1927 年 5 月 22 日，南京中央政治會議又通過任閻錫山爲國民政府委員的決議。1927 年 6 月，閻錫山易幟之時，自封爲北方國民革命軍總司令，南京方面給予追認，中央政治會議 108 次會議通過咨請國民政府任命。〔註 81〕

「北方總司令」與「北路總司令」含義區別甚大，後者是昭示閻錫山爲北方革命首領，其實際是在與馮玉祥爭奪北方的革命領導權。南京方面對閻錫山所提出的要求，在政治上是清黨，在軍事上是配合北伐軍進佔徐州，晉軍出兵石家莊，一舉攻克京津。閻錫山一向反對共產黨與共產主義，自是贊同清黨。另外，蔣介石允諾給晉閻的地盤與政治地位比武漢方面更爲優越，而且蔣介石獲得了江浙財閥與列強國家的支持，在寧漢對峙中的取勝幾率大大增加，閻錫山更願意追隨蔣介石進行革命。

閻錫山與南京政府的關係，不如說是閻與蔣的關係，而兩人之間早已建立起直接聯繫渠道。早在 1927 年 1 月間，作爲蔣密使穿梭南北的何澄就曾在和北京的溫壽泉接頭後，轉赴太原，當時溫稱何「與蔣私交較厚，所談南中情形頗有獨到之處」〔註 82〕，可知蔣、閻之間已有個人信使往來。而晉閻之代表，往往派往同處不只一位，且常互不相隸，又有專使與常川駐紮的代表之分，〔註 83〕如此不僅可接收不同來源的情報，亦可保持靈活運用之彈性。

〔註 80〕楊天石：《蔣介石與南京國民政府》，第 193 頁。

〔註 81〕參見《國民政府公報》，寧字第 7 號，第 61 頁。

〔註 82〕《北京溫代表潘代表肅密文電》(1927 年 1 月 13 日到)。何澄字亞農，日本陸軍士官學校畢業學生。

〔註 83〕例如在北京，以田應璜爲山西駐京代表，田病故後，又派李慶芳爲代表。而

〔註84〕

1926 年就被閻派至孫傳芳處，活動於寧滬之間的參議梅焯敏，在寧漢分裂前夕身在上海，亦以所見報告閻錫山，稱「共產黨倒蔣，傾軋可怕，但國民黨仍北伐」。〔註85〕在蔣主持清黨後，梅則稱「國民黨、共產黨預備戰事，將停北伐，望對黨部宜愼重」，〔註86〕3 月底梅赴寧謁蔣中正，蔣囑梅即回面述：「共產黨將撤銷，各處共產黨正辦收束」。〔註87〕梅在 5 月下旬返抵太原，帶回蔣致閻信箚二封，其中略言「剷除共產，整理內部，沿海肅清，次及湘鄂」。〔註88〕

何澄作爲南京方面的密使，在 3 月 22 日前後到北京，與溫壽泉接頭，傳達蔣介石口信：（一）不主張山西現在用兵，須俟彼此確實聯絡後，再行同時動作，在此和緩期間，以和平手段解決一切。（二）清黨運動亟宜實施。（三）南京政府成立須賴閻、馮暗中讚助，方可奠定基礎，倘能爭取唐生智反省，則武漢政府不成問題。總之，蔣意在「以閻、馮、蔣三人團結，造一三民主義國家」。〔註89〕

閻、蔣雙方有比較固定的聯繫，應是劉棫作爲晉閻駐南京代表之後。蔣介石通過劉棫向閻錫山提出以閻錫山爲調停人斡旋寧奉晉三方合作的要求。5 月 3 日，劉謁蔣後，即來一電告閻，稱蔣「正欲派人與晉聯合，云山西軍隊須緩期北伐，俟南京軍隊佔領漢口後再進攻，南京現正清理黨部，對鮑羅廷當施堅決手段，又蔣意寧與奉合作，不與左派合作」〔註90〕。此電報是蔣首次向閻明確表示可與奉合作之意圖。此後閻、蔣雙方接觸聯絡，多以寧、奉、晉三方妥協合作爲主要內容，這將在本章第三節詳加討論。

7 月 7 日，南京國民政府委員會改組，蔣介石、胡漢民、馮玉祥、閻錫山、

同時又有山西駐北京辦公處，主持者爲溫壽泉、蘇體仁、潘連茹、南桂馨等人。

〔註84〕羅貫倫：《閻錫山參加北伐的決策歷程：從保境安民到出師伐奉（1926～1927）》，第 57 頁。

〔註85〕《上海梅動彝庚電》，1927 年 4 月 10 日到，《北伐清黨始末與國府遷寧案》。

〔註86〕《上海梅動彝養電》，1927 年 4 月 30 日到，《北伐清黨始末與國府遷寧案》。

〔註87〕《南京梅焯敏感電》，1927 年 4 月 30 日到，《北伐清黨始末與國府遷寧案》。

〔註88〕《致南京蔣總司令晉密箇電》，1927 年 5 月 21 日發。

〔註89〕《北京溫代表蘇代表榮密養三電》，1927 年 4 月 23 日到，《北伐清黨始末與國府遷寧案》。

〔註90〕《南京劉樸忱張雲卿江電》，1927 年 5 月 5 日到。

李烈鈞等 46 人爲委員；7 月 9 日，國民政府發表國民革命軍北方軍軍長名單。7 月 15 日，北方國民革命軍進佔石家莊，奉軍退守正定，奉晉衝突已成必然之勢。閻錫山對奉漸強硬，但其始料未及的是，整體大局劇烈變化，導致蔣介石下野。

1927 年 7、8 月之交，武漢當局一面宣佈分共，一面準備討蔣，漸將軍隊集中江西預備東征。蔣介石兩面受敵，兵力分散，7 月中旬以後在直魯軍大力攻擊下，節節敗退，臨城、徐州相繼失陷。因徐州爲蔣與馮玉祥軍隊聯絡樞紐，蔣想要收復徐州，以打通與馮玉祥的聯繫。7 月 25 日，他親赴前線指揮，乃電請馮玉祥一面派大軍前來會攻，一面牽制武漢軍隊勿使東下。然以軍隊新敗，將領內部又矛盾重重，不能用命，馮軍亦無法會和聯絡，因此蔣軍隊雖然一度兵臨城下，最後仍不得不全軍撤退，從徐州敗退浦口，一氣潰逃 700 餘里。此次重挫，可謂北伐最大敗績，士氣頹喪異常，不僅無法再戰，一受敵壓迫，即無秩序撤退至長江沿岸。〔註 91〕津浦路的失敗，使南京政府處境危險。北面，孫傳芳部隊長驅直下，大有兵臨城下之勢；西面，唐生智東征軍正向南京逼近。南京兩面受敵，危如累卵。蔣介石不得不採取自動下野的策略，以減輕南京所受軍事壓力。

蔣於 8 月 5 日決計由徐州撤退之時，曾致電閻錫山，告以今日策略應先解決武漢，而與奉方和緩，若何成濬與奉談判，請何問其能否先撤回徐州之兵以表示誠意。〔註 92〕蔣下野後，劉棫隔日即獲得消息，電詢閻錫山可否直接「電慰挽留」。〔註 93〕閻錫山 15 日即致電蔣介石表示挽留，稱：「我公有消極意，黨國存亡之秋，維持支柱責任在我公，遽萌退志，竊期期以爲不可，務請勉抑高懷，力任維艱」。〔註 94〕16 日劉棫又連發數份電報向閻錫山彙報寧漢兩方狀況：「漢派既一致反共，僅蔣中正個人關係而武裝同志仍不免兵戎　，蔣有意要辭去職務以免糾紛」。「蔣中正下野宣言八日發表引退爲謀黨福望來者繼續努力」，「介石公血性男子，愛國壯士，但所處環境惡劣，一般革命人

〔註 91〕參見臺灣國防部史政局編《北伐戰史》第 3 冊，臺灣：中華大典編印會，1967 年版，第 6 章第 4 節。

〔註 92〕《南京蔣總司令川密微電》，1927 年 8 月 6 日到，《北伐清黨始末與國府遷寧案》。

〔註 93〕《南京劉樸忱裏密巳電》，1927 年 8 月 14 日到，《北伐清黨始末與國府遷寧案》。

〔註 94〕《上南京蔣總司令川密咸電》，1927 年 8 月 15 日發，《北伐清黨始末與國府遷寧案》。

物老者眞腐朽少者極輕狂，建設力毫無，浪漫性皆是，以故負責無人」，「總之多數人好利忘義，政變醞釀日久，黨國前途可慮」。〔註 95〕

從電文中可看出，劉對蔣「被迫下野」充滿同情。蔣的下野對於山西方面影響頗大。7 月底時，閻錫山對寧方戰事不知詳情，甚至還有與寧蔣配合，一舉扳倒奉張之計劃。8 月初蔣介石下野，晉閻失去最重要盟友奧援後，不僅暫無扳倒奉張之期待，且馬上又感覺到來自奉方的強大壓力。8 月 8 日奉張扣得山西政治部致南桂馨的電報一件，內云晉閻與何亞農（何成濬）、何雪竹（何澄）以及馮玉祥代表劉治州等會議，均以「易幟改帥」爲先決條件，否則不必再議，閻已允馮速發四萬人入魯北，不日對京將有最後之通知，限期答覆。奉方內部因此嚴行備戰，反對上次主張妥協者。〔註 96〕

在此情況下，閻錫山一方面加強與馮玉祥的聯絡，希望他嚴守以往與蔣、晉之約定，一方面爲圖自存，大展手段，「而有驚人之舉：透過和魯張協商，先與奉方聯合對馮」，「此事牽動山西態度甚大，而其後所引發之危機，卻成爲晉、奉戰爭爆發的直接原因之一」。〔註 97〕

第三節　閻錫山斡旋南北及失敗原因

一、南北和議緣起及前期經過

北伐時期，南北之間除了交戰之外，和平接觸也一直不斷。北伐伊始，國民革命軍的作戰方針是「打倒吳佩孚，聯絡孫傳芳，不理張作霖」，希望避免實力強大的張作霖介入；另一方面也因張作霖與孫中山、段祺瑞早年有過「三角同盟」的淵源，自北伐開始就派人和張聯繫。

1926 年底，國民革命軍相繼擊敗吳、孫，遷都武漢，進軍長江下游。同時，張作霖也由東三省伸張勢力到直隸與山東，並接受孫傳芳投靠，在天津就任「安國軍」總司令，高舉「反赤」旗幟，團結北洋軍人，儼然北方盟主。

〔註 95〕《南京劉樸忱雲密紅四電》，《南京劉樸忱裏密紅五電》，《南京劉樸忱裏密紅七電》，《南京劉樸忱裏密萬四電》，1927 年 8 月 16 日到，《北伐清黨始末與國府遷寧案》。

〔註 96〕《北京南處長等華密魚二電》，1927 年 8 月 8 日到，《北伐奉張組安國政府案》。

〔註 97〕羅貫倫：《閻錫山參加北伐的決策歷程：從保境安民到出師討奉（1926～1927）》，第 115 頁。

南北兩大陣營遙相對峙，和戰未定。1927 年 4 月，國民政府內部分裂，寧、漢互相敵對，北伐中止將近一年；其間南京與北京之間信使往來頻仍，張、蔣合作的傳言不絕於耳。直到 1928 年 4 月，國民革命軍全面展開第二階段北伐，張、蔣正式兵戎相見，南北和議之說才逐漸消退。

1927 年 2 月，山西駐京代表溫壽泉從日本方面得到有關南北和談的確切消息，奉張顧問趙欣伯轉託「某外人」與陳友仁、蔣中正接洽，其所提條件已得奉方同意者如下：

> （一）奉軍與黨軍合作解決吳孫，南北通力對外（二）黨軍需中止於杭州，不得入蘇皖境（三）江蘇給張宗昌，安徽給王棟（四）黨軍出兵信陽，奉軍出兵鄭州，會同解決吳部（五）將來河南全境歸奉軍，黨軍撤至武勝關以南（六）南方須聲明反對共產，將俄顧問一律解職（七）南方須承認張作霖爲北方及中部十八省區之首領，即直魯豫蘇皖晉陝甘奉吉黑熱察綏，除浙閩粵贛桂湘鄂川滇黔十省外，其餘得擁張爲對外之元首，南方不得有異議等語。〔註 98〕

蔣介石答覆的四點內容亦由「某外人」傳達，首先申明國民政府與奉軍議和的原因，不是爲了「博合作之名義」，「國民政府始終避免與奉軍交戰，一則厲害上不相接觸；二則原爲妥協上留一條道路」，南方攻打孫吳「不是私仇，係爲國民力爭解放，爲國家收回主權，不是要吳孫之地盤」，「若奉方反對吳孫而能與中國北部人民接近，即無合作之協定，南軍亦必爲之敬禮」。對於張作霖要求的南方需要將俄國顧問一律解職一節，蔣介石以奉系也有日本顧問的例子來反駁：「南政府聘任顧問，不僅俄人且有美人、日人甚至英人，若必欲認俄人以共產，則北方聘任英日人爲顧問者其數不少於南方，本政府從未說即是帝國主義，要求解去其職，顧問客鄉地位，職權有限，奉方之松井町野其例也」。〔註 99〕

對於「南方須聲明反對共產」這一要求，蔣介石聲明南方信仰的是三民主義，三民主義絕不是共產，北方不該有此成見。如果北方不認同三民主義與爭回國權，可不必與國民政府接洽：「南方三民主義絕非共產，亦非因奉方派員來始有此言，予之聲明早已在人民耳目之中，若北方誤以三民爲共產，則錯誤太甚，如尚懷疑南方爲共產，則其無合作之成見已先表現，故南政府

〔註 98〕《北京溫代表平密號電》，1927 年 2 月 22 日到，《北伐奉張組安國政府案》。
〔註 99〕《北京溫代表等平密賀電》，1927 年 2 月 21 日到，《北伐奉張組安國政府案》。

始終服膺三民主義，若不以三民主義與爭回國權爲然者，可不必與南政府接洽。」〔註 100〕蔣的語氣與感情強烈，態度傲慢，可知他對張的第六點要求十分生氣。

對於北方關於如何劃分北方地盤、軍事合作之事，蔣介石表示「南方抱定不干涉北方內部，奉軍在北方如何進行政治，南方均不問，無論吳孫聯合或反對亦非南方所欲聞」，「但對陝甘之國民軍區域不得爲敵，否則南方政府亦敵視之」，要求張作霖不得與馮玉祥爲敵。蘇皖劃爲緩衝地帶，南北都不可駐兵。「至安徽江蘇應作爲緩衝，由該省人民自推省政府，南北不得據爲駐兵區域」。蔣介石對於自己領導的黨軍之紀律、黨軍動員人民群眾的能力、人民對於黨軍的歡迎、軍民關係十分自豪，宣稱「南政府將浙江孫軍肅清後，亦必將浙江放棄，若孫軍仍盤踞蘇皖，則蘇皖人民之反孫行動，奉軍不得干涉，我黨軍之所長者凡佔領一省，不須派兵駐紮，完全由人民合作而維秩序，非若吳孫佔據一縣須駐兵，一撤兵地即失卻，故希望奉軍亦照南方辦法，則中國人民因軍民合作之故，尚何奉黨議和之足云。」〔註 101〕

從 1926 年底到 1927 年 4 月，北伐軍事進展順利，所向披靡。蔣介石正自得意，遠交近攻，張作霖的要求過分，他的回覆亦毫不客氣，兩方都顯得誠意不足。1927 年 3 月初，梁士詒之代表到達武漢，南方當事人告以南北合作之事，要等國民革命軍攻克上海後再說。〔註 102〕

二、閻錫山斡旋奉寧晉三角聯盟

據當時報紙記載，自閻錫山易幟改名後，北方時局焦點集中在「和」「戰」二字。就和戰本身而言，固極簡單，然一議及和如何和法，戰如何戰法，則又複雜而繁重，絕非片言隻語所能決定。奉方自然不想作戰，南京政府似乎也不能越徐州北上，又要防止「似友非友似敵非敵」的武漢政府乘機漁利。〔註 103〕

在此背景下，蔣介石又開始謀求以政治解決奉方。閻錫山「對南無惡感，對北關係又深」，自然是調解南北的最好人選。李慶芳向閻錫山建議，晉派兵

〔註 100〕《北京溫代表等平密賀電》，1927 年 2 月 21 日到，《北伐奉張組安國政府案》。

〔註 101〕蔣介石答覆部分皆出自《北京溫代表等平密賀電》一電文，1927 年 2 月 21 日到，《北伐奉張組安國政府案》。

〔註 102〕岑學呂：《三水梁燕孫先生年譜》，臺北：商務印書館，1978 年版，第 990～992 頁。

〔註 103〕《南北議和大勢已定》，《晨報》1927 年 6 月 9 日，第 2 版。

入京，「前見恨於奉魯後見嫉於馮唐」，會成爲眾矢之的，若以主義來收拾時局，「太過者制止，不及者鞭策」，則可名正言順。〔註104〕由此閻錫山在與各方的電報中，緊緊抓住的一點即爲「主義」，一切以三民主義爲依歸。

閻錫山力勸張作霖服從三民主義，轉向國民黨接洽和平辦法。〔註105〕李慶芳也極力向奉方「推薦」三民主義，說可以利用三民主義吸收群眾。奉方要人則紛紛表示三民主義可以接受：交通系之梁士詒、葉恭綽等「深致讚佩」，于國翰「已全瞭解，認爲可行」，楊宇霆則聲稱再交政治會討論，並言「奉張對閻極尊重，盼閻常有進言」。〔註106〕李慶芳又謁見張作霖，據稱張態度極爲懇切，並囑李逐日五、六時隨便謁談，並謂將入豫檢閱，望彼時能與閻在石家莊會晤。後奉張又對李表示，以三民主義結合群眾一節，可會同楊宇霆詳細研究，李進言此乃「以民黨以制共產、以多數制少數、以好辦法代壞辦法」，使奉張頗爲動容。〔註107〕鑒於張作霖對於「三民主義」的鬆動，閻錫山向蔣介石彙報，「此間日來力說奉方服從三民主義，更換旗幟，頗有進展」。蔣介石則答以奉張若以主義爲依歸，「政治解決，非不可能」。〔註108〕

隨著時局變動與和談進行，閻錫山的政治主張有所變動，但總體來說，主要內容是一致的，即妥協「第一步是贊成三民主義，第二步爲改稱國民革命軍，第三步爲懸掛青天白日旗」。〔註109〕安國軍政府成立後，又增加兩項，一是取消安國軍政府，二是張作霖下野，將政權移交張學良與韓麟春。至於閻錫山的主張是直接來自於蔣介石的指示，還是晉閻獨自提出的，現在看來，應該是參考了南京方面的意見，由閻獨自提出。正因如此，在晉閻堅持「三民主義、改稱、易幟」三步妥協步驟不肯讓步的情況下，奉方甚至一度想要繞開晉閻，直接與南京溝通。

自閻錫山決定反奉後，奉軍唯一的退路京奉線突然緊張起來，張作霖集中全軍力量於山海關，決作最後孤注。晉軍進兵石家莊方向，馮玉祥亦開始北進，奉軍新舊二派在此震動之際又發生爭議。舊派吳俊陞等主張撤兵出關，

〔註104〕《北京李芬圃庚密支子電》，1927年6月4日到，《北伐黨政軍之運用案（一）》。

〔註105〕參見《民國閻伯川先生錫山年譜長編（初稿）》（二），第753頁。

〔註106〕《北京李芬圃裕密歌電》，《北京李芬圃庚密末電》4月5日到，《北伐黨政軍之運用案（一）》。

〔註107〕《北京李芬圃庚密支電》，4月5日到；《北京李芬圃庚密陽電》，4月8日到，《北伐黨政軍之運用案（一）》。

〔註108〕《民國閻伯川先生錫山年譜長編（初稿）》（二），第756頁。

〔註109〕《奉寧晉同時妥協乎？》，《晨報》1927年6月14日，第2版。

保住東三省，新派楊宇霆等主張與南京、山西妥協，以維現局。〔註 110〕日本努力促成奉系新派人物與閻錫山、蔣介石的合作。閻錫山與張學良、韓麟春等人的電報充分說明了晉與奉新派人物的和談事實。

1927 年 5 月 11 日，張學良讓李慶芳轉告閻錫山，「張作霖贊成聯蔣討共，完全接受閻錫山主張，對蔣不再進攻，勸蔣覺悟，肅清武漢，確立國家大計，這是南北妥協之張本」。〔註 111〕並呼籲「此時共黨在南勢力已成，若蔣再失敗，更無辦法，北方只家父與百帥二人。百帥資望不能再守緘默，問馮氏決定以主力取河東，奉願以實力助晉軍」。〔註 112〕閻錫山回應贊成聯合討共，「電悉共黨有精神有後援，有一省，即可利用地主養百萬死黨，可怕孰甚。聯蔣滅共，漢卿兄早見及此，甚佩。即請奉方聯合楊柳（楊森、劉文厚）蔣等集合討共，毋使滋蔓。」

1927 年 5 月 18 日，邢士廉在答記者問時，聲稱張作霖平時對於三民主義就不反對，但是對於易幟和改稱國民革命軍一層，仍需研究，且「北京政局現已著手徹底改革，如蔣介石有妥協誠意，照三民主義建設一切，自無不可。惟懸青天白日旗及改稱國民革命軍一層，實有研究之必要」，「惟望彼此均在大處著眼，對於細節，不必要求過甚。雨帥此時對於妥協之具體意見，在先停戰，一切糾紛，待召集開國民大會解決。希望百帥竭力調停，以期國是得以早日解決」。〔註 113〕

五月中旬，張作霖向蔣介石提出和議條件。據潘連茹從日館武官長本莊中將那裡得知，奉方只有兩個條件：一、剷除共黨；二、與俄脫離關係。如果蔣介石答應這兩個條件，津浦戰事立即就可以停止。妥協步驟大致爲先停戰，以長江爲界，成立南北兩個政府，然後再建立統一政府。但蔣介石決定要打到徐州後再談，南京方面短期之內對張的條件不會有回應。

1927 年 5 月底，閻錫山再次通過李慶芳向張作霖轉達，他替奉方設想的解決辦法：

> 當此迫切之際須以政治的方法謀挽軍事上的頹勢：（一）張雨帥下野（二）安國軍取消（三）改稱國民革命軍（四）聯蔣介石共同

〔註 110〕參見華民國史事紀要編輯委員會編：《中華民國史事紀要（初稿）》（1927 年 1 月～6 月），第 1177～1178 頁。

〔註 111〕《北京李芬圃庚密蒸五電》，5 月 11 日到，《北伐清黨始末與國府遷寧案》。

〔註 112〕《北京李芬圃庚密眞午電》，5 月 11 日到，《北伐清黨始末與國府遷寧案》。

〔註 113〕《晉閻最近態度 仍希望奉寧妥協》，《晨報》1927 年 5 月 18 日，第 2 版。

> 討赤。此乃保存實力之計，亦爲大局計也，如此晉省仍能極力幫忙，奉方應圖實在，不必拘於表面，並希望明白解釋。〔註114〕

閻錫山希望奉軍一面固守河北，一面用政治手腕挽回頹勢。南京方面的議和條件是：甲、張氏父子兵權交楊宇霆、韓麟春；乙、宣佈服從三民主義；丙、改國民革命軍。〔註115〕跟閻錫山的要求有所出入，但關於張作霖下野、奉軍軍權轉移這兩點意見一致。6月1日，閻錫山致電張學良、韓麟春，再次呼籲取消安國軍稱號，並提出一項新的主張，即將安國軍改組爲河北國民革命軍：

> 提前火急新鄉張軍團長漢卿兄韓軍團長芳宸兄鑒：戰局變化，爲兩公計，爲北方計，今日之要有四：（一）振作士氣。（二）和緩敵情。（三）結合民眾。（四）團結河北。欲達四要，必用一法，其法爲何？即取消安國軍，改組河北國民革命軍，是蓋革命軍改組以後，南方之戰爭，可變爲國共之戰爭，則凡繼起之討赤軍，皆奔赴於我旗幟之下，前爲敵人，今則爲友軍矣。〔註116〕

閻錫山認爲改組爲河北〔註117〕國民革命軍，有四個好處：第一是鼓舞士氣，「友軍既多，則我軍之志氣必爲一振」；第二是以國民革命爲旗幟，名正言順，使得南方的攻擊師出無名，「彼方所恃以號召者，在國民革命，我亦以國民革命爲旗幟，則敵人無的可射，敵情自然和緩。若悍然不顧，則其曲在彼。」第三是可以動員民眾，人民不反對，且能到處幫忙，「用安國軍名義，頂好博得個人民不反對。然證以直南、豫北往事，乃求一不反對而不可得。用國民革命的旗幟，不但人民不反對，且能到處幫忙，結合民眾，只在一反掌間耳。」第四是可以團結河北九省區。「河北九省區，地廣民眾，畏懼共產狂熱革命，我以國民革命軍實行討共，則人心既得，軍民之隔閡可除。且用河北名義，則河北九省區自然團結，此其要四。」他苦勸張學良與韓麟春，作戰爲求勝，凡是可以幫助勝利的方法，即當採取。蓋處國家，當以利害計得失，不當爲虛面子所困也。〔註118〕

〔註114〕《致北京李芬圃庚密世電》，1927年5月31日發，《北伐黨政軍之運用案（一）》。

〔註115〕《大同李部長轉北京蘇代表潘代表義密元電》，1927年6月○日到，《北伐黨政軍之運用案（一）》。

〔註116〕《致新鄉張軍團長韓軍團長原密東亥電》，1927年6月1日發，《北伐黨政軍之運用案（一）》。

〔註117〕此處河北應爲黃河以北之意。

〔註118〕《致張學良、韓麟春東亥電》，《民國閻伯川先生錫山年譜長編（初稿）》（二）

楊宇霆在同一天電閻錫山、張學良、韓麟春，楊的電報還發給了孫傳芳、吳佩孚、張宗昌、田中玉、褚玉秀等人：

> 宇霆等詳細研究，一致主張，以爲保持北方大局，進行國家統一，擬請北方各帥合定辦法四條：第一、討伐共產，組織討共同盟軍。第二、贊成三民主義，以免階級鬥爭。第三、政治統一問題，由國民會議解決。第四、一致對外，解除國際束縛。以上四條，實爲今日扶危定傾唯一之策，想荷贊同，希即電覆。〔註119〕

李慶芳也向閻錫山彙報了楊宇霆等人商定策略的現場狀況，表示「雙方開載布公，並無勉強」：

> 與鄰葛（楊宇霆）一之會商草定四條，雙方開載布公，並無勉強，此舉若成，安國軍名義當然作廢，兩帥本未上臺，自無問題，以此聯蔣，必能有成。以後北方以三民主義定爲國是，運用之妙全在帥座。〔註120〕

張學良亦聲稱自己並非守舊，他的見解比閻錫山的觀點「尤新」，但是奉晉情形不同，他贊成三民主義會有人罵他赤化，這個時候突然改爲青天白日旗，號召國民革命，內部必然瓦解。〔註121〕6月3日張學良致電閻錫山，表明「良素抱平民主義，絕無軍閥野心」，贊成改組河北九區國民革命軍，但有四個顧慮：

> （1）東北將領中思想陳舊者對國民革命軍如有反對，俟良等表明態度後，必不見容，而餉械來源勢必斷絕，屆時尊處能否給以充分補充；（2）倘因主見之不同竟至與直魯軍以兵戎相見，尊處能否予以兵力上的援助；（3）將來倘因爲貫徹國民革命軍主張而向後撤兵時，河北地方守備之責任是否由尊處來擔負；（4）南方諸同志對我有無相當之諒解及容納並有無何種保證。以上數項，統懇詳爲指導，俾有遵循。〔註122〕

第751頁。

〔註119〕《致張學良、韓麟春東亥電》，《民國閻伯川先生錫山年譜長編（初稿）》（二），第752頁。

〔註120〕《北京李芬圃庚密東三電》，1927年6月2日到，《北伐黨政軍之運用案（一）》。

〔註121〕《北京李芬圃庚密支子電》，1927年6月4日到，《北伐黨政軍之運用案（一）》。

〔註122〕《新鄉張軍團長韓軍團長原密江戌電》，1927年6月3日到，《北伐黨政軍之

對於張、韓的顧慮，閻錫山建議組織北京國民委員政府，推崇張作霖爲領袖，北方組織就緒後，聯絡南京及各方，組織討共大同盟。「此舉國民黨方面，當然同意，共產黨方面，自不必求其諒解」，並信誓旦旦表示「我輩既共同革命，利害與共，兩兄此後有何困難之處，弟必盡力幫助，彼此心交，重在一諾」，「請兩兄放手爲之」。〔註 123〕

李慶芳積極活動，接二連三地向山西彙報情況，並四處奔走，在表面上促進落實閻錫山的九省區革命聯軍的提議，他向北京建議北方政局分爲兩塊，軍事組與政治組。「軍事組，組成討共大同盟，以張作霖爲首，晉魯各帥爲副；政治組，由閻錫山爲首，鄰葛（楊宇霆）馨航（潘復）爲副」。〔註 124〕李慶芳對妥協前途十分樂觀，聲稱張作霖對於青天白日旗的誤解消除，妥協前途呈現活氣。李慶芳以政治會員資格條陳梁會長（梁士詒）團結北方九省區辦法：

> （一）北方設討共同盟軍，以張雨帥爲大元帥，閻孫張爲副元帥，團結九省區實力一致討共產（二）根據中山主義設北方行政院，每省區各一人，公推閻百帥遙領行政院總裁，楊總參議爲副總裁（三）行政院之下設立內閣，有管部閣員，有不管部閣員（四）行政院議決之件交內閣或管部執行閣議及一部以上決定之件，呈由行政院批准執行（五）討共軍俟共產肅清後，即行取消，行政院係臨時性質，南北妥協後，聽國民會議決絕。（六）以上五條經九省區最高長官之同意即實行。乞詳加討論，示及完全一種理想，未必見諸事實，藉此打鑼打鼓，奉晉猜疑不釋自消。〔註 125〕

李慶芳自己尚且認爲這是一種「理想」，可見此建議可行性之低，但對於消除奉晉之間的誤會尚有所幫助。對於張學良、韓麟春與閻錫山的電報內容，是否經過張作霖的同意，現在無法知曉。有學者認爲張學良與張作霖父子情深，想撇開乃父單獨與寧蔣講和，近於「天方夜譚」。〔註 126〕張

運用案（一）》。

〔註 123〕《復新鄉張軍團長韓軍團長原密支電》，1927 年 6 月 4 日發，《北伐黨政軍之運用案（一）》。

〔註 124〕《北京李芬圃庚密二電》，1927 年 6 月 17 日到，《北伐黨政軍之運用案（一）》。

〔註 125〕《北京李芬圃致趙總參議賈秘書長銑子電》，1927 年 6 月 17 日發，《北伐黨政軍之運用案（一）》。

〔註 126〕陳鐵建、黃嶺峻：《北伐戰爭時期的奉張寧蔣議和》，《近代史研究》1995 年 06 期，第 154 頁。

學良所發電報是一種誠懇的表示，還是一種試探策略？從張學良等人得到閻錫山肯定答覆後，仍未起事的事實可以看出，第二種的可能性比較大。閻錫山本人也並不想張學良越過張作霖與寧蔣講和，在閻看來，奉系最終還是唯張作霖的馬首是瞻。閻錫山與新派的聯絡，最終還是因爲張作霖不肯易幟而告敗。

三、斡旋失敗原因分析

1927 年 6 月 13 日，英國駐華大使藍普森爲促進南北和談而走訪張作霖。張氏表示南北和平希望不大，因爲蔣介石要求張接受三民主義，看來毫無和談誠意；而閻錫山所提改編安國軍爲國民革命軍，並使用國民黨旗幟，對北方而言太過嚴苛，無法接受。藍普森向倫敦報告說，張氏明顯之消瘦與抑鬱使他震驚。〔註 127〕

儘管不情願，爲妥協起見，張作霖還是做出一定讓步，「不願以斡旋者爲難」，聲稱晉方如以三民主義爲導線而斡旋妥協，奉方可表贊成。〔註 128〕奉張並非全盤接受在三民主義，安國軍外交處吳晉處長對記者談話，表示張作霖在「民族、民權、民生」之外，又提出「民德主義」，成「四民主義」：

> 至雨帥對三民主義從來雖未積極贊成，亦未曾積極反對。雨帥意思，以三民主義爲建設國家之基礎，自無不可。唯中國爲禮儀之邦，自來對道德，異常重視。現在人心不古，道德淪亡，即以軍人而言，倒戈等事，層見迭出。雨帥擬於三民之外，增加「民德」一項，共成四民，以維國本。若將來妥協能成，或將正式提出此項意見。〔註 129〕

但對於易幟，張作霖決不予承認，他強調五色旗爲辛亥革命後乃南京臨時政府所決定，意旨在表明五族共和。青天白日旗乃國民黨黨旗，倘取消五色國旗而掛青天白日旗，不但於法律上無所據，且有一黨包辦之嫌。因此張作霖反對甚爲堅決。〔註 130〕但晉方則認爲三民主義、國民革命軍、青天白日旗是連帶的，既然贊成三民主義，贊成其他兩個就沒有多大問題。因爲這些

〔註 127〕Lampson to F.O,14 June 1927,F 0371/12407（F5485/2/10）,轉引自唐啓華《英國與北伐時期的南北和議（1926～1928）》，興大歷史學報第三期，第 134 頁。

〔註 128〕《奉寧晉同時妥協乎？》，《晨報》1927 年 6 月 14 日，第 2 版。

〔註 129〕《奉寧妥協尚未絕望》，《晨報》1927 年 6 月 15 日，第 2 版。

〔註 130〕《奉寧妥協尚未絕望》，《晨報》1927 年 6 月 15 日，第 2 版。

差異，致妥協問題呈停頓之狀。對於軍閥牌匾，奉方意謂只要目下與晉合作，則北方之防赤自屬充分，而晉方以舊軍閥爲各方面攻擊對象，現在無論如何，非將軍閥牌匾名實俱行拋棄，無留痕迹，則絕不方便。〔註131〕

1927 年 10 月，晉奉兩軍兵戎相見。張作霖發電報分飭各軍，對閻錫山實行討伐，在電報中回顧奉張對晉閻的恩情，自認爲「對於晉省人民、對於閻錫山個人可謂仁至義盡」，「不意閻錫山狼子野心，認賊作父，年餘以來，醉心赤化，倒行逆施，反顏爭仇，馮逆相勾結」。譴責閻錫山偷襲石家莊，9 月 29 日突在大同附近截取火車，扣留奉軍軍官，公然敵對，奉張「乃忍無可忍，茲已分飭諸軍實行討伐。閻錫山破壞北方大局，一人當負其責。本大元帥護國救民始終如一，晉軍晉民皆我一體。但期殲滅渠魁，決不窮兵黷武。倘閻錫山能悔過息兵或其部下能自拔來歸，當一體優容，不追既往。從前犧牲多數倘能以綏境晉地歸諸晉軍，今雖不得已而對晉用兵，仍必顧全晉省眞正民意也」。〔註132〕孫傳芳、張宗昌、張作相、張學良等亦發表聲討閻錫山的通電，「閻錫山醉心赤化與馮玉祥勾結，甘爲戎首，破壞大局」，「分飭各軍，實行討伐」，「勢必剪除此醜」。〔註133〕

兩軍處在激戰之時，閻張之間仍不乏電報往來，閻錫山仍舊勸張作霖順應潮流，改旗易幟。報紙對此評論道「措詞尙甚委婉，但極空泛，唯所謂一民意所趨，順應爲宜。所言亦甚客氣，對於上述兩語，則明白指出，力持易幟之不可」，「是此往返之兩電，不生效果也」。張作霖仍舊拒絕易幟，在電報中歷數奉對晉極盡禮讓之事，「五原克敵，我讓綏區。石莊阻兵，我退正定」，「今既相見以兵，成敗利鈍，唯力是視」，譴責閻錫山與「馮逆」（馮玉祥）合作，背叛共和，「認敵作友，與虎謀皮。敗固無幸，勝豈相容？」「拔五色旗而易以赤幟，謂爲順應潮流，即在此點，不敢奉命，特希區區，即候明教」。〔註134〕10 月 7 日，閻錫山到石家莊指揮晉綏軍與奉軍作戰，這則新聞是 10 月 8 日登載。至此，奉晉關係公開決裂。

〔註131〕《奉寧晉同時妥協乎？》，《晨報》1927 年 6 月 14 日，第 2 版。

〔註132〕《張作霖爲閻錫山背信棄義突然進攻分飭各軍實行討伐的通電》，遼寧省檔案館編：《奉系軍閥檔案史料彙編》第 6 冊，南京：江蘇古籍出版社，1990 年版，第 575～579 頁。

〔註133〕《孫傳芳張宗昌張作相張學良等聲討閻錫山的通電》，遼寧省檔案館編：《奉系軍閥檔案史料彙編》第 6 冊，南京：江蘇古籍出版社，1990 年版，第 580～581 頁。

〔註134〕《張作霖依然拒絕易幟》，《晨報》1927 年 10 月 8 日，第 2 版。

至於和談破裂的原因，除了南京方面誠意不足，雙方都拿和談作爲緩和軍事壓力的策略之外，最主要原因在於張作霖始終不肯接受改旗易幟。至於張作霖爲何不肯接受易幟，其原因大致有三個：首先他不認同於國民黨的黨治思想；其次他很有北洋正統觀念，某種程度上還會顧及袍澤情誼；再次張作霖懼怕「赤化」，反對共產黨與共產主義。

（一）青天白日旗與赤化

四・一二之前，奉蔣難以合作的原因在於國共進行合作。在張作霖眼中，國民黨接受蘇俄的援助，與共產黨合作，顯然已經赤化，蔣介石與馮玉祥是賣國求榮的石敬瑭。他認爲共產主義不適合於中國，救國要策在「崇信聖道，普及教育與辦實業，節帑以練精兵，自主以保國權」，並表明自己「只知救國，絕無南北新舊之見」，用「討赤」來呼籲北方將士團結起來對付蔣、馮，「凡志同道合者皆爲吾友，其害國殃民者即是公敵。某雖不才，絕不忍不爲民請命也。」〔註 135〕

四・一二之後，蔣介石「赤化」的嫌疑可以排除，但張作霖仍舊不肯易幟，根據北京代表發給閻錫山的電報，可以發現一個很有意思的細節，即張作霖似乎分不清國民黨與共產黨、共產主義與三民主義，他認爲青天白日旗就是赤化。針對奉系要人「對國共分別往往混同」的狀況，李慶芳特地向他們做了解釋，說明兩黨在革命範圍、革命方法、所受指揮以及易幟異同方面的區別，並彙報給閻錫山：

> 雨帥對於國共界限混同，於聯蔣前途實爲障礙，頃作成書面上陳：（一）共係世界革命，國係國民革命（二）共主勞工專政，國注重各階級利益（三）共受第三國際指揮，國受中山主義支配（四）共係蘇俄斧頭旗國係中山青天白日旗，青白旗歷史遠在五色旗以前。總部要人皆非革命黨，故對國共分別往往混同，再易旗改稱一節，芳觀察情勢有幾分可能，雨帥長處在毫無成見，一經剖解明白勇於實行。〔註 136〕

閻錫山回覆，以馮玉祥舉例子，說「西安撤去青天白日旗，而易第三國

〔註 135〕《北京溫代表潘代表培密虞電》，1926 年 12 月 8 日到，《北伐奉張組安國政府案》。

〔註 136〕《北京李芬圃庚密銑辰電》，1927 年 6 月 17 日到，《北伐黨政軍之運用案（一）》。

際之斧頭旗，則又何說乎？」〔註 137〕因爲在閻、張眼中馮玉祥是赤化的，他反對蔣介石清共，憤而撤去青天白日旗，換成斧頭旗，此事足以證明青天白日旗不是赤色旗幟。對於張作霖的糾結，閻錫山頗不以爲然，認爲不過是換一塊旗而已，當務之急是共同防赤，可以利用「三民主義結合群眾動員群眾」，民族、民權、民生爲時代潮流，從大局出發「雨帥何妨標此旗幟，以團結各方，共同討赤」，「爲大局計，爲奉方計，妥協各方，一致討赤」。〔註 138〕

蔣介石已經開始清黨，張作霖爲何仍舊認爲青天白日旗爲赤化呢？據李慶芳特別提到，因燕老（按：應爲梁士詒）曾言青白旗與馮玉祥、唐生智用旗適同，故「雨帥遂聯想用馮唐旗即赤化」。現在張作霖對旗幟漸漸瞭解，妥協前途忽呈活氣。〔註 139〕這是因爲國民黨雖然四分五裂，但無論是馮玉祥、唐生智還是蔣介石，打出的旗幟仍舊是青天白日的黨旗。按說，同樣的旗幟代表相同的政治理念，寧漢分裂，卻高舉著同樣的青天白日旗，無怪乎張作霖會疑惑。當時對國共兩黨分別不清，是一種普遍狀況。據蔣廷黻的觀察，「在上海和南京，國共的衝突很激烈。但老百姓搞不清楚誰是共產黨誰不是共產黨。就是搞政治的和軍人也弄不清楚。到處充滿了懷疑和猜測。」〔註 140〕

這個細節其實質是國民黨的黨權之爭，寧漢雙方都在爭取「眞正國民黨」的正統地位與話語權。從側面也說明國民黨內部雖然分裂，但是大家仍舊認同於「國民黨」、「孫中山」、「三民主義」這些政治符號的，對於象徵孫中山「三民主義」與「國民革命」的青天白日旗，他們還是深以爲是並依賴之，所以才不敢另舉旗幟。

（二）對等議和與投降

張作霖想要的是與南方平等談判。北方提議應保持北方的五色旗，這才能體現眞正的聯合統一，而不是北方投降南方。惟北方既已失去爭鬥的力量與基礎，自不得不在國旗等一系列問題上讓步。〔註 141〕在閻錫山看來，張作

〔註 137〕《致北京李慶芳元電》，《民國閻伯川先生錫山年譜長編（初稿）》（二），第 759 頁。

〔註 138〕《復北京李芬圃裕密眞三電》，1927 年 5 月 11 日發，《北伐北方黨政軍之運用案（一）》。

〔註 139〕《北京李芬圃庚密二電》，1927 年 6 月 17 日到，《北伐黨政軍之運用案（一）》。

〔註 140〕蔣廷黻：《蔣廷黻回憶錄》，長沙：嶽麓書社，2003 年版，第 115～116 頁。

〔註 141〕羅志田：《亂世潛流：民族主義與民國政治》，上海：上海古籍出版社，2001 年版，第 351 頁。

霖不易幟，是因爲他過於迂腐，注意「名」而忽略「實」。果眞如此嗎？

張作霖是有比較強烈的正統感，發表通電表示「中國歷史只有北方打勝南方，絕無南方統一北方之事」，自己「一息尙存，必當討赤到底」。〔註 142〕自北軍觀之，且以爲只有南征，絕無北伐。張作霖還以安國軍總司令名義致電蔣中正，讓他「對英外交諸請愼重，赤俄黨人亟宜驅逐，共產份子只許其存在不許其發展」，「如能容納斯意，則南北可以停戰協商和平統一辦法，否則當以鄭吳總司三軍儀魯張蘇孫副之與貴革命軍周旋於疆域之間。」〔註 143〕

1927 年 7 月間，儘管北洋派系接連敗退，張作霖仍不忘以正統身份發表對外宣言，爭取國際社會的好感，他宣稱「負責保護境內外僑，不平等條約，應取合理的手續修改。中國爲此種條約簽字國，此種條約，不適現狀，請列國以友好精神，交涉改約，在修改以前，當然尊重此種未廢棄之條約，予等信奉國民主義，與南人無異等語」。〔註 144〕同時致電譴責閻錫山不顧北方大局，背叛北洋袍澤，「張綏戰事平定後，滿擬奉晉兩方，式樣如初，北方大局，不致糜亂。乃閻百川誤信人言，始則聯絡蔣倒奉，加奉以舊軍閥種種名詞。難則高懸青白旗，假三民主義以自重」。〔註 145〕

1927 年 7 月間，奉寧和談一度間斷之後，再次「復活」，據報載，雙方都嚴守秘密，世人難得眞相，且都顧及面子，皆稱對方主動要求議和。局外人觀察，認爲「雙方同時均有所表示也」。〔註 146〕奉方認爲，蔣介石現在想要議和是因爲「武漢派業已進逼九江，若非津浦線上停戰，大難對付。奉方若輕率承認，則武漢解決之後，蔣必依舊北伐，豈非上一大當」。因此，奉方想要在議決具體條件之前，必須證實蔣確有「較永久的妥協之誠意」，而後方能允諾。奉張對於蔣介石的要求是，第一須明白表示討伐武漢及與武漢派接近之實力者。第二須保證此後決不以武力與奉周旋。

但在寧方看來，如果奉方維持現狀，不略微改變一些，寧方即使有誠意，也無法推卸妥協的責任，蓋「奉方非相當接受寧方主張，寧方無以應付黨員」，

〔註 142〕《北京溫代表培密敬電》，1927 年 12 月 25 日到，《北伐黨軍奠定贛鄂進克浙閩寧滬案》。

〔註 143〕《北京溫代表潘代表培密元三電》，1927 年 1 月 13 日到，《北伐奉張組安國政府案》。

〔註 144〕《奉張又發對外宣言 謂信奉國民主義與南人無異》，《申報》1927 年 7 月 4 日，第 5 版。

〔註 145〕《奉晉實力之比較》，《晨報》1927 年 10 月 7 日，第 2 版。

〔註 146〕《徹底乎，苟且乎？奉寧晉之前途》，《晨報》1927 年 7 月 19 日，第 2 版。

故寧方希望奉能考慮彼此地位，互去其難點，而後眞正之提攜，始能完成。〔註 147〕對於改幟易名問題，寧方似已不甚堅持，所磋商者，政府問題爲較難而已。寧方要求張作霖北京政府必須改組，雖不用委員制，或其他嶄新名稱，但至少使晉方人物可以加入，而後北方始能成爲奉晉共同維持之局面。晉允共同擔負北方之責，而後蔣始有理由以解脫其妥協之責任。〔註 148〕

從上可看出，豈止是張作霖好面子，不肯「投降」，蔣介石也同樣好面子，不肯留下「妥協」之名。張作霖想要的是對等議和，不肯俯首稱臣。這一點蔣介石不可能答應。蔣介石雖然委託閻錫山斡旋南北議和，但都是在軍事進展不順的時候，所要求的條件亦是張作霖難以接受的，蔣介石的要求不肯改變，張作霖也就以對方沒有誠意爲拒絕理由。南北和議，正如學者唐啓華所說：「國民政府確實數次表達和平意願，但是似乎只是分化北洋軍閥，或是局勢不利、內部分裂時，減輕北方壓力的權宜運用。基本上，國民政府相信可在民族主義高潮時，統一全國。此外，北伐軍中一些將領，如馮玉祥，爲張作霖之死敵，堅決反對與北方謀和。同時，北方陣營中也有堅決主戰者，如張宗昌，唯恐南北和議成功自己將被犧牲。而張作霖本人的自尊，也不能接受南方諸如改用黨旗，改編軍隊爲國民革命軍之類的條件。」〔註 149〕

張作霖所堅守的北洋正統是什麼呢？蓋江湖中的「義」意識，曾很強烈地影響到軍閥的行爲準則，軍閥集團內部重要成員與首領之間除效忠關係之外，往往還有結拜關係。北洋軍閥間的戰爭，勝者往往不會對負者作窮寇之追，對於對方的家眷與財產也很少觸動，戰敗後片甲不留的軍閥，也會得到對方的優待。〔註 150〕張作霖等人所聲稱的「北洋袍澤」，便是這種信義與情感。

張作霖曾別出心裁地在三民主義基礎上，增加一項「民德主義」，這一點與閻錫山不謀而合，兩者都認爲道德良心十分重要。但閻錫山的「背叛」，說明道德、良心不僅僅是服從與順應，政治見解的歧義可能就不受此約束了。在各種先進思潮尤其是共產主義洪流的衝擊之下，僅以物質利誘和傳統社會

〔註 147〕參見《三角妥協：徹底乎，苟且乎？奉寧晉之前途》，《晨報》1927 年 7 月 19 日，第 2 版。

〔註 148〕參見《三角妥協：徹底乎，苟且乎？奉寧晉之前途》，《晨報》1927 年 7 月 19 日，第 2 版。

〔註 149〕唐啓華：《英國與北伐時期的南北和議（1926～1928）》，臺中：興大歷史學報第三期，第 138 頁。

〔註 150〕張鳴：《武夫當權——軍閥集團的遊戲規則》，西安：陝西人民出版社，2008 年版，第 17 頁。

關係已無法維繫軍心與民心。這也就是北洋軍隊在士氣如虹的黨軍攻勢之下，一敗千里的主要原因。張作霖仍在強調名節，在當時西化的政治文化環境中似乎顯得迂腐陳舊、格格不入，但持此觀點者，其實也有不少人，章太炎就是其中的一位。他聲稱，拔五色國旗，立青天白日旗，即是背叛中華民國：

> 大抵今日不可捨者，尚是名節兩字。……蔡孑民（蔡元培）輩近欲我往金陵參預教育，張靜江求爲其父作墓表，皆拒絕之。非尚意氣，蓋以爲拔五色國旗，立青天白日旗，即是背叛中華民國。此而可與，當時何必反抗袁氏帝制耶。〔註151〕

章太炎多次強調五色國旗是民國象徵，他認爲是否維持這一旗幟決定著後起政權統治正當性的延續與中斷。而國民黨雖沿用中華民國的國名，卻有意以改旗來區別於原來的「民國」，明確其爲新朝。〔註152〕故到北伐軍即將接收北京時，太炎仍在強調「今之拔去五色旗，宣言以黨治國者，皆背叛民國之賊也。」

（三）對黨治的擔憂

張作霖不接受青天白日旗的背後，其實也有對黨治的擔憂。1927年7月20日，張學良答記者問表示，「尊重主義可以，易名改幟則不可」，聲稱三民主義「並非新創之主義，乃將中國古來之思想制度，融合而成」。對於記者在北方學校及軍隊中，能否承認宣傳三民主義的提問，表示「學生雖可研究三民主義之學說，然不宜在軍隊中作此種宣傳。蓋三民主義乃屬一種主義，決非宗教故也」。仍舊拒絕易幟改稱，「國旗乃屬代表國家之物，故斷然反對以一黨之旗，代易國旗。至改稱國民革命軍事則應俟將來解決」。記者問：「所謂國民會議是否爲依據孫文建國大綱所召集之國民會議？」答以「國民會議非一黨一派之會議，必須爲網羅全國各黨派之全民會議始可。故吾儕力排一黨政治，何以故，以其等於以一黨專制代替個人專制也」。〔註153〕

張學良的觀點也就是張作霖的觀點。從中可以看出，張氏父子不認同國民黨的以黨治國、以黨治軍，反對一黨專制，堅決反對以一黨的旗幟代替國

〔註151〕章太炎著，馬勇編：《章太炎書信集》，石家莊市：河北人民出版社，2003年版，第706頁。

〔註152〕羅志田：《亂世潛流：民族主義與民國政治》，第298～299頁。

〔註153〕《尊重主義可以易名改幟則不可》，《晨報》1927年7月20日，第2版。

旗。這也是張作霖堅決不易幟的原因之一。不獨張作霖有黨治的擔憂，很多知識界名流也不贊同，如章太炎就曾大力批判過孫中山與國民黨，「孫中山之三民主義，東抄西襲」，改變頻仍；到後來已成爲「聯外主義、黨治主義、民不聊生主義。今日中國民不堪命，蔣介石、馮玉祥尚非最大罪魁，禍首實屬孫中山」，「現在說以黨治國，也不是以黨義治國，乃是以黨員治國」。「袁世凱個人要做皇帝，他們是一個黨要做皇帝。」〔註 154〕張作霖、章太炎等人對於黨治的擔憂，應該說不無道理，以後中國政治的發展亦證實了他們的擔心。

綜上所述，閻錫山易幟對外表現爲排除武漢與奉張方面的干擾，並且參與斡旋奉、寧、晉三方合作。他認爲武漢政府是赤化政府，因此拒絕了武漢方面的爭取，並利用山西國民黨右派「趕走」漢方代表孔庚。對於奉張，則施展外交手腕，以山西駐京代表李慶芳、溫壽泉、潘連茹等人與張作霖、韓麟春、張學良等人周旋。對於山西易幟每更進一步的舉動，李慶芳等人都以冠冕堂皇的理由來向張作霖解釋。這些解釋最初尚可以緩和張作霖的懷疑與憤怒，但隨著雙方軍事上的對峙越來越明顯，張作霖不再信任山西代表。

英美等國家隨著北伐的勝利以及蔣介石的清黨，開始有承認南京國民政府的傾向，這在客觀上對于堅定閻錫山易幟信心有一定作用，但對其影響最大的還屬日本。日本有以晉代奉之計劃，促使閻錫山與奉系新派張學良、韓麟春等合作，有了日本的支持，閻錫山更加積極地介入和談。但最終因爲奉方拒絕改稱易幟而導致和談失敗，奉晉雙方兵戎相見。和談失敗原因，除了爭奪「第一把交椅」的權力之爭外，仍有一些深層原因需要分析，方可看出易幟背後的內涵，從而理解雙方對待易幟的不同態度與不同選擇。張作霖對五色旗的堅守，恰恰可以從側面說明閻錫山認同青天白日旗的政治思想與理念。張作霖認爲青天白日旗爲赤化旗幟；他希望對等議和，而非北方投降南方；他不認同以黨治國，一國旗幟不可以一黨旗幟代替，五色旗有其合法性與正當性，拔五色旗即爲背叛共和。

〔註 154〕參見 1928 年 11 月 21 日、22 日與 23 日的《申報》相關報導，及汪榮祖著：《章太炎散論》，北京市：中華書局，2008 年版，第 237 頁。

第三章　易幟後山西的「變」與「不變」

閻錫山「易幟」就表面而言，是以青天白日旗代替了五色旗，但「易幟」體現的是中央政府與地方實力派的政治博弈：國民黨想要實現的是在山西建設黨軍、黨國，以黨為首，統領一切；希望在山西實行黨化教育，達到以黨統領軍政的目的，既要推動三民主義信仰的意識形態灌輸，同時還要排除共產黨的影響。而閻錫山易幟的直接目的是使自己的地方割據合法化。隨著易幟的進行，政治生態的改變勢必帶來一系列複雜變化，因為國民黨不光是要將山西納入名義上的統治版圖，更希望使山西成為黨化之地，真正完成「三民主義統一全國」。一直視山西為禁臠的閻錫山會讓國民黨染指山西嗎？易幟之後山西有何實質性的改變？這些改變說明了什麼問題？本章擬通過系統梳理易幟相關的各種「符號」構建，易幟後山西國民黨建設過程中閻錫山對黨化教育和三民主義宣傳的運作，以及向南京國民政府表忠心的清黨活動，分析閻錫山對「主義」、「革命」與國共之爭的態度與觀點，進一步審視閻錫山易幟的深層次思想原因。

第一節　革命符號與大眾生活

辛亥革命後，「革命」已演化為一個時代的主流話語，甚至成為一個時代的新傳統，這是一個言必稱「革命」的時代。〔註 1〕特別是在北伐革命興起後，國民黨成為革命的化身，大力推行孫中山崇拜。革命符號的構建體現在身體

〔註 1〕王先明：《歷史記憶與社會重構——以清末民初「紳權」變異為中心的考察》，《歷史研究》2010 年第 3 期，第 5～6 頁。

著裝、政治言語、宣傳口號的各個方面，日常生活的方方面面無不充斥著這些宣傳符號。

閻錫山對山西社會控制甚爲嚴格，在易幟之前，有關國民黨的宣傳未曾集中大量出現。但勞工與學界也出現了要求參與國民革命的訴求，其具體表現爲勞工主動爭取權益鬥爭、紀念工農運動以及士紳的反閻鬥爭等。這些「革命」活動，雖有團體組織的政治利益訴求，但其無不在晉省司令部的掌控與允許範圍內進行。山西政治秩序未受多少影響，社會控制依然如故，晉政府只是做了一些管理與疏導上的變通而已。〔註 2〕閻錫山決定易幟之後，在形式上亦較爲迎合革命潮流，允許將青天白日旗、總理照片、宣傳口號與標語、三民主義教育書籍、總理遺囑等一切能代表國民黨的「符號」展現出來，使革命符號融入大眾生活，太原如其他易幟城市一樣，〔註 3〕呈現出一派轟轟烈烈的「革命景象」。

省城各機關於 6 月 3 日懸掛青天白日旗，「顯示附入國民黨，大反奉軍」。〔註 4〕同時爲了表示山西的「反赤」態度，國民黨清黨委員會貼在街道牆壁上的標語都是藍色的，寫滿「打倒麻醉青年的中國共產黨」、「打倒篡竊本黨黨權的青年共產黨」、「農工商學兵婦女聯合起來」等口號。

山西各界人士聯合召開慶祝北方國民革命軍的大會，在不同地方紮有綠色牌樓四座，上插青天白日旗，並綴「山西各界慶祝北方國民革命軍大會」字樣。海子邊內陳列所前高搭綠臺，前後門各紮牌樓一座，上綴「天下爲公」和「世界大同」等字，綵臺中懸掛中山遺像及遺囑，兩旁懸掛對聯。臺之兩角高插國旗與黨旗。約十時，各團體人員和各界人士，皆彙聚綵臺前方，慶祝國民革命。參與者計有 200 餘團體，約 20000 餘人。各團體皆印有宣言，由各代表當場發散，籌備會宣傳股實行報紙宣傳、發表宣言傳單、標語宣傳、飛機宣傳、汽車宣傳等，數架飛機，翱翔空中，散發各種宣言傳單。〔註 5〕有論者指出，這一盛況反映出民眾要求加入北伐的強烈心情，同時亦反映了晉

〔註 2〕張文俊：《政治轉型與山西政治秩序重構研究（1911～1929）》，第 188 頁。

〔註 3〕易幟後的許多城市都有類似的革命景象，例如孫中山符號的構建，例如孫中山照片與國民黨旗幟並列懸掛、牆上貼滿革命標語、關於三民主義、建國大綱、總理遺囑方面的書籍隨處可見。可參見《晨報》、《申報》、《益世報》等報刊在 1927 年的相關新聞報導。

〔註 4〕劉大鵬：《退想齋日記》，第 356 頁。

〔註 5〕《晉閻接受民眾要求》，《晨報》1927 年 6 月 10 日，第 2 版；劉大鵬：《退想齋日記》，第 357 頁。

政府放鬆對民眾集會限制，在某種程度上也在向「革命」邁進。〔註6〕

會議主持人劉奠基將籌備會議案提出，經大會一致通過。其要點爲：（一）通電反對日本出兵山東。（二）通電擁護南京國民政府，及蔣總司令。（三）電賀國民政府建都南京。（四）公推閻錫山爲國民革命軍北方總司令。（五）通電擁護國民革命軍北方總司令。（六）電請省黨部，厲行清黨。繼又議決由大會主席團代表赴總部，立請閻錫山就職。閻再三謙讓，經各代表堅持後，方答應就職。6日上午10時，閻錫山舉行就職典禮，軍界自少校以上，政界自股長以上，學界自主任以上，於上午9時以前齊集總部大堂。早晨8時許，飛機數架翱翔天空，拋散閻錫山就職宣言，大意謂：「本總司令承六月五日山西各界歡迎國民革命軍大會，公推爲國民革命軍北方總司令，並敦促即日就職。本總司令爲完成國民革命計，爲適應革命環境計，爰於六月六日，接受革命民眾之要求，在總司令部宣誓就職。謹於就職之日，發爲宣言」。〔註7〕

閻錫山下令將各軍隊、各學校、以及各軍政機關人員所著舊式制服，一律取消，改爲中山服。然各軍隊因人數太多，一時難以做齊，軍需處忙著趕製。總部衛隊旅各官兵已一律改換中山服，各學校也改穿中山服。據一個軍事機關人員於6月28日談道：「現下上峰，又令各機關人員，迅速改換。自七月一日起，出入人員，如不改著中山服，衛兵將予以攔阻」。這一命令發行後，導致柳巷各大軍衣莊出面大包大攬，門口皆貼有廣告「本號包作中山服」，而各軍衣莊內購買中山服裝者更是人山人海。〔註8〕各成衣店的利潤倍增。街上各牆壁遍貼中山遺像和閻錫山近影，幾乎將閻的形象上昇到與孫中山同等地位的程度。省城各書店爲迎合潮流，也訂購大批國民黨方面的書籍，如《孫文主義淺說》、《中山實業淺說》、《三民主義淺說》、《建國大綱》，購者眾多。〔註9〕

與此同時，報紙也加大革命宣傳。《山西日報》是山西軍政兩署的機關刊物，主要宣傳閻錫山政令，經常刊登近期的宣傳標語。在創辦之初，在中縫處經常出現閻錫山的語錄，如：《山西督軍兼省長閻錫山立身要言六則》《山西督軍兼省長閻告諭人民八條》《民德四要》等。1927年6月開始，在閻錫山

〔註6〕張文俊：《政治轉型與山西政治秩序重構研究（1911～1929）》，第191頁。

〔註7〕《晉閻接受民眾要求》，《晨報》1927年6月10日，第2版。

〔註8〕《太原氣象全新》，《晨報》1927年7月3日，第3版。

〔註9〕《易幟環境一變青年爭談三民主義》，《晨報》1927年6月14日，第2版。

決定服從三民主義、參加北伐戰爭後，《山西日報》在內容上最大的變化就是大力宣揚三民主義和國民黨的政策。」〔註 10〕「當日起幾乎持續了一個月的《山西日報》每天刊登《總理遺囑》，以示閻錫山是孫中山的追隨者，是三民主義的信徒。同時在報紙的左右邊框和底部都有三民主義和國民政府對內外政策的宣傳標語。」〔註 11〕

山西也湧現出各種社會組織，例如山西農民協會、山西婦女協會、山西全省學生聯合會、商民協會、山西工人代表聯合會、太原學生聯合會等團體。黨部與各種社會組織的出現，說明山西在政府體制外產生了新生社會力量，山西雖還未進入「革命」行列，但國民黨已在動員各種社會力量，按照廣州革命政府的革命行動醞釀「革命」。

「樸直厚道」與「禮讓文雅」、「節儉勤勞」是史書所載山西人性格特徵。《祝志・遼州》記載：「山川險絕，其民信實純厚，其俗剛悍樸直」。又有宋人記載「地高氣爽，土厚水清，其民淳且重」。「水性使人通，山性使人塞」，自然環境的閉塞與經濟的落後使得山西人性格樸直，同時也造成了他們思想保守。閻錫山在山西的統治十分切合民眾對於安定的需求，晉省得以保境安民。現在，閻錫山改稱易幟，山西呈現出革命新氣象，民眾有何反應？

劉大鵬是鄉村士紳，一生基本上生活在晉中農村，與下層社會生活有較多接觸，可以說他的記錄很眞實，他的觀點也具有代表性。據劉大鵬記載，山西民眾酷愛看「演劇」，一旦有唱戲，則「觀者如堵」。〔註 12〕6 月 4 日端午節，晉祠演戲，「國民黨登臺演說，攔阻看戲。看戲者在臺下唾罵不能聽觀。」6 月 9 日，「吾縣國民黨於今日舉行本省正式參加國民革命慶祝大會，今晚表演新劇，往觀者紛加」。6 月 17 日，「國民黨趁今日晉祠賽會之期成立本縣第四區之區黨部，令商家均掛青天白日旗，且設黨化之坊。吁！」〔註 13〕

由劉的記述，可知晉省民眾愛看戲，國民黨登臺演說，妨礙看戲，會被唾罵，而國民黨爲吸引民眾，擴大宣傳，主動出資在晉祠演「文明戲」。由此

〔註 10〕孫春燕：《民國時期的〈山西日報〉研究》，山西大學文學院碩士論文，2011 年，第 13 頁。

〔註 11〕孫春燕：《民國時期的〈山西日報〉研究》，第 14 頁。

〔註 12〕在劉大鵬的日記中，關於演戲的記載，十分之多。例如 5 月 14 日「晉祠賽會，今日無戲則人數寥寥」。5 月 15 日「古城營演劇賽會，往觀者多」。5 月 17 日「風峪今日唱好戲，往觀者多」。蓋只要有演劇，則「往觀者多」。6 月 24 日「暫停演劇」，則「會上多唾罵不使唱戲之人」。

〔註 13〕劉大鵬：《退想齋日記》，第 356～358 頁。

細節可推斷，「革命」對於普通民眾的影響甚至比不上「演劇」重要。對於國民黨命令商家懸掛黨旗的行爲，民眾會給予一聲不以爲然的「籲」。但這也從側面說明，國民黨畢竟從地下走到地上，開始進行公開宣傳。不可否認的是，旗幟、標語、口號、演講，並非全無用處，最差亦會使民眾知道「國民黨」、「三民主義」、「孫中山」這些名詞，在潛移默化中明白「革命」的標誌與大致內容，而且給民眾留下新的黨國比舊軍閥政治更爲進步的印象。

第二節　「以黨治晉」的落實

1927 年 4 月 10 日，閻錫山對山西省政進行改組，將山西改組爲委員制，以商震、南桂馨、徐永昌、王世卿、羅豁、郭宗汾、臺壽民、李敏等九人爲省政府執行委員，趙戴文等爲候補委員，另以黃國樑、朱綬光、孔繁蔚爲監察委員，且將原來督辦（督辦山西軍務善後事宜）名義取消，改以「晉綏總司令」統轄軍民兩政。〔註 14〕閻錫山自將晉綏軍改爲國民革命軍，並就國民革命軍北方總司令後，認爲晉省既然走上國民革命道路，從前舊有官制皆爲國民政府政制中所無，故特於 6 月 9 日下令，將山西省長一職即行取消，隨之山西省長公署亦一併裁撤，全省政務暫由閻兼管。

南京國民政府成立後，遵照孫中山《建國大綱》「縣爲自治之單位，省立於中央與縣之間」的精神，廢除道一級行政機構，實行省、縣兩級行政區制。山西遵從中央指令，從 6 月開始裁道。據劉大鵬記載，山西變政，所有晉北鎮守使、晉南鎮守使、冀寧道尹、河東道尹、雁門道尹全行裁撤，政務廳改爲秘書廳，警察處改爲民政廳，審判廳改爲司法廳。財政廳、教育廳、實業廳照舊，新成立建設廳、農工廳。〔註 15〕

在高呼「反共」聲中，山西國民黨在軍事、政治、教育等各方面都出臺了新的政策。軍事方面的政策爲：（一）按國民革命軍制度編晉綏所轄各軍，實行軍師旅團各部之黨代表制。並設立大規模之學校，訓練黨代表人材。（二）軍政民政，應劃分界限，軍政不得干涉民政。惟在戰爭期間之戒嚴地帶，民政方受軍政之指揮。（三）普及國民軍事教育。（四）規定改良士兵生活辦法，及優待殘廢軍人，退伍軍人之條例。政治方面的政策爲：（一）建設廉潔之省

〔註 14〕《山西取消督辦公署》，《大公報》1927 年 4 月 15 日，第 2 版。
〔註 15〕劉大鵬：《退想齋日記》，第 357 頁。

市縣政府，掃除一切積弊，嚴禁授受賄賂陋規（二）廢除區制村長制，實行鄉村自治（三）裁撤一切閒散機關（四）規定貪官污吏劣紳土豪懲辦條例（五）保障人民不違背中國國民黨及國家法律之集會，結社，言論，出版自由。（六）籌辦訓練行政人員之黨校，實行考試制度。（七）廢除違反革命精神之一切法令，及一切惡例。並改良監獄，改善囚犯待遇。（八）收回外人在省購置之土地，及建築物。（九）組織山西政治委員會，討論並計劃本省一切政治問題。（十）舉辦戶口登記。建設方面提倡種樹、修同蒲鐵路、發展實業改善水利，舉辦清丈田畝山地，實行土地登記法，實行平均地權等措施。〔註 16〕

對於農工學商與婦女，也有新措施出臺。對於農民，提高農民生活，減少田租，禁止先期收租。設立農民銀行，辦理儲蓄，並以最低利息，貸款給農民。制定保護貧農法。工人方面，廢除包工制，制定勞動法與工廠法、勞動保險法，設立勞資仲裁會。商人方面，嚴禁壟斷；婦女方面，規定婦女在法律上，經濟上，政治上，教育上，社會上，與男子有同等之權利。提高婦女教育。婦女有財產繼承權。學生方面，強調學生以求學爲唯一義務，但中學以上之學生，於課餘，得參加社會運動，接受軍事訓練。最近的口號有：

> （一）農工商學兵組織起來團結起來！（二）打倒共產黨操縱的武漢政府！（三）擁護國民革命軍北伐！（四）擁護國民革命軍蔣總司令！（五）擁護北方國民革命軍閻總司令！（六）反對日本出兵山東及各帝國主義派艦來華！（七）打倒英日帝國主義！（八）肅清中國共產黨！（九）剷除貪官污吏劣紳土豪！（十）促成山西廉潔政治。〔註 17〕

上述諸多新措施具有很大的進步性，若切實落實，可以實現軍民分治、提高行政效率，促進男女平等，保障農工利益，實現社會進步，但從中亦可以看出「黨化」與「威權」的色彩，例如人民不得反對中國國民黨，籌辦黨校，要求學生接受軍事訓練，且高呼政治口號，將閻錫山放在與蔣介石同等地位加以擁護。這些措施是否實行，尙無足夠資料證實，但據楊天石研究，山西並未眞正實行這些措施，只有在實施「黨化教育」以及加強社會控制方面做了不少工作。〔註 18〕鑒於閻錫山掌控山西大權，對於革新措施，勢必執行對

〔註 16〕《山西政治面目一新》，《晨報》1927 年 7 月 10 日，第 3 版。
〔註 17〕《山西政治面目一新》，《晨報》1927 年 7 月 10 日，第 3 版。
〔註 18〕楊天石：《論 1927 年閻錫山易幟》，《民國檔案》1993 年第 4 期，第 96 頁。

自己統治有利的措施，所以楊的說法甚爲可取。

閻錫山在晉省總司令部設立特別黨部，特別黨部內部組織分爲三部分：常務委員、組織部與宣傳部。從特別黨部人事安排看，常務委員王嗣昌與楊兆泰，及宣傳部部長孔繁霨都爲軍隊中閻錫山之親信，而閻本人爲握有人事大權的組織部部長。通過這種以閻派人物爲主的人事安排，晉省國民黨黨部實際處於閻錫山掌控之下。〔註 19〕

閻錫山自將晉綏軍改爲國民革命軍，並就國民革命軍北方總司令後，總部會議幾無虛日，除第一步布置軍事外，第二步規定凡事進行必須遵守國民黨綱。軍事部內部職務，除由秘書長賈景德、參謀長朱綬光佐理一切外，其餘職務分爲 3 部 10 處，從機構的人事組成來看，亦多數爲閻錫山的手下。例如一部是參議部，總參議趙戴文，左參議孔繁霨，右參議王嗣昌。二部是兵站總監部，總監黃國梁。三部是訓練總監部，總監孔繁霨。10 處分別爲：一秘書處，處長鄭崇德、高相揆；二參謀處，處長郭宗汾；三執法處，處長高步青；四軍醫處，處長薄桂堂；五軍務處，處長傅麟海；六軍需處，處長郭殿鳳；七副官處，處長陳增智；八交際處，處長梁汝舟；九軍械處，處長周維翰；十軍事政治處，處長武盡英。另設 1 總部行營部，作爲軍事機關重要者，由總參贊溫壽泉、兵工廠總監黃國梁、糧服局局長徐一清負責。〔註 20〕

對於南京中央黨部所要求的吸收軍人入黨一節，馮玉祥的應對方式是直接宣佈國民軍全部加入中國國民黨，一如他之前要全部軍人受洗成爲基督徒一樣。〔註 21〕閻錫山是如何應對的呢？據時人回憶，1928 年閻錫山遵從蔣介石命令，成立第三集團軍的國民黨軍隊特別黨部，吸收軍人入黨。閻錫山本來就不讓軍人問政，又不得不照黨章辦理，他想出一個辦法，對上公開，對下保密，指派秘書趙一峰閉門造車，按章呈報名冊，說是集體入黨，所有黨部負責人也是閻指派的，當事人並不知道自己入了黨。名冊呈蔣中央後，蔣中央黨部認爲諸多不合，不發黨證。閻錫山即令發臨時黨證以代之，「眞是滑稽之至」。特別

〔註 19〕張文俊：《政制轉型與山西政治秩序重構研究（1911～1929）》，第 190 頁。

〔註 20〕《山西軍政兩部之組織》，《申報》1928 年 2 月 12 日，第 11 版。

〔註 21〕關於馮玉祥與基督教有一個傳播極廣的說法，即他用自來水管爲他的部隊受洗，讓他的部隊行軍時唱聖詩。可參見黃惠蘭：《沒有不散的宴席——顧維鈞夫人回憶錄》，北京：中國文史出版社，2012 年版，第 139 頁。亦可參見張鳴：《武夫治國夢 中國軍閥勢力的形成及其社會作用》，北京市：國際文化出版公司，1989 年版，第 69～73 頁。

黨部所起的惟一作用，就是在國民黨第三屆代表大會上取得了閻錫山、商震、徐永昌幾個中央委員和楊愛源候補中央委員的席位而已。〔註22〕

黨化教育成爲一種時髦，《山西日報》上面有很多關於三民五權、總理遺囑、國民黨黨史教材的廣告。山西各界都進行黨化教育，其重點在軍隊與學界。晉省特別黨部雖早已建立，但各軍人對於其要旨未能徹底明瞭者尚多。故爲訓練各軍人，閻錫山決定再添組一批指導員，以期隨時指導。6月9日，閻委任第四師中校參謀金中和、第六師少校參謀崔作棟、教導團步兵科副主任鄭紹成、第二師少校參謀崔作權、憲兵司令部部附魏允昭、教導團中校教官劉濳、炮兵司令部中校參謀張濳、第七師諮議趙仲瑷、工兵司令部少校參謀李寅、衛生團中校團附郭如山、衛隊旅司令部上尉參謀王某等11人，爲總司令部特別黨部組織部指導員。同時，閻爲擴大他在黨部的影響力，連日在特別黨部舉行會議，討論黨務事宜，各重要人物趙戴文、王世卿、孔茂如、徐次宸、南桂馨等每次都參加會議，服從閻調遣和指揮。

在「軍界」進行黨化的同時，晉省教育界亦出現黨化傾向。太原城內橋頭街陽興中學，由陽曲、太原、太谷、祁縣、榆次、清源、交城、徐溝、文水、岢嵐、嵐縣、興縣等12縣組成。學校認爲，山西已歸黨治之下，需組織學會以資聯絡，於6月21日舉行成立大會，與會者三四百人，共同討論草擬簡章，定名爲陽興二縣學會，選馬鼎、路景、宋祖培、楊文通等13人爲執行委員。總會設於太原，各縣各區以及其它各處，有該會會員 5 人以上者可設立分會，但須經總會認可後設立。〔註23〕而且省立模範小學校校長李興義也以爲，既歸黨治，三民主義必須切實奉行。爲使學校學生理解三民主義，於6月22日特召全體教職員開一聯席會議，議決在校成立一中山主義研究會，專門灌輸此項知識，並將全校學生分爲甲、乙、丙3組，每組每星期開1次會，各教員擔負講解之責。尙志女校全體學生認爲晉省女子政治人才較少，主張在黨治下應急需設法培植這類人才，並在學校開會，議決設法籌款，創辦一女子政治學院，專門造成女子政治人才。爲適應教育黨化，山西大學同學會也早已成立，農專發起中山主義研究社，學習和宣傳三民主義。而各校教職員身穿短服者固屬不少，而一般老教學家十有八九皆身穿長服，爲表示革命

〔註22〕文聞：《晉綏軍集團軍政秘檔》，北京：中國文史出版社，2009 年版，第 87 頁。

〔註23〕《黨治下之山西教育》，《晨報》1927年6月27日，第2版。

精神，政府下令這些教職員一律改穿中山式制服。〔註 24〕

第三節　山西國民黨的改組及清黨運動

孫中山主導的「二次革命」失敗後，袁世凱下令取締國民黨。閻錫山追隨袁世凱，在山西禁止國民黨。國民黨人在山西，從 1914 到 1926 年間都是處於地下活動狀態。1924 年開始，閻錫山逐漸放鬆國民黨人在山西的活動。閻錫山基於「因資本主義之剝削，演出共產主義來，是兩極端之錯誤」〔註 25〕的認識，本就對共產主義運動以及共產黨組織持防備與抵制態度。早在 1920 年代初，他就在山西召集學政各界人士，舉行旨在探索一項資本主義與共產主義極端之外的「適中制度」的「進山會議」。進山會議跨時兩年零四個月（從 1921 年 6 月 21 日到 1923 年 10 月 21 日），有論者評論道：「（進山會議）不僅反映出閻錫山從其既定的立場出發，對共產主義的無以名狀的敵視，而且表現了他反對共產主義的決心。從此開始，他幾乎是不停頓地致力於此，至於終死」。〔註 26〕因此在閻錫山執政的山西，共產黨發展組織從一開始就受到很大限制。一直到國共合作實現後，才出現第一個共產黨組織——太原支部，中國共產黨山西省臨時委員會同時成立。

1924 年春國民黨第一次全國代表大會後，國民黨中央委派苗培成爲山西省臨時執行委員會籌備員，著手組織臨時省黨部，並由苗培成、趙連登、王和暢、郭樹棠、武誓彭、李嗣璁、王英（共產黨）、王鴻鈞（共產黨）、和朱志翰（共產黨）負責籌建。〔註 27〕到 1925 年冬，國民黨在太原發展到黨員 4 百餘人，成立中國國民黨山西臨時省黨部，秘密向各縣發展組織；吸收成員大多爲青年學生、工人，少數爲農民。同期還先後成立了太原市、靜樂、大同、臨汾、運城、忻縣、崞縣、曲沃、武鄉、沁縣、晉城、壽陽等 30 多個市、縣國民黨黨部，約有黨員 3 千餘人。〔註 28〕

國民黨在山西雖有規模上的發展，但活動還是未能完全公開。直到 1926 年 12 月 15 日，山西省黨部才召開第一次全省代表大會，正式成立山西省黨

〔註 24〕《黨治下之山西教育》，《晨報》1927 年 6 月 27 日，第 2 版。

〔註 25〕《治晉政務全書》第 2 冊。

〔註 26〕雒春普：《閻錫山傳》，第 117 頁。

〔註 27〕苗培成：《往事紀實》，臺北：正中書局，1979 年版，第 34 頁。

〔註 28〕山西省政協文史資料研究委員會：《閻錫山統治山西史實》，第 121 頁。

部，其成員韓克溫、梁永泰、梁賢達、李敏、郭樹棠、楊笑天、趙連登、李江、王英、劉臨科、孫眞儒等當選爲執監委員，組織程序逐步趨於全國水平。〔註 29〕省黨部成立後，漢口總政治部鄧演達派羅豁等數人赴晉，組織政治部，閻錫山覺得羅豁等人言論行爲具有共產黨嫌疑，遂任命南桂馨爲總司令部總政治部主任，而讓羅豁等人分任秘書主任等職務。〔註 30〕

山西省黨部是屬於武漢國民黨中央管理，閻錫山對於武漢國民政府持敵視與懷疑態度。國民黨想要滲入山西省政，困難良多，其中一項即爲經費嚴重匱乏，從山西省黨部與國民黨中央的電報可知，多數內容爲向武漢國民政府索要活動經費。

1926 年 5 月 12 日，山西省臨時黨部上中執會函稱：「收到經費不夠用，請再給 50 元」。〔註 31〕1926 年 11 月 19 日，中央政治會議第 48 次議決案：組織部長陳立夫提議山西錢不敷，請增加。〔註 32〕1927 年 1 月 25 日，山西省黨部上中常會函：總理逝世二週年紀念宣傳費。爲喚起民眾瞭解總理主義與決策，並努力參加國民革命，將要舉辦大規模宣傳，共計大洋 2100 元。〔註 33〕1927 年 3 月 23 日，武漢國民黨山西特派員汪銘上中常會函，將山西省黨部向中央所要求者，爲便利提出討論起見，列於下：

（1）補發山西第一次全省代表大會不足經費。

（2）黨費：本黨部黨費，領到去年 11 月份。黨部 12 月份成立。

（3）總理二周紀念特別宣傳費。

（4）農民運動費。

（5）工人運動費。

（6）宣傳部特別費。

（一）舊曆一月十五日召集各界開北伐勝利慶祝大會，預計伍佰元宣傳費，此項經費，示以用過，請中央宣傳部照數補發。

（二）宣傳部因各界人士購買三民主義而不得，特將三民主義、建國方略、建國大綱、本黨名人講演集各翻印五千本，需付銀三千元，請中央宣傳部補發。

〔註 29〕苗培成：《往事紀實》，第 36 頁。

〔註 30〕《閻百川贊成清黨》，《民國日報》1927 年 5 月 12 日，第 1 版。

〔註 31〕臺灣大學中國國民黨黨史資料庫藏：《漢口檔案》，漢 6940.1。

〔註 32〕臺灣大學中國國民黨黨史資料庫藏：《漢口檔案》，漢 6940.2。

〔註 33〕臺灣大學中國國民黨黨史資料庫藏：《漢口檔案》，漢 6699。

以上各種款項，中央無論如何，速速解決，以便早日回去，清還債務，派大批同志，分赴各縣，擴大黨的宣傳，擴大黨的組織，努力作下層工作，使最忠實革命的農工群眾，團結起來，在本黨的指導之下，爲自身利益而奮鬥。參加國民革命的實際工作，使黨的基礎建築在農工身上，使閻錫山認識我們黨的力量，眞誠的來投降我們的黨，爲黨奮鬥；不然我們因爲經濟關係，不能充分地發展組織，正好給閻錫山以大好機會，實現他的陰謀政策。

現在閻錫山以利誘右傾分子，並且派其私人在各縣異常活動，拉攏小學教員，村鄉中較爲覺悟的農民，就其範圍，以冀仍然造成以他一手操縱的山西。此種陰謀，不過給忠實革命的同志以猛烈的興奮劑，只有更下決心，更是努力，使閻錫山的此種陰謀，成爲夢想，所以請中央對山西的工作要加注意。以上中央常務委員會鈞鑒。〔註34〕1927年3月24日，中央宣傳部亦致中常會函表示，接山西省執委會宣傳部來函，請撥給北伐特別宣傳費500元，翻印各種書籍費三千元。〔註35〕

從這些函電中可看出，山西省黨部十分拮据，捉襟見肘，所有的經費都需要武漢中央撥給，否則連複印三民主義、建國大綱、總理遺囑的資料費都沒有，宣傳活動無從進行，更遑論發動農民與工人運動。閻錫山對於武漢政府支持下的山西國民黨省黨部不予經濟支持，且積極爭取民眾，不使他們傾向國民黨。1927年4月之後，國共合作的省黨部即告破裂。

1927年4月，山西國民黨就已開始重新登記。據報紙報導，太原市黨部將全城已經登記的黨員，就居住區域，重新分割爲四個大區，每區之中，又分爲若干小區，由市黨部遣派監督員去促進黨部的改選，「黨部改組事件廣受關注，國共兩黨目前各具有相當之勢力，各懷有相當之野心。就人數言，國黨遠逾共黨。就質言共產黨確實逾於國。國民黨對於此次市黨部之改選，認爲前途生死之關鍵。各出其全副之精神，冀博其最後勝利，鹿死誰手，殊難意料」。〔註36〕

〔註34〕臺灣大學中國國民黨黨史資料庫藏：《漢口檔案》，《武漢國民黨山西特派員汪銘上中常會函》，1927年3月23日。

〔註35〕臺灣大學中國國民黨黨史資料庫藏：《漢口檔案》，漢6942.1。

〔註36〕《最近太原之面面觀》，《晨報》1927年5月9日，第5版。

1927 年 4 月 26 日，中國國民黨中央常務委員會決議通令各級黨部徹底實行清黨，並發表宣言闡釋清黨意義。5 月 17 日，中國國民黨中央清黨委員會在南京正式成立，21 日頒佈《清黨條例》十一條，通令全國各行政機關「一體查照辦理」，命令組織各省、市清黨委員會。〔註 37〕清黨運動由江浙開始，並於寧漢合流之後在全國展開。閻錫山 6 月 3 日宣佈易幟之後，就與南京政府採取一致行動，6、7 月間，執行南京國民黨中央黨部下達的改組各省地方黨部的指令。國民黨山西省黨部原是左右派的聯合組織，在 9 名執行委員中，國民黨占 5 席，共產黨員占 4 席。閻錫山成立「國民黨山西省黨務改組委員會」，開除在省黨部工作的共產黨人，「以張繼、何澄（二人爲國民黨中央派來），趙戴文、南桂馨、溫壽泉、孔繁蔚（四人爲閻錫山親信），苗培成、韓克溫、李冠洋、郭樹棠、楊笑天（五人爲原省黨部委員）共十一人組成黨務改組委員會，成立了國民黨山西省黨部。苗培成、韓克溫、郭樹棠等爲常務委員。」〔註 38〕山西省黨部登報通緝山西共產黨主要領導人顏昌傑、崔鋤人、王英、薄書存（薄一波）等 32 人。〔註 39〕

南京國民黨中央指派梁永泰、苗培成、韓克溫、南桂馨、李冠陽、郭樹堂、楊笑天等爲山西清黨委員會委員，由梁永泰負責，主持清黨工作。之後，梁被閻錫山調任國民革命軍北方軍事政治速成科教育長，清黨工作改爲苗培成負責。〔註 40〕實際上苗培成是在閻錫山的控制下開展清黨活動的。4 月中旬，閻錫山方才接到 4 月 2 日中央監察委員會檢舉共產黨罪狀通電，閻錫山極表贊同，立即將武漢鄧演達派來的羅豁等驅逐出境，掀起山西清黨運動。〔註 41〕閻錫山特准成立特別黨部，令各工人入黨，「但除閻所辦者外，概不之許」。〔註 42〕並在省城嚴禁集會結社講演等，限制共產黨的公開活動。〔註 43〕

〔註 37〕中華民國史事紀要編輯委員會編：《中華民國史事紀要（初稿）》（1927 年 1 月～6 月），第 805、950、1002～1003 頁。

〔註 38〕中共太原市委黨史研究室：《中國共產黨太原地區鬥爭史料（1919 年～1949 年）》，1985 年編印，第 56 頁。

〔註 39〕山西省史志研究院：《中國共產黨山西歷史》（1924～1949），太原：山西人民出版社，1999 年版，第 133 頁。

〔註 40〕參見朱建華：《蔣介石與閻錫山》，北京市：團結出版社，2009 年版，第 57 頁。

〔註 41〕《閻百川贊成清黨》，《民國日報》（上海版）1927 年 5 月 12 日，第 2 張第 1 版。

〔註 42〕《晉閻態度》，《晨報》1927 年 4 月 29 日，第 3 版。

〔註 43〕《太原共產黨勢力大挫》，《晨報》1927 年 5 月 16 日，第 2 版。

山西清黨運動帶來了一定程度的社會恐慌，但因閻錫山素來反對共產，經常向民眾宣傳赤化危險，從 4 月開始就通令直轄軍警，注意共產黨潛入，開示「黨人標幟四樣，計項圍紅繩、領扣紅線、身帶朱色印，及赤色雨傘手帕等」。〔註 44〕山西民眾平時便視赤化爲洪水猛獸，再加上國民黨右派的動員，民眾亦積極加入清黨隊伍。國民黨山西省黨部特地發行《清黨日刊》，將有共產黨嫌疑的人的姓名，充篇滿幅，極端攻擊，致使昔日曾四處託人介紹以入共產黨爲榮的青年大爲恐慌，紛紛登報聲明，脫離共產黨籍。太原各報廣告欄亦常見此種聲明。〔註 45〕清黨甚至成爲其時政治活動的時髦，各地如遇有騷亂或打架鬥毆行爲，亦會掛上清黨標簽，從而將普通事件或利益糾葛上昇爲政治鬥爭。如山西北方軍事政治學校〔註 46〕隊長和學生因吃飯問題發生慘劇，省黨部亦將其歸結爲共產黨的搗亂活動，並進一步變動入黨辦法。〔註 47〕

在嚴厲的清黨氛圍下，共產黨人紛紛逃避，而素稱西北革命同志同盟會首領的胡遽然亦聞風潛逃，最後被工會糾察隊抓捕。由於清黨話語宣傳，胡遽然在民眾中的形象已被醜化。自胡遽然被捕到省後，各界人士認爲胡「惡迹昭昭，在人耳目」，既被工會糾察隊拿獲，必須從嚴懲治，方能「一泄各界人士之恨」。於是，民眾三三五五，成群結夥，齊向緝虎營省黨部門首聚集，愈聚愈多，截至下午達 20000 餘人。緝虎營大街交通一時被斷絕，群眾大聲疾呼「殺死工賊胡遽然」，「殺死破壞國民黨的胡遽然」，「槍斃共產黨首領胡遽然」等口號，並派代表數人進內，向省黨部清黨委員會要求迅將胡遽然交出並當場處以死刑。〔註 48〕

除了在國民黨中開除與通緝跨黨黨員之外，十分重視教育的閻錫山還在學校進行清校運動。山西大學、國民師範學校都是清校的重點對象。其中國

〔註 44〕《奉張派于國翰聯晉閻》，《申報》1927 年 4 月 14 日，第 2 張第 6 版。

〔註 45〕《易幟環境一變青年爭談三民主義》，《晨報》1927 年 6 月 14 日，第 2 版。

〔註 46〕當本省改革之初，晉政府鑒於本省革命人材之缺乏，曾令軍官學校校長榮鴻臚，組織北方軍事政治學校，專爲造就軍事政治兩種人材，定爲一年半畢業，共招學生二千名。其時報名者已逾一千八百餘名，大約考試之期，亦必不遠。後因某種關係，又改變原來計劃，而以專門造就下級軍官人材爲宗旨，故又改名爲北方軍官學校。參見《晉省清黨運動》，《晨報》1927 年 7 月 23 日，第 6 版。

〔註 47〕參見《清黨運動中之太原》，《晨報》1927 年 7 月 11 日，第 6 版。

〔註 48〕《晉人請願槍斃胡遽然》，《晨報》1927 年 7 月 6 日，第 6 版。

民師範學院是閻錫山所直接管轄，由閻之親信趙戴文擔任校長，報紙上竟也傳出該校約有 200 名共產黨的消息。〔註 49〕

據報紙記載，5 月 9 日，國民師範學院共產派學生以追悼李大釗爲名，實則密圖暴動以「驅逐國民黨某某等十黨員」，他們以太原學生聯合會的名義，在大街上貼滿「李大釗精神不死」、「擁護武漢政府」及「打倒新軍閥蔣介石」等布告。〔註 50〕閻錫山派數營（據中共方面資料爲一營）軍隊到國民師範學校逮捕共產黨首領，軍警與共產黨學生雙方持有槍械對峙整整一個上午之後，主持者不得不宣佈散會。〔註 51〕山西當局逮捕六人，包括共產黨員張勳、武學和、王道明及「左派積極分子」楊懷義。〔註 52〕5 月 16 日「校中雖次第上課，惟武裝之軍隊，仍行密佈，監視極森嚴」，報紙上將此事件定性爲「該校多數學生，以不滿受共產派之壓迫，且不齒其強暴之行爲，現一致聯合，蓋作清校運動」。〔註 53〕

因國民師範學校一事，太原學生界多認爲學聯會爲共產派包辦，於是積極致力於改組學聯會，「一方固欲藉以剷除共產份子，一方亦將同時解決各校本身問題」。清校運動以山西大學爲最熱烈，極有可能引發太原學潮，「且有多數教職員等，暗中讚助。共派雖亦積極奮鬥，恐不久勢將歸於失敗。按太原學聯總會，向以山大爲領袖。山大學生既有剷除共黨，解決學校本身之決心，則太原學潮之爆發，爲期當在不遠矣」。〔註 54〕

1927 年 9 月之後，國民黨中央特別委員會決議，撤銷各地清黨委員會，由各級黨部清黨。「山西清黨由改組國民黨省黨部通緝共產黨員，再進而演變爲清除共產黨的外圍群眾」〔註 55〕，「當時各學校的革命青年和太原總工會及各工會的積極分子，前後被扣捕的即達一百餘人之多」。〔註 56〕中共山西省委、太原市委機關也在清黨中遭到嚴重破壞。共產黨的活動轉入秘密狀態，省城的共產黨員多分散轉移到村民中去，在農村發展組織，動員農民，領導

〔註 49〕《太原共產黨勢力大挫》,《晨報》1927 年 5 月 16 日，第 2 版。

〔註 50〕《閻錫山派軍隊逮捕共產黨首領》,《晨報》1927 年 5 月 12 日，第 2 版。

〔註 51〕《閻錫山派軍隊逮捕共產黨首領》,《晨報》1927 年 5 月 12 日，第 2 版。

〔註 52〕參見中共太原市委黨史研究室：《中國共產黨太原地區鬥爭史料（1919 年～1949 年）》，1985 年編印，第 55～56 頁。

〔註 53〕《太原共產黨勢力大挫》,《晨報》1927 年 5 月 16 日，第 2 版。

〔註 54〕《太原共產黨勢力大挫》,《晨報》1927 年 5 月 16 日，第 2 版。

〔註 55〕山西省地方志辦公室編：《民國山西史》，第 172 頁。

〔註 56〕山西省文史資料研究委員會：《閻錫山統治山西史實》，第 113 頁。

群眾鬥爭。〔註 57〕因為閻錫山排斥中央對山西的滲透，國民黨的組織活動與國民黨省黨部的影響力也逐漸減弱。閻錫山化身黨國之一員，借助清黨更加牢固地控制山西政權，這是國民黨中央所始料未及的。

第四節　閻氏三民主義

易幟的另一個重要表現為信仰與宣傳孫中山的三民主義。對於宣傳三民主義，1926 年 10 月，山西制定了四項重要規章，其中有三民主義訓練委員會簡章、送達村政周報及革命牆報。三民主義訓練委員會是為訓練各縣村閭鄰長及全縣人民瞭解三民主義而設，〔註 58〕縣知事為委員長，省政府委員、縣公署委員及各區行政長為組織成員。村政周報為進行村政革命，牆報為革命宣傳的重要資料，都由區長分別負責迅速送達各村。

1927 年 8 月 16 日，閻錫山在總司令部自省堂對黨政軍各界人員演講「如何實現三民主義」，8 月 23 日，又在自省堂對黨政軍各界人員進行第二次演講「國情人情、國民革命」。他認為，「山西黨政，欲得良好結果，必須使黨成為公道之淨白團體。黨無權力時，易招人輕視；黨有權力時，須防人利用。貪官劣紳皆絕大本領者，利用黨以胡鬧，自當嚴防。嚴防有人利用黨來沽名釣譽」。〔註 59〕

在北洋政府時期，對於孫中山與三民主義，閻錫山很少提及。1924 年孫中山北上之際，南北尋求和解之後，閻錫山方在講話中時有提到「三民主義」。他反對當時「過火」的工農運動。聲稱自己贊同總理的仁愛之心，願意為農工謀利益，但對於共產黨利用農工、欺騙農工的手段，應當努力查明並避免。

對於三民主義中的「民族」與「民權」，閻錫山只是說「民族主義，是求自己平等，並扶助他民族平等，是中國成己成物的道理，很仁慈公道的。民權主義，是全民政治，不是代表某一階級利益的政治，人民有直接選舉罷免創制復決之四權，眞是立民國的基本，集民治的大成。」〔註 60〕

〔註 57〕參見薄一波：《七十年奮鬥與思考》上卷，北京：中共黨史出版社，1996 年版，第 60 頁。

〔註 58〕參見董江愛：《山西村治與軍閥政治（1917～1927）》，北京市：中國社會出版社，2002 年版，第 254 頁。

〔註 59〕《民國閻伯川先生錫山年譜長編（初稿）》（二），第 774～777 頁。

〔註 60〕《民國閻伯川先生錫山年譜長編（初稿）》（二），第 770 頁。

閻錫山在三民主義之外，加上自己早就大加宣傳的「民德主義」。這一點與張作霖不謀而合。在閻看來民生政治是好是壞，全看人民是否具有仁愛與公道之心。「即本黨之三民主義，皆網維於民德之內。若使三民主義無民德運用，則本黨及本黨之主義，行將於危險與短命之境」。〔註 61〕

他舉了一個國人歡迎殖民統治的例子，用來說明失德的可怕。某都統對待熱河人，還不如日本人對待朝鮮人，熱河人民甚至希望日本人來。可見「人心無常，惟德是與。感受軍閥殘暴，便欲歡迎帝國主義。」〔註 62〕要根據國情人情及本黨主義，來確定本黨行爲，「主義是理想，理想易善；實施主義是行爲，行爲易惡。本黨以三民主義救國救民，必須以民德運用之，始能使民族主義不變爲侵略，民權主義不陷於爭奪，民生主義不至於掠奪。」〔註 63〕

閻錫山也認爲三民主義應該建設在中國傳統文化之上，他與孫中山在這一點上是相同的。「某俄人與總理談話說，共產主義，建設在馬克思唯物史觀的基礎上。公之三民主義如何？總理答：三民主義，建設在中國數千年文化上，即係繼承中國堯舜禹湯文武周公孔子之正統思想云云」。〔註 64〕閻錫山認爲三民主義是中國政治文化的中興。人與人的關係，得乎中道，是精神文化；人與物的關係，使物盡其性能，是物質文化。精神文化如果不以物質文化作爲輔助，則有裏無表；物質文化若不以精神文化網羅住，則有表無裏。兩者應當相輔相成。〔註 65〕

閻錫山表示自己贊成三民主義，但對於如何落實與實現三民主義，他提出了自己的看法，節制資本、平均地權非一朝一夕之功，不可急於求成，「況私產製度，乃由歷史遞嬗法律保護而來，何得張三殺人，李四頂命，獨罪現在之資本家。吾人改革社會只當促人醒悟，不應以襲擊報復之方法施之」。〔註 66〕節制資本，平均地權，不能一蹴而就，要逐步進行，「總理爲社會主義之實行者，故不能不趨重事實」，「中國本小農社會，俗語云，土地千年換百主，地權不時轉移，與外國封建之大地主情形不同，不應以急迫恐怖之主義加之，無斯病也，固不必下斯藥也。」對於有人批判民生主義不徹底，節制資本、平均地

〔註 61〕《民國閻伯川先生錫山年譜長編（初稿）》（二），第 776 頁。
〔註 62〕《民國閻伯川先生錫山年譜長編（初稿）》（二），第 785 頁。
〔註 63〕《民國閻伯川先生錫山年譜長編（初稿）》（二），第 787 頁。
〔註 64〕《民國閻伯川先生錫山年譜長編（初稿）》（二），第 786 頁。
〔註 65〕《民國閻伯川先生錫山年譜長編（初稿）》（二），第 786～787 頁。
〔註 66〕《民國閻伯川先生錫山年譜長編（初稿）》（二），第 773 頁。

權不足以根本剷除民生之障礙，閻錫山則認爲「殊不知，總理是以愛國愛民之心革命，非以標榜主義之心革命，非不知徹底，乃不敢徹底耳。」〔註67〕

對於「耕者有其田」，閻錫山拿山西的人口與土地做例子，說此事按照山西現狀分年漸進，可說不殺一人而革命即可成功。有錢的人不自己種地，可以慢慢將田地賣給沒錢的人，或用典質的方法典出土地。「平均地權，最易牽動社會，稍涉複雜，危險堪慮，依次標準，可免除社會危險，與本黨失敗。」〔註68〕

從閻錫山的看法，可知他認爲孫中山民生主義雖好，但節制資本、平均地權等措施不可冒進，否則像共產主義一樣激進，南轅北轍。他將孫中山的三民主義，結合自己的人生觀、價值觀及治理山西的經驗，提出帶有濃厚閻氏風格的三民主義。1927 年 1 月 3 日，閻錫山向各縣委派三民主義訓練委員，使人民瞭解三民主義，思想保持一致。但山西人民接受的三民主義，是經過閻錫山大加改造之後的，他很少提「民族」、「民權」部分，只談「民生主義」。

閻錫山在 1917～1927 年這十年間，對於村治傾注了大量心血，形成了一套獨特的村治思想體系，並努力付諸實踐。對於山西村治，學界也給予相當評價，「山西在北伐戰爭中，僅十餘月以一省之力，抗數十萬之敵，而地方未糜亂者，亦以全省有村治組織，便於運輸與軍需之供給，兵士之補充，頗有全省總動員故也。」〔註69〕在對公眾將孫中山的三民主義進行逐條解讀之後，閻錫山最後得出的結論是，山西的村本政治就是在實踐正確的三民主義，而且是實現三民主義的唯一途徑：

> 吾國文化，保留於鄉村者，實較城市爲多。出入相友，守望相助，疾病相扶持，實相親相愛之互助精神，在鄉村間尚富有之。即吾國社會之穩固基礎，固在家族，而實際效用，仍在鄉村。若無鄉村不成文法之自然組織，則社會基礎亦動搖矣。總理曾主張村政以推行三民主義，最爲適當。余向有村政爲三民主義五權憲法之基礎之說。蓋中國鄉村，爲歷史上相沿之自治團體，尤爲全民團結之單位，實具有政治活體，可爲民權實施人道互助及文化存留之基礎。

〔註67〕《民國閻伯川先生錫山年譜長編（初稿）》（二），第 773 頁。

〔註68〕《民國閻伯川先生錫山年譜長編（初稿）》（二），第 774 頁。

〔註69〕董江愛：《山西村治與軍閥政治（1917～1927）》，北京：中國社會出版社，2002 年版，第 3～4 頁。

施政而忘此，必不效；行主義而離此，必無成。今欲推行全民政治之三民主義，如果就鄉村施行，必能事半功倍。〔註70〕

1927年8月27日，山西召開第五次村政會議，閻錫山率各廳處所長官暨村政實察員，在自省堂，首次向國旗黨旗、總理遺像三鞠躬，恭讀總理遺囑，閻錫山做了「辦理村政與實現三民主義」的演講：「我們要想實現三民主義，村政的關係很大。簡單說去，就是除了村政以外，想實現三民主義，無法下手」，「而實行國民革命，就我省論，以村政為基礎，最易著手。我省編村不大不小，實行全民革命由編村入手，是最簡單的方法」，「所以說國民革命，要以全民為單位，村政就是根本。實行黨治，尤不能不以村政為根本」。〔註71〕

總之，閻錫山認為實行國民革命與黨治，實現三民主義的根本方法都是村政。民生主義的真諦只有兩條路：（一）發達生產。就是政治家運用科學發達社會上一切生產。（二）解除民生妨礙。妨礙為不以身體勞力而獲得金錢者就是資產生息，需要解除。並表示他的革命就是為「安山西」，「無論誰擾山西，我是不讓」，「革命是公道的，革命黨不公道，亦是反革命也，一定問他的罪」。〔註72〕

藉由閻氏三民主義，閻錫山得以繼續實行山西村政，至於國民黨中央方面對閻錫山如此解釋三民主義，持何種態度，目前尚不可知。社會上對於山西村治多保持一種讚賞態度，同時也不乏批判之聲。梁漱溟在1929年考察晉省時，曾稱：「山西這方面，無論如何，我們總可以讚美地方政府有一種維持治安的功勞。別的地方，如廣西、廣東、湖南、四川、陝西……哪處不是民不聊生！連我們最低要求的生命安全還保不住，還講什麼別的權力！」〔註73〕但梁漱溟亦提出嚴厲批評，認為閻錫山實行的村治，政府督辦提攜太重，太多防制，太多助長。〔註74〕特別是1927年後山西的自治體系墮落為東方化的專制主義官僚政體，它只是從形式上把權力簡單地下放到基層。〔註75〕梁的批評十分中肯，山西村政有其弊端，但閻錫山治理山西的努力及對於國家與

〔註70〕《民國閻伯川先生錫山年譜長編初稿》（二），第787～788頁。

〔註71〕《民國閻伯川先生錫山年譜長編初稿》（二），第794頁。

〔註72〕《民國閻伯川先生錫山年譜長編初稿》（二），第795頁。

〔註73〕梁漱溟：《梁漱溟全集（四）》，濟南：山東人民出版社，1991年版，第673頁。

〔註74〕梁漱溟：《北遊所見紀略》，《村治的理論與實踐》第3部《調查》，村治月刊社，1929年版；《村治》月刊，第1卷第4期。

〔註75〕梁漱溟：《北遊所見紀略》，第25～27頁。

社會發展路徑的探索，還是值得肯定的。

本章內容主要講述易幟之後山西的「變」與「不變」。山西變化很大，例如出現了廣泛的革命宣傳、政府進行改組、開始清黨與進行黨化教育等等。但變的是表象，不變的則是本質與核心，例如政治、軍事方面，雖然建成國民黨的機構，但是其中的要員仍舊是閻錫山的原班人馬。山西普通民眾對於革命的熱情，甚至比不上對於看戲的熱情。在普及三民主義方面，前文已經提到閻錫山宣傳的是獨具個人特色的閻氏三民主義。閻錫山對於山西的改造，在表面上是順應時代潮流，其實質是將其個人政治理想置於三民主義的革命旗幟之下，以求得在思想與實踐方面仍能控制山西。先求生存，再謀發展。最爲典型的例子，便爲他對三民主義的詮釋。他將三民主義與村治結合起來，從而使村本政治在黨國體制下合法化。其實質上阻斷了國民黨權力對於山西基層社會的滲透，弱化了其對山西既有秩序的影響。「變」與「不變」都是爲了抵制國民黨中央對於山西的滲透。

第四章　閻錫山易幟的思想原因

學界以往探討閻錫山易幟原因，多從軍事與政治兩方面立論：即閻錫山審時度勢，以求自保；蔣介石給予優厚待遇，如接管河北、京津地區等條件。閻錫山是個現實主義者，他極其明白「先求生存才能求發展」的道理。本文並不否認這些因素的重要性，如果將其易幟的全部原因歸之於此，單單以「自保」與「生存」來說明其政治轉向，則無法解釋閻錫山在 1949 年選擇去臺灣，而不肯留在大陸之事實。據師哲回憶，1949 年 1 月 21 日，中共與傅作義達成協議，和平解放北平。傅作義曾對師哲說：「蔣介石和閻錫山都曾拉我的後腿，對蔣介石的糾纏，我只要擺脫就是了，也容易擺脫；而對閻錫山則不是擺脫，而是想拉他一起倒戈，一道轉到解放軍方面來。但閻錫山給我的最後回答是：他這一生已經嫁過四五次人了，時至今日，不想再『改嫁』了。他已經死心了。」〔註 1〕因此，僅將「自保」與「生存」作爲閻錫山易幟的全部原因，則不能解釋他爲何在 1927 年「改嫁」，他當時的心態是什麼？他對國民黨與三民主義有何期待？閻錫山易幟除了有政治、軍事的考量之外，還有其思想層面的因素，尤其是他對「國民革命」、「三民主義」、「共產主義」、「北洋軍閥」這些時代流行詞語的看法，以及他對治理國家、管理社會、教育民眾的觀點，都有必要結合當時的政治演進和社會變遷作一步探討。本章試圖通過閻錫山在易幟前後關於三民主義、國民革命的演講，分析他對三民主義與國民革命的理解，爲研究閻錫山易幟及其政治選擇提供思想層面的視角。

〔註 1〕師哲：《在歷史巨人身邊——師哲回憶錄》，北京：中央文獻出版社，1991 年版，第 370 頁。

第一節　何妨以「革命」之名

閻錫山在勸說奉張易幟之時，曾向張學良、韓麟春建議，北方團結起來的唯一方法是取消安國軍的名號，改爲國民革命軍。這樣北方便與南方同屬「國民革命的陣營」，由敵人變爲朋友，南北之戰爭成爲國共之戰爭；還可以動員民眾，獲得民眾的支持。對於張作霖等人對於「北方投降南方」會沒面子的顧慮，閻錫山也耐心勸說，「討赤非南方之特權，革命亦非南方之特權」，南北是兩個平等的政府。還說作戰是爲了求勝，凡是可以幫助勝利的方法都可以採用；行政是爲了整合民眾，凡是可以團結民眾的，都能採取，力勸張作霖「以利害計得失」，不要爲「虛面子所困」，其電報內容如下：

> 或謂用國民革命軍名義，豈不近於降敵？不知此乃鞏固北方的辦法，並非投降南方的辦法。前此北方討赤，南方亦繼起討赤，南方非投降北方。今南方革命，北方亦繼起革命，北方亦非投降南方。因討赤非北方之特權，革命亦非南方之特權也。且投降有投降之事實，屈膝稱臣投降也。今此亦一政府，彼亦一政府，焉得謂之投降。
>
> 國民革命乃整個國家之辦法，法共和，美亦仿而共和，未聞美爲投降法國也。或謂國民革命，人民何嘗歡迎，不過學生歡迎。今用國民革命軍名義，毋乃近於迎合學生心理。不知士爲四民之首，今日之學生，即以前之翰林進士舉人。以前翰林進士舉人反對的事，雖皇帝無一能成功者。今日學生反對的事，我輩焉能成功。總之，作戰爲求勝，凡可以幫助勝利的方法，即當採取。行政在合民，凡可以結合民眾之名義，即當採取。蓋處國家，當以利害計得失，不當爲虛面子所困也。〔註2〕

閻錫山所指出的兩點，頗值得注意：對於「革命」群體，他認爲青年學生更爲熱衷於革命，這一點頗符合當時狀況；對於治理國家，他認爲要以利害計得失，不應爲面子所困，充分說明他的現實主義與實用主義的政治觀。

恰如山西駐南京代表梅焯敏所指出「有主義之軍隊精神是無形的武器，無主義之軍隊炮火是有限的武力」。〔註3〕閻錫山亦認爲既然革命成爲時代潮流，南方可以利用它，北方同樣可以，大可不必將「革命」視爲南方的專屬。

〔註2〕《民國閻伯川先生錫山年譜長編（初稿）》（二），第751頁。

〔註3〕《南京梅參議禎密歌亥電》，1926年11月6日到，《北伐黨軍奠定贛鄂進克浙閩寧滬案》。

閻錫山的感觸並非個別，北方的報紙輿論亦認爲，要讓當時南方響亮的「國民革命」、「國民革命軍」，變爲全國人民共有的願望，不能讓南方獨有。《大公報》說：「國民革命，必是全體，不能謂是某人某派之特許事業。」〔註 4〕《晨報》更是批評道：「國民黨雖以國民革命呼號於世，而事實純爲一黨包攬革命。」〔註 5〕

第二節　與國民黨政治主張的相似

這種相似性表現在兩方面，一方面是閻錫山與孫中山政治主張的相似，例如都崇尚中國固有的道德，講究「忠孝」與「仁愛」，都認爲國家長治久安的因素在於道德問題。〔註 6〕但孫中山是將道德置於民族主義之下，而閻錫山是在三民主義之外再加一項「民德主義」，並且不談民族主義與民權主義。另一方面是閻錫山與國民黨右派的相似性，即都反對孫中山的「聯俄、容共、扶助農工」三大政策。本節主要分析閻錫山與右派在反共方面的共同點。

閻錫山易幟後，曾有人詢問其倒向南京之原因，閻錫山答以：「山西人民害怕共產，已決定約蔣總司令動員北伐。拒受漢口政府之任命……當時漢口曾要求我出兵石家莊，合擊張作霖。我召回駐漢口代表趙丕廉，問他漢口情形。他說：『漢口方面將孔子塑像抬上遊街，橫加侮辱，顯然是毀滅中國文化』。我即不與漢口往來，只與南京合作」。〔註 7〕閻錫山很重視傳統文化，自身就是以儒學改造社會、治理社會的實踐者。〔註 8〕他反對五四以來對傳統文化的遺棄，對於共產黨「抬孔子塑像遊街」當然感到憤怒。

閻錫山對於共產主義的學說感情甚爲複雜，一方面他極力反對廢除私有制與階級鬥爭，認爲它們不適合現階段的國情民情。因爲私有制度是隨著歷史發展而出現，並且受到法律保護，改革社會不能直接把資本家的財產拿來給窮人，更不能使用暴力手段達到這一目的。另一方面他又認爲私有制帶來

〔註 4〕《國民革命》，《大公報》1927 年 5 月 25 日，第 1 版。

〔註 5〕《反革命與僞革命》，《晨報》1928 年 3 月 7 日，第 2 版。

〔註 6〕閻錫山所講「民德主義」在上一章已經涉及。孫中山關於道德的觀點，參見孫中山著：《三民主義：民國立國檔案》，北京：中國長安出版社，2011 年版，第 58～61 頁。

〔註 7〕《民國閻伯川先生錫山年譜長編（初稿）》（二），第 761 頁。

〔註 8〕尤石川：《現代化的儒學實踐——以閻錫山爲例》，臺灣政治大學中國文學系碩士學位論文，2007 年。

貧富差距、資源壟斷等問題，要想求得「徹底民生」，就理論言，必須實行資產歸公。早在召開進山會議之時，閻錫山就主張徹底排除民生障礙，非「田由公授」、「資由公給」不可。但他又不贊成立即廢除私有制，因爲事實與理論不同，理論原可徹底，事實強求徹底的話，往往會失敗。他拿「修鐵路」舉例子，說最理想的狀態是鐵路線修成直線，這樣最經濟，但沒有人會建議修成直線，因爲這不符合事實。〔註9〕

對於階級鬥爭，閻錫山持絕對反對態度。他認爲共產黨是結合無產階級向有產階級進攻，而「中國無產者，數目無多」，中國沒有階級對立，不能挑起階級仇恨與鬥爭。閻錫山從遊歷俄國的國人那裡瞭解到，共產黨所謂的無產階級，專指工廠工人而言，因爲中國工人太少，才加入農民。莫斯科曾多次開會議論中國的革命進行辦法，「以爲中國工廠工人甚少，日本黨員報告，中國工廠工人，只有五六十萬，蘇俄調查，謂有百萬，以此百萬工人，不足以制服四萬萬人之中國，始決定加入準無產之佃農」。〔註10〕

對於蓬勃發展的農工運動，閻錫山亦表示反對。他認爲農民協會散在鄉村，如果方法不當，容易爲地痞流氓所把持，劣紳土棍所利用，殺人放火，互相械鬥。若方法得當，亦不可爲，因爲容易被共產黨利用。〔註11〕他認爲歐美各國是以工業立國，總罷工足以制社會之死命，政治上利用罷工，幾有操縱國家政權之勢。但罷工並不適合中國國情，因爲中國的資本主義化與產業工人還沒發展到那個程度，罷工只會對工廠造成危害，無法對社會進行控制。〔註12〕中國「社會爲自然組織之社會，文化爲自由發展之文化。自有史以來，即尚道德，愛和平，重互助，公道自在人心，爲社會上有力之據點；違反此據點者，無論多大勢力，亦必失敗。加以家庭組織，能以獨立生活，房多自營，地多自種，飲食衣服均多自做」。〔註13〕工人罷工的話，可以「擒工賊」，工廠不出貨，則不足以「擒社會」，所以罷工的後果只可能是「工賊」被逮捕，罷工被鎮壓。工人的正常工作與工資反而受到影響，生活境遇會更糟糕。

閻錫山不贊同國民黨效法蘇俄，反對「聯俄、容共、扶助農工」三大政

〔註9〕參見《民國閻伯川先生錫山年譜長編（初稿）》（二），第772～773頁。
〔註10〕參見《民國閻伯川先生錫山年譜長編（初稿）》（二），第784頁。
〔註11〕《民國閻伯川先生錫山年譜長編（初稿）》（二），第786頁。
〔註12〕《民國閻伯川先生錫山年譜長編（初稿）》（二），第783頁。
〔註13〕《民國閻伯川先生錫山年譜長編（初稿）》（二），第780～783。

策，他認爲共產黨黨員在國民黨旗幟之下，作共產黨之工作，發展壯大自身組織。容共等於國民黨自殺。他從革命的形式、革命的方法以及革命的目的三方面，來說明自己爲何反對國共合作。

革命的形式方面，閻錫山聲稱，共產黨是階級革命，而國民黨是國民革命。利用階級革命，即是以一部分打另一部分。共產黨是結合無產階級，革有產階級之命，用之甚爲適當。國民黨既是全民政治，應求全民協進，亦當用全民革命，若利用階級鬥爭，是自破其身也。「古來人民以不納糧的旗號起來爲人民革命，革命成功，是人民做了皇帝。然原來的皇帝，不得不向人民要錢；人民起來的皇帝，仍然不能不向人民要錢。」〔註 14〕

革命的方法方面，閻錫山認爲人有欲望，需要以理性來約束欲性，不能進行以暴易暴、循環往復的暴力革命，而是應當根據中國的歷史文化來進行國民革命。共產黨是階級鬥爭法，國民黨是三民主義法。自從容共以來，國民黨太依賴共產黨的革命方法，所以清黨不僅要「清其人」，而且要「清其法」，「惟自本黨容共依賴共產黨之革命方法，公然侵入本黨者不少。喊叫的口號，實施的行爲，多陷於共產化。劃分階級，挑撥爭鬥，誠認爲招兵良法。本黨黨員不知不覺之中，亦仿傚之。此實本黨之大危險，亦民族殘殺之肇端。今日清黨，實爲本黨之緊要工作。鄙意清其人，尤須清其法。」〔註 15〕

革命的目的方面，閻錫山認爲共產黨以少數攻擊多數，利用農工可謂很適合。而國民黨所打倒的是軍閥貪官劣紳土棍，用十分之一的民權就可以打倒，不須利用農工。總之「利用農工的辦法，以大義言，乘空打劫不當爲；以黨義言，破壞本身不可爲；以中國事實言，人心反對不能爲；以目的言，無須用之不必爲；其理甚明。若必欲搶而利用之，其結果爲軍閥驅民，爲共黨作嫁，爲帝國主義者造機會耳。」〔註 16〕國民黨組織農工運動，只會被共產黨利用，因爲共產黨給予農工的優待條件，比國民黨「優豐不啻百倍」，國民黨的努力結果，甚至被「共產黨優越優豐待遇之一篇宣言所奪去，致全體反戈，作倒自己之武器」，「由此觀之，國民黨組織農工團體，其成功之日，即自殺之期，實際爲共產黨作嫁衣裳也」。〔註 17〕

〔註 14〕《民國閻伯川先生錫山年譜長編（初稿）》（二），第 782 頁。
〔註 15〕《民國閻伯川先生錫山年譜長編（初稿）》（二），第 785 頁。
〔註 16〕《民國閻伯川先生錫山年譜長編（初稿）》（二），第 784 頁。
〔註 17〕《民國閻伯川先生錫山年譜長編（初稿）》（二），第 785 頁。

閻錫山聲稱先求本黨存在，才能反對帝國主義、打倒軍閥。「余非阻礙本黨進步者，余爲防範本黨失敗也」，〔註18〕「三民主義雖好，若施行者，或乖錯，或存私心，或先後倒置，則總理救國救民之心，反成害國病民之實，則本黨及本黨三民主義，可斷定不能存在於中國人群中也。」〔註19〕閻錫山對於國民黨如何實行三民主義提出數條建議，歸納如下：

第一、國民黨要看住共產黨吸引民眾之門。國民黨要用自己的方法達到三民主義的目的，不應當用共產黨的方法。鑒於俄國的教訓，要防止國民黨上共產黨的當。俄國的革命黨有社會共產兩派，社會黨致力於農民，共產黨專注於工人。俄國第一次革命，社會黨成功了，讓農民賤價購買地主土地。共產黨乘機高唱，若贊成共產，則無價將地主之地分給農民。此檄一傳，全國農民響應，社會黨政府被推翻。「此亦本黨之生死關頭，本黨非看住此門不可」。

第二、反對罷工手段。罷工實爲民生之大擾亂，亦爲民生之大障礙。工價漲，結果爲物價高。勢必牽動一切均高，民生愈陷於困境。共產黨的辦法是「最初諂媚工人，調戲工人，求達利用工人之目的；目的達後，變爲壓制工人。當其利用之時，罷工神聖；至利用之後，罷工死刑」。

第三、解決好社會貧富不均的問題。對於貧富分化問題，以公道的、責任的、調理社會之不平；不可以報復的，投機的，幸乘社會之空隙。迎闖王不納糧之盜賊欺人手段，本黨當力避之。防止心懷不軌之人利用群眾運動謀私利，要以「淨白的靈魂運用之」。〔註20〕

閻錫山聲明自己不是反對打倒帝國主義與軍閥，而是不願意用違背國情、拂逆人情、喪失人心的做法：「本黨在中國革命，與中國人建設中國，應審查中國歷史文化社會狀況。當以主義裨益社會，救濟社會狀況之窮；不當以主義籠罩社會，強行社會主義」，「國民革命是以主義醫國，藥方須適合病情，主義須切合國情，而實施主義即是黨的行爲。所謂行爲不失敗，即忠實同志，本切合國情的主義，以得乎人心的方法，向前做去，須始終博得國人之同情，勿慕共產黨之欺騙手段，以挑撥階級爭鬥是也」。

「共產主義如何，余素未深研究，不敢輕於批評。惟徹底的滅除民生障

〔註18〕《民國閻伯川先生錫山年譜長編（初稿）》（二），第779頁。
〔註19〕《民國閻伯川先生錫山年譜長編（初稿）》（二），第774頁。
〔註20〕《民國閻伯川先生錫山年譜長編（初稿）》（二），第774～776頁。

礙，余素亦有此理論」，此理論即村本政治。閻錫山認為村本政治是在實行孫中山三民主義的唯一方法。閻氏三民主義上章已經論述，在此不再復述。

閻錫山與南京方面在「黨與主義」方面的共同點在於——雙方都是反對與蘇聯合作、反對容共政策與階級鬥爭；都認同於純正與正統的國民黨。但閻錫山與南京方面的分歧則在於——閻錫山不肯完整接受三民主義與黨治，他對於治理山西有自己的一套理論系統，並且堅持實施村政，因此他對於三民主義進行改造，三民主義成為民生主義，民生主義成為山西村政。如此他才可能繼續在山西實行村政，鞏固自己的統治。

蓋閻錫山易幟，在思想層面上是想實現自己關於「治世」與「治心」的理想。誠如一位臺灣學者所指出，閻錫山除了信奉現實主義之外，其個人的哲學中，尚帶有理想主義的色彩。〔註 21〕反觀閻錫山在山西的內政措施，可視為理想主義的實踐，也是他施展個人政治抱負的表現，對閻錫山與山西而言，都極具意義。歷經山西建設的省民，至今仍多能背誦當年的標語，可見閻氏改革的影響，極為深廣。

〔註 21〕曾華璧：《閻錫山與民初政局》，臺灣政治大學歷史研究所碩士論文，1979 年，第 172 頁。

第五章　閻錫山易幟對於民國政局的影響

1928 年 1 月，蔣介石復任國民革命北伐軍總司令，重整北伐軍，分全國爲四個集團軍，閻錫山爲第三集團軍總司令。北伐勝利後，閻錫山獲得晉冀察綏及平津四省兩市的控制權，成爲影響中國政局的實力派人物之一。1927 年的易幟是閻錫山政治生涯的轉折點，從此他從山西走向全國政治舞臺。

對於民國政局，尤其是從 1927 年到 1949 年的歷史時段來看，閻錫山易幟的影響則是多方面的。一個是當時的影響，主要爲正面影響，爲山西留得生存空間，維持了地方的和平，客觀上促進了中國統一；第二是後來的影響，表現爲負面影響。中原大戰的爆發標誌著以「易幟」與「宣稱服從三民主義」這種方式統一全國的無效性。此後中央與地方關係一直處於緊張狀態，無法同心同德共禦外敵。蔣介石、閻錫山、馮玉祥等人被斥爲「新軍閥」。另外清黨對於國民黨自身損傷甚大，切斷了底層革命的道路。閻錫山等人對三民主義的各自解釋，使得國民黨四分五裂，黨治未能徹底，埋下日後在抗戰與內戰中潰敗的種子。

第一節　促進國家形式統一與三民主義認同

閻錫山倒向南京，使得民國政治力量的構成發生轉變。1927 年 6 月 8 日，張作霖答日本記者提問，直接表明「奉軍因背後有閻錫山軍隊之牽掣，自不得不後退」。〔註 1〕自閻錫山宣佈就任北方國民革命軍總司令職至其實行對奉

〔註 1〕《奉寧議和之前提》，《晨報》1927 年 6 月 9 日，第 2 版。

作戰，經時四月。其間奉軍作戰用其大半之心思力量以對閻，張作霖代表之足迹，不絕於太原；舊京綏京漢兩鐵路線重兵駐守；張作霖竭盡威迫利誘之能事，必欲閻氏斷絕與革命軍之關係，轉其方向，以助奉軍攻擊馮玉祥。「閻氏虛與委蛇而暗圖進展，蓋當南方兵力未能大舉北進以前，閻氏之處境固至艱也」。〔註 2〕北方國民革命軍參與作戰後，奉張北京政府大受打擊，不敢輕易南下。閻錫山易幟對於奉軍北撤，乃至後來退出關外都是有積極作用的。

閻錫山在寧漢對立之際公開易幟，擁護蔣介石，使武漢政府受到孤立。武漢方面在北方獲得支持的可能性微乎其微，在與南京方面的爭鬥中也進一步處於劣勢，「更形孤立，日益接近垮臺」。〔註3〕6月13日，汪精衛在總結武漢軍北伐狀況時曾埋怨說：「所不足的是第三集團爽了約，如果當奉軍由鄭州後退的時候，第三集團出兵斷其後路，我們早已到北京城了。」〔註4〕由此可見，閻錫山易幟對武漢方面造成的重大影響。對南京政府來說，使南京在寧漢對立中處於更有利的位置，對後來的寧漢合流產生促進影響。

另一方面，國民黨北伐之前，孫中山「在北方的評價及其知名度並沒有那麼高」〔註5〕，北伐之後，「孫中山」及「三民主義」已廣爲人知。山西民眾之前亦不知主義爲何物，閻錫山在山西進行社會動員，構建國民黨意識形態的象徵符號，促使山西民眾瞭解孫中山與國民黨，熟悉三民主義。對於國家觀念缺乏的社會大眾而言，「孫中山崇拜讓許多民眾瞭解孫中山、三民主義、總理遺囑、國家、民族等符號，這種社會動員帶來了一方面是國民黨認同，同時也是國家認同，這對於中國近代民族主義發展起到了積極作用」。〔註6〕甚至有學者認爲在北方北伐的最後階段，「軍事征服未必是國民政府統治北方的主要原因」〔註 7〕，「孫文三民主義的普及，顯然成了完成北伐的巨大的動力」。〔註 8〕這個觀點雖有誇大之嫌，但亦證明北伐宣傳之功巨大。

〔註 2〕蔣永敬主編：《北伐時期的政治史料——一九二七年的中國》，第62頁。

〔註 3〕楊天石：《論1927年閻錫山易幟》，《民國檔案》1993年第4期，第96頁。

〔註 4〕中國第二歷史檔案館編：《中國國民黨第一、二次全國代表大會史料》，南京：江蘇古籍出版社，1986年版，第1230頁。

〔註 5〕【日】家近亮子著，王士花譯：《蔣介石與南京國民政府》，北京：社會科學文獻出版社，2005年版，第30頁。

〔註 6〕陳蘊茜：《崇拜與記憶：孫中山符號的構建與傳播》，南京大學出版社，2009年版，導言第18頁。

〔註 7〕【日】家近亮子著，王士花譯：《蔣介石與南京國民政府》，第38頁。

〔註 8〕【日】家近亮子著，王士花譯：《蔣介石與南京國民政府》，第42頁。

國民黨通過北伐統一全國，使青天白日旗飄揚於各地。青天白日旗替代五色旗，跟辛亥之後五色旗取代黃龍旗一樣，都是一種進步。辛亥之後，不論共和制運行得如何糟糕，在多數人眼中「民主共和」仍舊優於帝制，因此袁世凱稱帝以眾叛親離、四面楚歌而告敗。北伐之後，由於宣傳之功，人們多有黨治優於軍閥政治的印象。國民黨內部雖四分五裂，但仍不會有人在青天白日旗之外另舉旗幟，從此後的幾則案例中則可以看出這一點。

1930 年閻錫山、馮玉祥與蔣介石之間爆發中原大戰，他們探討打什麼旗幟，最後還是選擇了青天白日旗，亦不敢另立旗幟，只在宣言中申明自己是國民黨正統，對獨裁專制的蔣介石進行討伐。李宗仁也講過一個事情，1933 年發生的福建事變，李濟深、陳銘樞、蔣光鼐等人以國民黨第十九路軍爲主力，在福建福州決定成立中華共和國人民革命政府。「第三黨人士召集所謂『全國人民代表大會』，並成立『人民政府』，推選李濟深爲主席。同時宣言打倒國民黨及國民政府，廢除青天白日旗，另行制定上紅下藍中間一顆黃色五角星的新國旗。消息傳出，全國大嘩。」〔註 9〕李宗仁認爲這是因爲「一般國民和國民黨雖不滿意於蔣先生，但對於國民黨和青天白日旗仍有無限的依戀」。〔註 10〕甚至於在抗戰期間，汪精衛後來在南京投降日本，打出的旗幟也是青天白日滿地紅的國旗，不過是在旗幟上面另加一三角形狀黃色的「和平反共建國」，以區別於南京國民政府。可見青天白日滿地紅的國旗被國人認同程度之深。

第二節　「易幟式統一」模式的實質與影響

學界多以「中國實現形式上的統一」來論北伐之功，可見中國並未實現實質統一。眞正的統一，地方的財政權、人事權以及最爲重要的軍事權，都應當收歸中央。且南京國民政府在體制上是黨國，應當以黨治國，北伐之後，黨權卻衰落，軍權備受推崇。爲何會出現如此結果？報紙上一時事評論者曾如此評論閻錫山易幟：

> 晉閻近雖與蔣一致，然彼所就之國民革命軍北路總司令〔註 11〕

〔註 9〕李宗仁口述，唐德剛撰寫：《李宗仁回憶錄》，第 484 頁。

〔註 10〕李宗仁口述，唐德剛撰寫：《李宗仁回憶錄》，第 484 頁。

〔註 11〕實際上爲北方國民革命軍總司令，國民革命軍北路總司令乃武漢國民政府所任命。

> 一職，並非南京政府所任命。就職日之宣言，謂係受山西民眾之擁戴。且山西政府之各廳廳長皆由閻自行任命，是太原雖與南京同在青天白日旗之下，而彼此實處於同等地位，不受管轄。最近南京政治會議雖有追認閻所就總司令一職之議決，然此屬南京欲置太原於自己勢力下之一種作用，而太原之不受南京政府指揮，固極明顯。蓋太原與南京不過適逢其會，同奉三民主義，此外別無關係也。故太原之於南京，乃聯盟，非歸併，蓋山西仍保持其保境主義，以留異日轉旋之餘地也」。〔註12〕

蓋在時人眼中，閻錫山與南京屬於「聯盟」而非「歸併」，其所舉理由爲閻錫山就任「北方國民革命軍總司令」之後，自行任命各廳廳長，南京方面予以追認，說明閻錫山擁有獨立的人事任命權。閻錫山在就職宣言中，將易幟原因歸於受山西民眾之擁戴，服從三民主義亦是順從民眾意願，淡化中央影響。山西仍舊保持保境安民主義，以防他日需要。此種觀點有可取之處，但並非完全正確，筆者認爲閻錫山與南京是「歸併」，是地方對中央的「歸併」，但這種「歸併」又非完全統一，而是地方讓渡出「名分」給中央，卻將實際的人事權、財政權與軍事大權控制在自己手中，可用「易幟式統一」來概括之。

顧名思義，「易幟式統一」即通過改稱易幟來宣佈歸附南京國民政府，實現全國統一的方式。從北伐軍興到統一全國，歷時僅兩年多，之所以如此迅速與順利，與許多地方實力派與軍事團體的「望風而降」、「不戰而降」有極大關係，只要他們宣佈服從三民主義，改稱易幟，國民黨對他們一應接納，他們就可以加入國民革命軍的陣營。恰如一論者指出：「基本上，國民革命軍對於擴編的對象沒有做任何選擇與控管，只要願意投入到革命軍陣營的原北洋軍閥系統的部隊；甚至不參與北伐但願易幟改掛革命軍招牌的西南地方實力派部隊，不分良窳都悉數接納。」〔註13〕

一、「易幟式統一」的實質

「易幟式統一」也有不同的種類：閻錫山是與國民黨有辛亥淵源，一開始就屬於國民黨所要爭取的對象；而奉張先與國民革命軍發生戰爭，後因爲

〔註12〕莫愁樓主人：《天下大事究竟如何？黨治前途如何？》，《晨報》，1927年7月13日，第2版。

〔註13〕姜惟理：《北伐至國共內戰間國軍部隊的演變由派系觀點研究（1926～1950）》，淡江大學國際事務與戰略研究所碩士論文，2009年，第22頁。

形勢變化，張學良背負著國恨家仇而易幟；此外還有「兵臨城下」型——與國民革命軍在前線對峙的北洋軍隊宣佈投降國民革命軍。北伐軍在軍事進展中大批收編北洋系軍隊。西南軍閥，例如四川與雲南，都屬於宣稱易幟，服從國民政府，而未曾出兵參加國民革命軍的類型。這種「易幟式統一」與 1911 年間的「辛亥式議和」十分相似。

何謂「辛亥式議和」？「辛亥式之議和，乃北方接受南方之要求，變更旗幟，實行共和。若爲各不侵犯式之妥協，各行其是各施其政」。〔註 14〕當晉閻斡旋南北之時，所希望促成的即爲「辛亥式議和」，而奉張對於三民主義並非不可容納，但所謂「贊成三民主義」，一旦涉及實行方面，則包含許多事實問題，姑且不論實行三民主義的內容，單就採用三民主義的形式，就牽連其他難題，既然「同在三民主義旗幟之下，則行使政權之機構以及編制軍隊之名稱，黨部之權限，宣傳之口號等等，自亦不能不整齊劃一。」〔註 15〕贊成三民主義易，實行三民主義難。不僅晉閻在實行三民主義的時候，出現種種問題，其他的易幟實力派亦出現此問題。舉四川爲例，可從側面印證此觀點。

四川軍閥的易幟實質在於宣告自己服從國民政府的領導，改變各軍的番號與名稱，用表面上的支持——宣告效忠，換取了實惠——免於遭受外部干涉和免於承擔省外的軍事義務。在 1927～1934 年間，四川一直能夠與中央保持這樣的關係。

四川的軍閥實行防區制，主要將領劉湘、劉文輝、楊森，彼此常年混戰，他們一向奉行「門羅主義」。1926 年後期，當北伐軍臨近武漢，接著佔領武漢並準備進佔長江流域之時，幾個主要將領宣稱支持國民革命。他們不是要表明四川要積極參加北伐，而只是表示不反對北伐，不願意介入南北之爭。對於國民黨的態度是「我不出去，你也別想進來」，屬於象徵性易幟。國民黨也樂得後方安定，雖然將川軍命名爲「國民革命軍」，但根本沒有指望薪餉甚低，紀律鬆弛的四川軍隊加入戰爭。

四川軍閥對於國民黨的滲透十分抵制，對於三民主義也沒有什麼瞭解。前去與楊森談判的國民黨代表朱德就發現，他們期待的根本不是武漢派來的政工人員，而是武漢送來的錢。而且，楊森強烈反對朱德擬定的在第二十軍實施政治教育計劃。最後，楊答應國民黨工作人員來給他的軍官講課，但只

〔註 14〕《和議成立或需時日》，《晨報》1927 年 6 月 10 日，第 2 版。
〔註 15〕《和議成立或需時日》，《晨報》1927 年 6 月 10 日，第 2 版。

能講孫中山的民族主義，不能講孫中山的其他主義和政策。〔註 16〕1927 年 6 月，南京任命了一個「清黨委員會」，由兩個長期從事黨務工作的四川人領導，以便在四川重建國民黨。這個組織從一開始就仰承四川軍人的鼻息，不得不依靠他們籌措經費，懇求他們撥給稅收的百分之四來辦黨務。〔註 17〕劉湘等人只給了數目很小的資助。清黨委員得不到支持，最終以失敗告終。1928 年初，中央黨部再次在四川建黨，成都附近一個縣裏的國民黨工作者甚至被劉文輝手下的一個軍官殺害。到 1929 年末，國民黨員共有 266,000 多人，其中只有 77 名黨員在四川。〔註 18〕劉湘有一句話幾乎可以代表四川軍閥，乃至全國地方實力派的看法，他說中國處在無政府狀態，國家法律不起作用，國民政府無力左右局勢，「誰也管不了誰」。〔註 19〕

閻錫山、劉湘、楊森等人的易幟有一個共同的特點就是在形式易幟之後，他們除了對於清黨這一項切實實行之外，無論是在組織方面還是思想方面，都沒有眞正地讓國民黨滲入進來。閻錫山是將「村本政治」穿上三民主義的外衣，劉湘等人則連件外衣都沒有。各地實力派在易幟之後，仍舊保持著財政、軍政、司法的獨立。國民黨對於地方政治的滲透失敗，黨治成爲一紙空文。

二、「易幟式統一」的影響

當時報紙曾有一篇《天下大事究竟如何？黨治前途如何？》的社論就犀利地指出，黨軍藉重的人，不是北方官僚，就是街頭市儈。黨軍以不取地盤主義號於眾，然而福州不能不讓給海軍楊樹莊，浙江又不能不給浙軍周餘，仍舊在分配地盤：

在黨軍勢力範圍下各省，究有若干建設，吾人茫然不能舉。國

〔註 16〕參見〔美〕史沫特萊（A・Smedley）著，梅念譯：《偉大的道路：朱德和他的生平》，北京市：生活・讀書・新知三聯書店，1979 年版，第 199～202 頁。

〔註 17〕《清黨特刊》，1927 年 6 月 10 日，第 5～6 頁。

〔註 18〕中國國民黨中央執行委員會黨史史料編纂委員會編：《民國十八年中國國民黨年鑒》，南京，1929 年版，第 630～631、739 頁。轉引自（美）柯白著，殷鍾峽、李惟鍵譯：《四川軍閥與國民政府》，成都市：四川人民出版社，1985 年版，第 95 頁。

〔註 19〕劉湘：《劉甫澄軍長講演集》，國民革命軍第廿一軍政訓處宣傳科，1928 年版，第 71 頁。，轉引自（美）柯白著，殷鍾、李惟鍵譯：《四川軍閥與國民政府》，第 81 頁。

家大計，非徒讀遺囑，懸黨旗所能解決。亦非在街頭大呼打倒某某，所能完成。吾人並非有意抨擊國民黨，甚願以善意的態度，忠告國民黨而已。國民黨倘長此僅致力於宣傳，冒險北進，日以擴張地盤爲事，則天下事之變化，正未可料也。〔註 20〕

從這篇社論可看出，民眾已經覺察到黨軍的「墮落」，與其要打倒的舊軍閥軍隊越來越相似。國民黨日後被批評爲「新軍閥」，與其在北伐期間的作爲不無關係。國民黨想要達到的是以黨領軍，以黨治國，但實際上軍權在北伐中膨脹，凌駕於黨權與民權之上。在 1927 年春的清黨開始以後，宋子文曾親口告訴訪問上海的哈佛大學教授赫貞：「國民革命的主旨是以黨治軍，就是以文人制裁武人。現在都完了！文人制裁武人的局面全被推翻了。」〔註 21〕

當時負責設計北伐統一後的訓政工作，而後來又對它評價的胡漢民，認爲訓政 7 年（1928～1934），絕無成效。只有軍治，沒有黨治，更非民治了。溯其原因，乃是由於軍政時期，即已造成軍權膨脹，黨權旁落，民權不張。加以北伐時期的革命軍人，仍難消除割據的傳統，養成新的地方割據觀念。〔註 22〕

軍權的擴張，隨北伐軍事的進展而造成軍人新的割據局面。國民革命軍的北伐，本來是爲了打破割據傳統，但新的地方割據觀念，也在北伐時期養成。〔註 23〕當 1928 年底中國統一之時，全國因軍事勢力的分佈，形成了以下幾個軍權中心：

南京中心，蔣中正，第一集團軍；

開封中心，馮玉祥，第二集團軍；

太原中心，閻錫山，第三集團軍；

武漢中心，李宗仁，第四集團軍；

廣州中心，李濟深，第八路軍；

瀋陽中心，張學良，東北邊防軍。

每一中心均轄有大量的軍隊，除南京爲中央政府外，其餘各中心（除瀋陽外）均設有政治分會，代行中央政府的職務。此外邊遠地區如川、滇、黔、新疆等省，仍在原地軍人的統治中。各地不但以軍治民，而且是「以軍治黨」

〔註 20〕莫愁樓主人：《天下大事究竟如何？黨治前途如何？》，《晨報》1927 年 7 月 13 日，第 2 版。

〔註 21〕蔣永敬編：《國民黨興衰史》，臺北：商務印書館，2009 年版，第 327 頁。

〔註 22〕蔣永敬編：《國民黨興衰史》，第 126 頁。

〔註 23〕蔣永敬編：《國民黨興衰史》，第 134 頁。

及「以軍分黨」。凡軍事所及的地區，黨部也跟著變遷；黨部的負責人員，都以軍事作其背景。〔註24〕顧孟餘當時即指出：「我們的軍隊，已經生出危險的現象……這都是完全因爲軍事機關離開了黨的緣故」。〔註25〕

作爲中央領袖、南京中心的蔣介石，其在建立政權的過程中，希望整合地方勢力，首先是讓具有地方權力基礎的菁英，以個人身份進入中央政府任職，例如任命閻錫山爲內政部部長，馮玉祥爲行政院副院長兼軍政部長，李宗仁爲軍事參議院院長等。〔註26〕此舉被地方實力派人物認爲是傳統的「削藩」之舉。其次，蔣介石也試圖通過軍權與黨權的中央化，來重建中央集權，前者即爲實施國軍編遣，後者爲召開國民黨三全大會。兩項舉措收效甚微，地方割據的基本政治格局依然存在，也埋下日後政局動蕩不安的因素。〔註27〕國軍編遣引發新一輪的戰爭，形成「地方以武力對中央，中央亦以武力對地方」〔註28〕的現象。

1929年6月7日，據劉大鵬記載「中國大局雖爲黨國，南京設立國民政府，而戰事終未止息。廣東與廣西戰，四川有戰，河南有戰，皖、贛有土匪，各省有土匪者多，自春及夏亦紛如，此皆黨國之不幸。近又加馮玉祥之背叛，聲勢更大，則於黨政之前途關係良非淺鮮，誠恐黨國成立不穩耳。吾聞閻錫山又有下野之訊，未知能否實行？」〔註29〕

閻錫山、馮玉祥與蔣介石終至兵戈相見，引發一場流血犧牲更爲慘烈的中原大戰。蔣介石最終贏得了中原大戰，裁撤了地方政治分會，收編了地方軍隊，統一了全國的軍權、財政權，但是通過武力換來的表面統一遠遠未能造就一個穩固、團結的國民黨和黨國體制。蔣介石始終沒有獲得地方實力派軍人的信任，國民黨不能以政治方法解決中央與地方的摩擦，只能訴諸於武力解決。

在蘇聯與中國共產黨的幫助下，孫中山對國民黨進行改組，這次改組給予「老舊腐朽」的政黨以新的活力與生命。通過改組「國民黨才由一個被視

〔註24〕蔣永敬編：《國民黨興衰史》，第126頁。

〔註25〕蔣永敬主編：《北伐時期的政治史料——1927年的中國》，第109～110頁。

〔註26〕許師慎：《國民政府建制職名錄》，臺北：國史館，1984年版，第119～126頁。

〔註27〕吳國光：《論中央—地方關係——中國制度轉型中的一個軸心問題》，香港：牛津大學出版社，1995年版，第23頁。

〔註28〕陳進金：《地方實力派與中原大戰》，第8頁。

〔註29〕劉大鵬：《退想齋日記》，第391頁。

爲隱蔽的、封閉的、個人領導的『暴民』黨，發展爲一個開放的，具有廣泛群眾基礎和政治動員能力的現代型政黨」。〔註 30〕「從根本上改變了國民黨在全國的形象及其在全國思想言說中的地位，也改變其成員組成和領導核心」。〔註 31〕

「聯俄」給國民黨帶來了軍事援助。「容共」則給國民黨帶來了大量新文化運動青年，他們恐怕是「唯一一個參與意識強，其數目又大到足以左右其所在政治運動的社會群體」。〔註 32〕「扶助農工」則使得一直走精英路線上層路線的國民黨，首次將眼光投向底層社會，一場從下而起的社會革命也開始燃燒起來。國共合作北伐時期的農工運動，發展十分迅速，呈現出轟轟烈烈的底層革命氣氛。但蔣介石發動的清黨運動最終使得底層革命戛然而止。閻錫山易幟之後，也緊隨蔣介石步伐，在山西開展清黨運動，並嚴禁工人罷工與遊行示威，山西剛剛興起的農工運動頓陷沉寂。對「赤化」的恐懼，使得清黨之後的國民黨無人敢談工農政策，一談就會被人扣上「共產黨」的帽子。但作爲一個想要牢固控制社會的集權政黨，不把自己的觸手伸到占中國絕大多數的工農階級，則缺乏廣泛的社會基礎，就會成爲王奇生所提出的「弱勢獨裁政黨」。國民黨想要獨裁，卻是有心無力，它從來未能成爲一個具有嚴密組織和高度內聚力的政黨。清黨的血腥與擴大化亦破壞了民眾對於國民黨的觀感。連陳友仁都曾表示，清黨後的國民黨政權與北洋軍閥並無兩樣。

國民黨自身的組織能力十分有限，與共產黨相比，其黨員人數很少且無力深入基層，「組織工作健全進行的江蘇、浙江、河北、河南、山西、甘肅、綏遠省中，河北、河南、山西等華北三省是典型的『委託型』統治地區，不在國民黨的直轄下。國民黨眞正能進行直接統治的地區只不過有江蘇、浙江兩省。」〔註 33〕即使在 1927 年到 1937 年所謂的「黃金十年」，國民黨組織基本上是「上層有黨，下層無黨，城市有黨，鄉村無黨」。在社會整合方面，國民黨的組織未能深入到社會底層和輻射到社會生活的各個方面。國民黨政府能夠穩穩掌握的，只有江浙兩省，另外在安徽、江西、福建、湖南、湖北數省，國民黨還有相當的控制力，其他各省要麼是地方實力派盤踞，要麼淪爲

〔註 30〕王奇生：《黨員、黨權與黨爭：1924～1929 年中國國民黨的組織形態》，上海書店出版社 2003 年版，第 22～23 頁。

〔註 31〕羅志田：《南北新舊與北伐的再詮釋》，《開放時代》2009 年第 9 期，第 49 頁。

〔註 32〕羅志田：《南北新舊與北伐的再詮釋》，《開放時代》2009 年第 9 期，第 49 頁。

〔註 33〕【日】家近亮子著，王士花譯：《蔣介石與南京國民政府》，第 217 頁。

日本殖民地和半殖民地，還有一部分是中共的革命根據地。在國民黨統治中國的22年中，眞正的版圖從未遍及全國。從這點來看，弱勢獨裁的國民黨早已在北伐時期就埋下了潰退臺灣的種子。

總之，以易幟來實現的國家統一，給南京國民政府的國家建設留下了很大的障礙。國民黨放棄了北伐的本來目的——打倒列強、除軍閥，三民主義統一中國。確如日本學者家近亮子所指出，北伐的最後階段，目標已經成爲「遵奉三民主義和易幟」這種幾乎沒有實際形態的戰略。這種「委託型統治」〔註34〕給黨、國家、軍隊等各個方面帶來了遺留問題，它阻礙了中央權力對於地方的滲透。國民政府本來應在北伐過程中實現的最主要的政治任務，即向全國普及黨組織，建立黨治體制，亦沒有眞正實現。恰如學者申曉雲所感慨：「我們仍不得不遺憾地看到，國民黨通過北伐建立起來的的『黨治』國家，實都與此革命願景相距甚遠。」〔註35〕「以黨治國」原則得不到貫徹，成爲妨礙其實現政治理想的主要原因。此外，軍政時期應該實現的普及三民主義，以作國民思想的任務，也因爲地方軍事領袖們各自對三民主義進行解釋，實際上延續地方自治的要求，使得中央集權這一目的難以實現。從這些方面來看，國民黨實際上背離了通過北伐建立「黨治」國家的初衷。

〔註34〕【日】家近亮子著，王士花譯：《蔣介石與南京國民政府》，第219頁。

〔註35〕申曉雲：《「收功「還是「背離」——辛亥與北伐比較之我見」，《民國史實重建與史論新探》，生活·讀書·新知三聯書店，2014年版，第339頁。

結　語

本文主要根據國史館所藏閻錫山檔案與大量報刊時文資料，以 1927 年閻錫山主導的山西易幟爲考察對象，詳述易幟的時代背景、主要經過、內外表現、思想原因以及主要影響。1927 年閻錫山易幟並非偶然與孤立事件，而是一個延續數月的過程，從 1927 年 4 月宣稱服從三民主義開始到 1927 年 10 月奉、晉交戰爲止，都是易幟的過程。

本文主要考察了以下幾個問題：南京國民政府、武漢國民政府、奉張北京政府，三足鼎立，都對閻錫山展開爭取工作，爲何閻錫山最終選擇以蔣介石爲首的南京國民政府？在易幟前後的數月之間，閻錫山主持斡旋奉寧晉三角聯盟，最終以失敗告終。妥協失敗的主要原因是什麼？易幟體現的是中央政府與地方實力派的政治博弈。國民黨想要確立黨國體制，以三民主義統一全國。閻錫山宣佈易幟後，山西有哪些改變，又有哪些堅持，在變與不變之中，說明了什麼問題？從短期和長期來看，閻錫山與山西易幟的實質與影響是什麼？

在 1927 年的中國，南京、武漢與北京政府在一個時期內是共存的，代表當時的三種政治勢力，爲了爭奪中央政府的合法性，三者對閻錫山進行了長達半年的拉攏。閻錫山在經過「漫長」的選擇過程後，選擇了南京國民政府，並非因爲他完全贊同南京國民政府的政治主張。而是因爲當時的政治形勢必須作出選擇，不能超然於三個政府之外。閻錫山排除各方干擾，選擇南京國民政府，其動機除了獲取地盤、權力之外，思想原因亦不容忽視。

閻錫山堅決反對共產黨與共產主義，他是最早從理論上抵制共產主義的地方實力派。他同國民黨右派的看法一致，也認爲中國與西方不同，中國是農業社會，作爲無產階級的產業工人其實很少，如果強行挑起階級鬥爭，最終受害的還是工人。農民運動跟中國古代歷史上的農民起義沒有區別，「迎闖王，不納糧」，但闖王稱王之後，還是要向農民收糧食的，政權更替呈現出「以暴制暴」「皇帝輪流做」的死循環。因此閻錫山拒絕武漢方面的爭取。另外，閻錫山深知革命的時代潮流不可對抗，必須拋棄軍閥牌匾，才能重建地方統治合法性，因此選擇與北京政府決裂。

閻錫山主持斡旋奉寧晉三角同盟，是易幟中的一個重要問題。他力勸張作霖改稱易幟，接受三民主義。張作霖方面表示三民主義可以接受，但改稱易幟絕無可能。在日本支持之下，閻錫山轉與奉系新派人物張學良、楊宇霆等商議和談。由於奉張方面堅持對等議和，始終不能接受黨國體制，拒絕改稱易幟，加上蔣介石亦視和談爲緩兵之計，閻錫山態度過於圓活，和談最終以失敗告終。但通過奉晉雙方電報關於「青天白日旗是否赤化」的爭論，可看出張作霖與閻錫山對待國共兩黨的不同看法，揭示出北伐之中人們關於「主義」的爭論與困惑不僅存在，而且影響甚大。

易幟後，閻錫山進行廣泛的「革命」宣傳，樹立對孫中山的個人崇拜，改組山西省政府，開展清黨運動與黨化教育。與此同時又有意識地抵制中央權力的進入，在宣傳孫中山的同時，也不忘宣傳「閻總司令」，控制山西國民黨的改組與清黨，以晉系原班人馬擔任山西新成立黨政機構的重要職務。在意識形態方面，大加宣傳經過他改造後的「閻氏三民主義」，省略民族、民權，另加一項「民德主義」，將「民生主義」等同於「村本政治」，並認爲這是實行三民主義的唯一正確途徑。這種「閻氏三民主義」沿襲的仍舊是閻錫山治理山西的政治理想。

由此可知，閻錫山在易幟後對於山西的改造，在表面上是順應南京國民政府，其實質是將其個人政治理想置於三民主義與革命旗幟之下，以求得在思想與實踐方面仍能控制山西。這樣做的結果是弱化了「黨治」對山西既有統治秩序的影響，阻斷了三民主義對山西基層社會的滲透。「變」與「不變」都是爲了有效抵制國民黨中央對於山西的滲透。

閻錫山易幟的影響，從短期效果來看，有助於北伐軍事進展，使晉省民眾熟悉國民黨與三民主義，促進全國實現形式統一。從長期效果來看，則弊端良多，表面上的易幟無法解決政治認同的問題，亦無法眞正解決地方割據問題。北伐中軍權膨脹，超越黨權與民權，蔣介石與閻錫山等人仍舊唯力是視，導致中原大戰的爆發。

北伐期間的清黨，對中國共產黨是一個沉重打擊，同時對於國民黨也造成很大損傷。清黨的擴大化，使得許多有理想抱負、熱心農工運動的國民黨左派也受到清洗，國民黨又回到依靠大地主與財閥走上層路線的老路。缺乏社會基礎的國民黨不曾具有嚴密組織與高度內聚力，自身四分五裂，無法有效整合內部。

閻錫山易幟是「易幟式統一」模式的典型代表，這種模式的合理性與有效性，值得商榷與檢討。「易幟式統一」與「辛亥式議和」有類似之處，都是北方接受南方要求，變更易幟。辛亥時期是實行共和，北伐時期是實行三民主義與黨治。北洋政府實行共和以失敗告終，而北伐後三民主義也未曾眞正統一中國。這項弱點帶來的影響不僅體現在抗戰時期蔣介石的指揮不靈，而且體現在國共內爭時期，北伐中易幟實力派或軍事大員的紛紛「倒戈」，例如龍雲、傅作義、陳紹寬、劉文輝等人。

閻錫山雖然沒有再次易幟，而是「護送民國」飛往臺灣，但亦用行動表明自己對於國民黨與蔣介石的「絕望」之心。在臺十年，閻錫山隱居於臺北陽明山上，按照山西模式築造一處窯洞「種能洞」，很少出門，偶而去學校演講。他每天著書立說，字數多達百萬，內容除了「反共」之外，就是探討哲學觀與中道觀。他仍舊致力於在共產主義與資本主義之間，找第三條道路，他認爲「安和世界只此一條路」〔註1〕，即「大同之路」。

〔註1〕閻錫山：《大同之路》，臺北：正中書局，1952年版。

參考文獻

一、檔案資料

1. 臺北國史館所藏閻錫山史料：
   a. 全宗號 131000007769M：
      《北伐黨軍奠定贛鄂進克浙閩寧滬案》
      《北伐清黨始末與國府遷寧案》
      《北伐吳部解體與奉軍入豫案（一）》
      《北伐吳部解體與奉軍入豫案（二）》
   b. 全宗號 13100000770M：
      《北伐奉張組安國政府案》
      《北伐北方黨政軍之運用案》
      《北伐西北軍東進案》
      《北伐北方軍參戰案》
   c. 全宗號 13100000771M：
      《北伐會師軍事部署案》
      《北伐會師晉北鏖戰津浦線出擊案：附五三事件》
2. 臺灣大學中國國民黨黨史資料庫所藏《漢口檔案》。
3. 何智霖：《閻錫山檔案：要電錄存》，共十冊，臺北：國史館印行， 2003～2005 年版。
4. 遼寧省檔案館編：《奉系軍閥檔案史料彙編》第 6 冊，南京：江蘇古籍出版社，1990 年版。

二、報刊

1. 《北華捷報》
2. 《晨報》
3. 《大公報》
4. 《東方雜誌》
5. 《南京國民政府公報》
6. 《山西日報》
7. 《申報》
8. 《嚮導》
9. 《益世報》
10. 《字林西報》

三、日記、回憶錄及資料彙編

1. （美）史沫特萊（A・Smedley）著，梅念譯：《偉大的道路：朱德和他的生平》，北京：生活・讀書・新知三聯書店，1979年版。
2. 《蔣中正總統檔案・事略稿本》（一），臺北：國史館，2003年版。
3. 【蘇】亞・伊・切列潘諾夫著，中國社會科學院近代史研究所翻譯室譯：《中國國民革命軍的北伐：一個駐華軍事顧問的札記》，北京：中國社會科學出版社，1981年版。
4. 薄一波：《七十年奮鬥與思考》上卷，北京：中共黨史出版社，1996年版。
5. 岑學呂：《三水梁燕孫先生年譜》，臺北：商務印書館，1978年版。
6. 陳公博：《苦笑錄：1925～1936》，北京：現代史料編刊出版社，1981年版。
7. 馮玉祥：《馮玉祥日記》（第二冊），南京：江蘇古籍出版社，1992年版。
8. 馮自由：《革命逸史：馮自由回憶錄》，北京：東方出版社，2011年版。
9. 黃惠蘭：《沒有不散的宴席——顧維鈞夫人回憶錄》，北京：中國文史出版社，2012年版。
10. 黃季陸：《革命人物志》，臺北：中央文物社，1969年版。
11. 黃紹竑：《五十回憶》，北京：東方出版社，2011年版。
12. 季嘯風、沈友益主編：《中華民國史史料外編（中文部分）前日本末次研究所情報資料》第25冊，桂林市：廣西師範大學出版社，1997年版。
13. 蔣廷黻：《蔣廷黻回憶錄》，長沙：嶽麓書社，2003年版。
14. 蔣緯國編：《國民革命戰史》第一部《建立民國》第三卷，臺北：黎明文化事業公司，1983年版。

15. 蔣永敬主編：《北伐時期的政治史料——1927 年的中國》，臺北：正中書局，1981 年版。
16. 李宗仁口述，唐德剛撰寫：《李宗仁回憶錄》，桂林：廣西師範大學出版社，2005 年版。
17. 梁漱溟：《北遊所見紀略》，《村治的理論與實踐》第 3 部《調查》，村治月刊社，1929 年版。
18. 梁漱溟：《梁漱溟全集（四）》，濟南：山東人民出版社，1991 年版。
19. 劉大鵬著，喬志強標注：《退想齋日記》，太原：山西人民出版社，1990 年版。
20. 羅家倫主編：《革命文獻》，臺灣：中國國民黨中央委員會黨史編纂委員會，1984 年版。
21. 苗培成：《往事紀實》，臺北：正中書局，1979 年版。
22. 榮孟源主編：《中國國民黨歷次代表大會及中央全會資料》，北京：光明日報出版社，1985 年版。
23. 山西省史志研究院：《中國共產黨山西歷史》（1924 到 1949），太原：山西人民出版社，1999 年版。
24. 山西省文史資料研究委員會：《閻錫山統治山西史實》，太原：山西人民出版社，1984 年版。
25. 山西文史資料編輯部編：《山西文史精選・閻錫山其人其事》，太原：山西高校聯合出版社，1992 年版。
26. 沈亦雲：《亦云回憶》，臺北：傳記文學出版社，1968 年版。
27. 沈雲龍《黃膺白先生年譜長編》，臺北：聯經出版事業公司，1976 年版。
28. 師哲：《在歷史巨人身邊——師哲回憶錄》，北京：中央文獻出版社，1991 年版。
29. 臺灣國防部史政局編《北伐戰史》第 3 冊，臺灣：中華大典編印會，1967 年版。
30. 許師慎：《國民政府建制職名錄》，臺北：國史館，1984 年版。
31. 閻伯川先生紀念會編：《民國閻伯川先生錫山年譜長編（初稿）》（二），臺灣商務印書館股份有限公司，1988 年版。
32. 閻伯川先生紀念會編印：《道範流長》，1982 年版。
33. 閻伯川先生紀念會編印：《閻伯川先生百年晉十誕辰紀念文集：高山仰止》，1992 年版。
34. 閻伯川先生紀念會編印：《閻錫山先生要電錄》，1996 年版。
35. 閻錫山：《閻錫山回憶錄》，北京：人民出版社，2012 年版。
36. 閻錫山：《閻錫山日記全編》，太原：山西出版傳媒集團・三晉出版社，

2012年版。

37. 閻錫山：《閻錫山早年回憶錄》，臺北：傳記文學出版社，1968年版。
38. 張研、孫燕京主編：《民國史料叢刊》1031冊，鄭州：大象出版社，2009年版。
39. 章太炎著，馬勇編：《章太炎書信集》，石家莊：河北人民出版社，2003年版。
40. 中共太原市委黨史研究室：《中國共產黨太原地區鬥爭史料（1919年～1949年）》，1985年編印。
41. 中共中央黨校《閻錫山評傳》編寫組編：《閻錫山評傳》，北京：中共中央黨校出版社，1991年版。
42. 中國第二歷史檔案館編：《蔣介石年譜初稿》，北京：檔案出版社，1992年版。
43. 中國第二歷史檔案館編：《中國國民黨第一、二次全國代表大會會議史料》，南京：江蘇古籍出版社，1986年版。
44. 中國第二歷史檔案館編：《中華民國史檔案資料彙編 軍事（一）》，南京：鳳凰出版社，1994年版。
45. 中國革命博物館編：《第一次國共合作時期的北伐戰爭》，哈爾濱：黑龍江人民出版社，1987年版。
46. 中國國民黨黨、中央委員會黨史委員會編：《李石曾先生文集》（全二冊），臺北：中國國民黨黨史委員會，1980年版。
47. 中國國民黨中央執行委員會黨史史料編纂委員會編：《民國十八年中國國民黨年鑒》，南京，1929年版。
48. 中國人民政治協商會議全國委員會文史資料委員會編：《文史資料選輯：第35輯》，北京：中國文史出版社，1986年版。
49. 中國人民政治協商會議全國委員會文史資料委員會編：《文史資料存稿選編·軍事派系（上）》，北京：中國文史出版社，2002年版。
50. 中國人民政治協商會議全國委員會文史資料研究委員會編：《文史資料選輯》第51輯，北京：文史資料出版社，1962年版。
51. 中國社科院近代史所編：《孫中山全集》第9卷，北京：中華書局，2011年版。
52. 中山大學歷史系孫中山研究室編：《孫中山全集》第8卷，北京：中華書局，1986年版。
43. 朱傳譽：《閻錫山傳記資料》，臺北：天一出版社，1985年版。

四、論文（集）

1. 曾華壁：《閻錫山與民初政局》，臺灣政治大學歷史研究所碩士論文，1979

年。

2. 陳鐵建、黃嶺峻：《北伐戰爭時期的奉張寧蔣議和》，《近代史研究》1995年第6期。
3. 葛永光：《近代中國中央地方關係之研究》，臺灣大學三民主義研究所碩士論文，2000年。
4. 姜理惟：《北伐至國共內戰間國軍部隊的演變由派系觀點研究（1926～1950）》，淡江大學國際事務與戰略研究所碩士論文，2009年。
5. 蔣永敬、莊淑紅：《「督撫革命」與「督撫式的革命」》，《近代中國》2008年00期。
6. 劉峰搏：《閻錫山與一九二七年山西易幟考論——以中央與地方關係爲透析點》，《山西師大學報（社會科學版）》2008年第35卷第2期。
7. 羅貫倫：《閻錫山參加北伐的決策歷程：從保境安民到出師伐奉（1926～1927）》，臺灣大學歷史系碩士學位論文，2011年。
8. 羅志田：《南北新舊與北伐的再詮釋》，《開放時代》2009年第9期。
9. 申曉雲：《四一二前後的蔣介石與列強》，《歷史研究》2000年第6期。
10. 孫春燕：《民國時期的〈山西日報〉研究》，山西大學文學院碩士論文，2011年。
11. 唐啓華：《英國與北伐時期的南北和議（1926～1928）》，興大歷史學報第三期。
12. 田酉如：《閻錫山易幟原因探》，《文史研究》1990年第4期。
13. 王建偉：《試析北伐前後中國共產黨對「赤化」和「反赤化」的評述》，《中共黨史研究》2010年第4期。
14. 王先明：《歷史記憶與社會重構——以清末民初「紳權」變異爲中心的考察》，《歷史研究》2010年第3期。
15. 相從智主編：《中外學者論張學良楊虎城和閻錫山》，北京：人民出版社，1995年版。
16. 楊奎松《孫中山與共產黨——基於俄國因素的歷史考察》，《近代史研究》2001年第3期。
17. 楊天石：《論1927年閻錫山易幟》，《民國檔案》1993年第4期。
18. 楊雨青：《國民軍與俄共（布）中央政治局中國委員會》，《近代史研究》2000年第3期。
19. 楊振東：《廣州國民政府黨治體制運行初探》，南京大學歷史系中國近現代史碩士學位論文，2012年。
20. 尤石川：《現代化的儒學實踐——以閻錫山爲例》，臺灣政治大學中國文學系碩士學位論文，2007年。

21. 張文俊：《政制轉型與山西政治秩序重構研究（1911～1929）》，南京大學歷史系中國近現代史博士學位論文，2011 年。
22. 張憲文主編：《民國研究》總第 17 輯，北京：社會科學文獻出版社，2011 年版。
23. 張學繼：《1927 年蔣介石下野的原因》，《近代史研究》1991 年第 6 期。
24. 智效民：《閻錫山的「六政三事」與「用民政治」——民國初年山西新政初探》，《晉陽學刊》1996 年第 6 期。

五、著作

1. （美）柯白著，殷鍾崍、李惟鍵譯：《四川軍閥與國民政府》，成都：四川人民出版社，1985 年版。
2. （美）唐納德・G・季林（BrdonaldG・Gillin）著，牛長歲等譯：《閻錫山研究——一個美國人筆下的閻錫山》，哈爾濱：黑龍江教育出版社，1990 年版。
3. （日）家近亮子著，王士花譯：《蔣介石與南京國民政府》，北京：科學文獻出版社，2005 年版。
4. 【法】謝和耐：《中國社會史》，上海古籍出版社，2001 年版。
5. 陳進金：《地方實力派與中原大戰》，臺北：國史館，2002 年版。
6. 陳少校：《閻錫山傳》，香港：致誠出版社，1966 年版。
7. 陳少校：《閻錫山之興滅》，香港：至誠出版社，1972 年版。
8. 陳蘊茜《崇拜與記憶：孫中山符號的構建與傳播》，南京大學出版社，2009 年版。
9. 陳志讓：《軍紳政權——近代中國的軍閥時期》，桂林：廣西師範大學出版社，2008 年版。
10. 丁雍年、董建中編著：《國民革命史》，北京：中國文史出版社，1991 年版。
11. 董江愛：《山西村治與軍閥政治（1917～1927）》，北京：中國社會出版社，2002 年版。
12. 費約翰：《喚醒中國：國民革命中的政治、文化與階級》，北京：生活・讀書・新知三聯書店，2004 年版。
13. 姜克夫編著：《民國軍事史略稿：北洋軍閥和國民革命軍》第一卷，北京：新華書局，1987 年版。
14. 蔣順興、李良玉：《山西王閻錫山》，鄭州：河南人民出版社，1991 年版。
15. 蔣永敬：《國民黨興衰史》，臺北：商務印書館，2009 年版。
16. 蔣永敬：《孫中山與中國革命》，臺北縣新店：國史館，2000 年版。

17. 李劍農：《最近三十年中國政治史》，太平洋書店，1930 年版。
18. 李茂盛、雒春普、楊建中：《閻錫山全傳》，北京：當代中國出版社，1997 年版。
19. 李茂盛：《閻錫山大傳》，太原：山西人民出版社，2010 年版。
20. 李茂盛：《閻錫山大傳》上冊，太原：山西人民出版社，2010 年版。
21. 李松林、齊福霖：《中國國民黨大事記》，北京：解放軍出版社，1988 年版。
22. 李雲漢：《從容共到清黨》，臺北：中國學術獎助委員會，1966 年版。
23. 劉國銘：《中國國民黨百年人物全書》，北京：團結出版社，2005 年版。
24. 劉國銘：《中華民國國民政府軍政職官人物志》，北京：春秋出版社，1989 年版。
25. 羅志田：《亂世潛流：民族主義與民國政治》，上海：上海古籍出版社，2001 年版。
26. 雒春普：《閻錫山傳》，北京：國際文化出版公司，2011 年版。
27. 毛思誠：《民國十五年以前之蔣介石先生》，香港：龍門書店，1965 年版。
28. 苗挺：《三晉梟雄：閻錫山傳》，北京：中國華僑出版社，2005 年版。
29. 【美】齊錫生著，楊雲若、蕭延中譯：《中國的軍閥政治 1916～1928 年》，北京：中國人民大學出版社，1991 年版。
30. 山西省地方志辦公室編：《民國山西史》，太原：山西出版集團・山西人民出版社，2011 年版。
31. 申曉雲：《民國史實重建與史論新探》，生活・讀書・新知三聯書店，2014 年版。
32. 孫中山：《三民主義：民國立國檔案》，北京：中國長安出版社，2011 年版。
33. 汪榮祖：《章太炎散論》，北京：中華書局，2008 年版。
34. 王奇生：《黨員、黨權與黨爭：1924～1929 年中國國民黨的組織形態》，上海：上海書店出版社，2003 年版。
35. 王奇生：《革命與反革命：社會文化視野下的民國政治》，北京：社會科學文獻出版社，2010 年版。
36. 王樹森：《山西王閻錫山》，上海：上海人民出版社，2010 年版。
37. 王翔：《閻錫山與晉系》，南京：江蘇古籍出版社，1999 年版。
38. 文公直：《最近三十年中國軍事史》，上海：太平洋書店，1932 年版。
39. 文聞：《晉綏軍集團軍政秘檔》，北京市：中國文史出版社，2009 年版。
40. 吳國光：《論中央——地方關係——中國制度轉型中的一個軸心問題》，

香港：牛津大學出版社，1995年版。
41. 吳文蔚：《閻錫山傳》，1983年版。
42. 吳振漢：《國民政府時期的地方派系意識》，臺北：文史哲出版社，1992年版。
43. 徐勇：《近代中國軍政關係與「軍閥」話語研究》，北京：中華書局，2009年版。
44. 閻錫山：《大同之路》，臺北：正中書局，1952年版。
45. 楊奎松：《國民黨的「聯共」與「反共」》，北京：社會科學文獻出版社，2009年版。
46. 楊天石：《蔣介石與南京國民政府》，北京：中國人民大學出版社，2007年版。
47. 楊天石主編：《中華民國史》第2編第5卷《北伐戰爭與北洋軍閥的覆滅》，北京：中華書局，1996年版。
48. 楊維真：《從合做到決裂——論龍雲與中央的關係（1927～1949）》，臺北：國史館，2000年版。
49. 張鳴：《武夫當權——軍閥集團的遊戲規則》，西安：陝西人民出版社，2008年版。
50. 張鳴：《武夫治國夢 中國軍閥勢力的形成及其社會作用》，北京：國際文化出版公司，1989年版。
51. 朱建華：《蔣介石與閻錫山》，北京：團結出版社，2009年版。
52. 卓遵宏：《國史擬傳（第四輯）》，臺北：國史館，2001年版。